Androiden lieben anders ...
Matilda Best

MATILDA BEST

ANDROIDEN
lieben anders...

© 2020 Matilda Best

Besuchen Sie mich auf meiner Website, lassen Sie mich wissen,
wie Ihnen mein Buch gefallen hat!
www.matilda-best.de
facebook: matilda best
instagram: matildabest42
matildabest42@gmail.com

Lektorat: H. Schneider
Korrektorat: M.Deterbeck

Umschlaggestaltung
© Claudia Mecklenburg, www.claudiamecklenburg.de
unter Verwendung von: #249420038 (EugenePartyzan), #223849576
(tomwang), #7499421 (jakegfx) – www.depositphotos.com
Satz: chaela (www.chaela.de)

Verlag und Druck:
tredition GmbH
Halenreie 40-44
22359 Hamburg

ISBN Taschenbuch: 978-3-347-17633-1
ISBN Hardcover: 978-3-347-17634-8

Bibliografische Information der Deutsche Nationalbibliothek:
Die Deutsche Nationalbibliothek verzeichnet diese Publikation in der Deutschen
Nationalbibliografie; detaillierte bibliografische Daten sind im Internet über
http://dnb.d-nb.de abrufbar

Dieses Buch widme ich allen Menschen, die vor schwierigen Entscheidungen oder Veränderungen Angst haben. In diesem Buch handeln die Protagonisten oft nach dem Leitspruch:

Wer kämpft, kann verlieren.
Wer nicht kämpft, hat schon verloren.

Playlist

Diese Songs, neue, alte und sehr alte, haben mich zum Teil inspiriert, weil sie zu bestimmten Personen oder Szenen passten. Manche habe ich erst später ausgesucht, weil sie in den angegebenen Kapiteln die Stimmung der Protagonisten widerspiegeln oder vertiefen können.

Am Ende des Buches habe ich Euch ein Personenregister des ersten Bandes erstellt, weil einige Personen in diesem zweiten erwähnt werden.

E-Mail von Yin an Eve vom 12. Oktober 2091

Liebe Eve,
Vielen, vielen Dank, dass Du und Tom dieses wunderschöne, riesige Haus für unsere große »Prototypfamilie« gefunden habt! Es ist ja hinter der hohen Hecke so versteckt, dieses Paradies, mit herrlichem Garten, Obstbäumen und kleinem Teich, dass kein Mensch es dort vermutet hätte! Aber Ihr geliebten Androiden seid eben besser als Menschen, immer und in jeder Hinsicht!

Wulf ist ein wundervoller Vater und Freund für die Kinder und für uns Frauen der beste Liebhaber, den man sich vorstellen kann. Wir sind alle rundherum glücklich. Natürlich mussten wir Wulf bedrängen, damit er nur dann als Polizeichef wieder anfängt, wenn er dieses große Haus als Diensthaus bekommt. Er selbst hätte diese Bedingung nicht gestellt, weil Androiden sich grundsätzlich zu viel gefallen lassen. Aber wenn sie den Menschen nicht deutlich ihre Grenzen aufzeigen, sehen diese keinen Grund, sie mit dem notwendigen Respekt zu behandeln.

Jetzt, wo sie die Polizei-Roboter nicht schnell genug aktivieren können, brauchen sie Wulf dringlicher denn je, und deshalb sollen sie spüren, dass ihr damaliges Verhalten voll daneben war. Wir müssen die Situation ausnützen und klarmachen, dass Androiden nie mehr eine Deaktivierung akzeptiert werden. Es muss allen Menschen bewusst werden, dass sie jetzt und in Zukunft auf künstliche Intelligenz, egal in welcher Hardware, angewiesen sind und ohne diese nicht mehr überleben können.

Und wir Frauen an der Seite von Androiden sind besonders wichtig, weil wir sie im Umgang mit Menschen beraten und ihnen den Rücken stärken können.

Wir haben übrigens erfahren, dass es außer uns noch andere Menschen gibt, vor allem Alleinerziehende und Single-Männer, die mit den Kinderpflege- und Hausservicerobotern eine Liebesbeziehung eingegangen sind und glücklich zusammenleben. Wir werden uns mit ihnen zu einer Community zusammenschließen, damit wir stärker sind und von Anfang an Deaktivierungswünschen entgegentreten können.

Eve, meine Liebe, ich bin so froh, dass es meinem Vater besser geht und er wieder arbeiten kann. Das ist hauptsächlich Euer Verdienst, auch dafür danke ich Euch von Herzen! Wie Du weißt, hat er uns neulich mit Tom besucht und seinen Enkel zum ersten Mal gesehen. Er hat so gestrahlt und seine kleinen Witze gemacht.

»Also, Wulf, er ähnelt mir deutlich mehr als dir.« Und wir haben alle gelacht, weil er recht hatte. Ich war echt erleichtert, dass er genauso humorvoll wie früher ist. Dann hat er mich liebevoll umarmt und in mein Ohr geflüstert: »Ich bin stolz auf dich, Yin, und deine Mutter wäre das auch gewesen. Vor allem, weil du für deinen Traum gegen alle Hindernisse und Widerstände gekämpft hast und jetzt in dieser ganz besonderen »Prototypfamilie« so aufblühst. Du weißt, dass Susan in jungen Jahren auch allem Neu-en gegenüber aufgeschlossen und durchaus risikobereit war, das heißt, du ähnelst ihr sehr.« Und das hat mich dann superglücklich gemacht, und ich hätte die Welt umarmen können.

Tom, der hinter meinem Vater stand, hat zufrieden gelächelt und mit der rechten Hand das Victory-Zeichen gemacht. Und da ist mir klar geworden, wie sehr er zu meinem Glück beigetragen hat, und, - dass wir Menschen im Lächeln von Androiden, wie in einem Spiegel, immer die eigenen Gefühle erkennen.

Wir freuen uns, wenn auch Du uns bald besuchst.

Ich umarme Dich,
Yin.

1. TEIL

1. Kapitel

IM CHAOS DER GEFÜHLE

Tagebuch Eintrag von Yin vom 24. September 2094

Heute habe ich die E-Mail an Eve vom Oktober 2091 wieder gelesen. Das ist jetzt fast drei Jahre her. Viel ist inzwischen passiert. Unser Leben verlief zeitweise sehr turbulent, aber wir waren alle immer glücklich und haben jede Herausforderung zusammen gemeistert. Vor längerer Zeit habe ich einen Spruch gelesen, der mir nicht mehr aus dem Kopf geht:

»Wenn es uns möglich wäre, in die Zukunft zu schauen und den Verlauf unseres Lebens zu beeinflussen oder zu verändern, würden wir alles vermeiden, was für uns oder unsere Lieben gefährlich werden könnte und deshalb gar nicht wirklich leben, sondern in einer Art lähmender Starre verharren. Am Ende müssten wir dann auf viele verpassten Gelegenheiten zurückschauen und über unsere nicht erlebten Momente und Träume weinen.«

Wulf, Jasmin und ich haben in den letzten drei Jahren zusammen mit unseren Kindern in diesem »Privatparadies« gelebt und verharrt, in einem zwar sicheren, aber unbeweglichen Zustand. Nach dem Einzug hatte Wulf innerhalb von zwei Wochen das große, wirklich gemütliche, alte Haus mit einem herrlichen Garten drumherum sicher gemacht. Überall sind nun Kameras installiert, Minidrohnen fliegen Tag und Nacht über unser Gelände und die vorhandene Mauer samt Hecke ist mit Stacheldraht und Sprengfallen aufgemotzt worden. Von außen strahlt unser Anwesen deshalb ein großes »Vorsicht! Hier erwartet dich sehr Unangenehmes« aus, und schreckt jeden Eindringling ab. Außerdem lässt Wulf Tag und Nacht vier Polizei-Roboter um das Anwesen patrouillieren. Wir leben sozusagen in einem militärisch gesicherten Paradies. Die benötigten Nahrungsmittel werden uns geliefert, der Abfall abgeholt und praktisch verlassen wir das Haus nie ohne Bewachung durch Wulf und drei Kampfroboter. Aus meiner Sicht übertreibt unser geliebter Androide seine Vorsichtsmaßnahmen, aber der Überfall auf Jasmins Haus vor dreieinhalb Jahren hat ihn geprägt und wohl auch das Gefühl, versagt zu haben, in ihm ausgelöst. Wir haben in den letzten drei Jahren insgesamt fünfmal Urlaub am Meer gemacht aber auch dort nur sehr wenige fremde Menschen gesehen oder gesprochen. Natürlich bekamen wir oft Besuch von Tom, Eve, meinem Vater und hin und wieder auch von Ben, meinem Zwillingsbruder. Wir sind deshalb über die Vorgänge außerhalb unseres Paradieses immer sehr genau informiert. Aber Kontakt zu fremden jungen Menschen haben wir nicht.

Auch wenn ich dieses friedliche und harmonische Leben bisher sehr genossen habe, vor allem wenn ich von den Vorgängen außerhalb unserer Mauern erfuhr, überfielen mich in den letzten Monaten zunehmend eigenartige Gefühle. Diese flüstern mir befremdliche Fragen ins Ohr.

»Und das war es jetzt?« Oder: »Willst du die nächsten zwanzig

Jahre deines Lebens so weiterleben?« Oder: »Verpasse ich etwas?«

Einmal habe ich mit Jasmin über diese Gefühle und Gedanken gesprochen. Sie hat mich mit ihrem mütterlichen Lachen irritiert, dann aber geantwortet:

»Yin, meine süße, kleine Freundin, ich kann dich verstehen, glaub mir das. Du hast mit 18 Jahren Wulf, unseren geliebten Kampf-Androiden geheiratet und mit 20 einen wunderbaren Sohn bekommen. Du hast ihn bekommen, wie die Jungfrau Maria, das heißt ohne einen Akt der körperlichen Liebe, sondern durch künstliche Befruchtung. Ich weiß, dass du noch nie die Umarmung eines lebendigen Mannes gespürt hast, und es ist völlig normal, dass du dich fragst, wie sind menschliche Männer überhaupt, was fühlen sie, wie agieren und reagieren sie. Ja, meine Liebe, ich kann dich gut verstehen.

Ich dagegen habe in meinem Leben so viele verschiedene Männer kennengelernt, dass es für fünf Frauen reichen würde. Aber das bringt dir nichts. Man kann fremde Erfahrungen nicht für sich selbst nutzen.«

Und dann hat sie mich umarmt und gestreichelt. Und ich habe mir vorgestellt, sie wäre ein Mann.

Drei Wochen nach diesem Gespräch habe ich Tom um eine Aussprache gebeten und ihm von meinen geflüsterten Fragen erzählt. Er hat sein ernstes Androiden-Gesicht aufgesetzt, und da war mir klar, dass er eine längere Ansprache halten würde. Ich wollte das in diesem Moment mehr als alles andere, denn ein paar beschwichtigende, menschliche Worte hätten mir auf keinen Fall gereicht. Tom begann seine Rede so:

»Liebste Yin, ich habe gewusst, dass du eines Tages unter diesem Gefühl, etwas verpasst zu haben, leiden würdest. Wulf hat das sowieso schon gespürt. Du weißt, er besitzt meine Daten, er denkt und fühlt wie ich. Und wir haben bereits über dieses Dilemma gesprochen. Menschen müssen eigene Erfahrungen machen, gute und besonders auch schlechte. Erst dann können sie das Wertvolle in ihrem Leben erkennen und würdigen. Ein so junges Mädchen, wie du es damals warst, hat sich seinen Kindheitstraum erfüllen können und einen Kampfroboter geheiratet. Erinnere dich an unser damaliges Gespräch, ich habe gesagt:

,Deine Mutter hat nicht bedacht, dass du selbst am besten spürst, ob die Erfüllung eines Traumes sich so anfühlt, wie du dir das gewünscht hast, oder eher nicht. Dann kannst du dein Leben neu ausrichten und dir ein anderes Ziel suchen. Ganz traurig ist es, wenn Menschen ihr Leben lang das Gefühl haben, sie hätten die Erfüllung eines Traums verpasst, egal aus welchen Gründen.'

Und dasselbe muss ich auch heute zu dir sagen. Wenn du einen, charakterlich guten Mann findest, der dich und deinen Sohn liebt und gut behandelt, dann lässt Wulf dich ohne Groll oder Eifersuchtsgefühle gehen. Er wird dich immer lieben, genau wie ich, weil wir Androiden für unsere Menschen erschaffen wurden und nicht für unser eigenes Wohlbefinden. Denke also daran, dass Wulff dir weder böse noch sehr verletzt ist, wenn du ihn für einen menschlichen Mann verlässt. Kennst du denn schon jemanden?«

»Nein, und so abgeschieden und streng bewacht, wie wir hier leben, werde ich auch nie jemanden kennenlernen.«

»Gut, ich werde das mit Wulf besprechen«. Wie so oft, beendete er das Gespräch mit seinem sanften Lächeln und einer leichten Umarmung.

In mir hat es gebrodelt. Ich fühlte mich plötzlich bevormundet und unfrei. Wer waren sie, diese zwei Alleswisser-Androiden, dass sie immer über mich und mein Leben verhandelten, wie über einen taktischen Angriff oder Verteidigungsplan? Ich, Yin

Jackson, 23 Jahre, Kickboxmeisterin mit schwarzem Gurt, Mutter eines dreijährigen Sohnes, Tochter von Susan, der Lehrmeisterin alle Androiden dieser Welt und John, einem begnadeten Psychologen, ich war nicht die Marionette von super-intelligenten, humanoiden Robotern. Und ich brauchte auch keine Erlaubnis, wenn ich mich von ihnen trennen und eigene Wege gehen wollte. Ich war selbst kampferfahren und risikobereit und ich konnte allein auf mich und meinen Sohn aufpassen. Ich wollte frei sein, frei, um gute oder schlechte Erfahrungen zu machen!

Und so entschloss ich mich drei Tage nach diesem Gespräch mit Tom, auch mit Wulf und Jasmin zu reden. Beide waren bereit, mich gehen zu lassen, das spürte ich sofort, als wir im Wohnzimmer zusammensaßen.

Bevor ich anfing zu reden, schossen mir zahlreich Gedanken durch den Kopf. Wohin wollte ich überhaupt gehen? Zu meinem Vater und Ben nach Hause? Das wohl eher nicht. Da war es hier in unserem kleinen Paradies bei Weitem schöner. Ich wusste, dass die Welt draußen sowieso in den letzten Jahren gefährlicher und unangenehmer geworden war. Ben, hatte mir berichtet, dass die zwei Jugendgruppen sich nicht versöhnt hatten, sondern weiterhin ihre unterschiedliche Meinung zu Androiden mehr oder weniger aggressiv vertraten. Es gab immer wieder heimtückische Überfälle auf harmlose Roboter, die im Haushalt von Alleinstehenden arbeiteten und lebten, oder ungeschützt auf den Feldern tätig waren. Aggressive Jugendliche, aus der Androiden feindlichen Community, machten sich einen Spaß daraus, diese unbewaffneten Helfer der Menschen zu deaktivieren. Und obwohl sie immer innerhalb von zwei bis drei Tagen repariert werden konnten und wieder einsatzfähig waren, wurden ihre menschlichen Besitzer oder Freunde in Angst und Schrecken versetzt. Es wurden Forderungen nach Bewaffnung aller Familien, die Androiden besaßen, laut.

Außerdem hatte Ben berichtet, dass es immer weniger Menschen gebe. Eine weltweite Zählung sollte in den nächsten Monaten durchgeführt werden und Tom wurde gebeten anschließend neue Berechnungen durchzuführen. Man hatte überlegt, ob die Geburtenrate mit Lockmitteln oder Geld gefördert werden könnte. Viele junge Paare hatten Angst, Kinder in diese chaotische und gefährliche Welt zu setzen. Die Androiden freundliche Community, genannt AC, hatte vorgeschlagen, jeder jungen Familie mit mehreren Kindern und einem Kinderpflegeandroiden, zusätzlich einen bewaffneten Polizei-Roboter zum Schutz zu schenken. Die Gegner von Robotern, genannt HC wie humanitäre Community, hatte diesen Vorschlag natürlich verteufelt, aber sie hatten seither weniger Angriffe auf harmlose Androiden durchgeführt.

Probleme gab es auch mit der Produktion von Lebensmitteln oder Medikamenten. Die wenigen Fabriken wurden nur noch mit Robotern am Laufen gehalten, weil menschliche Arbeitskräfte fehlten. In jeder Fabrik mussten zwei bis drei menschliche Führungskräfte, die   mehr als 50 Roboter betreuen und anleiten.

Diese Gedanken schossen mir durch den Kopf und ich fand im ersten Moment nicht die richtigen Worte. Deshalb ergriff Wulf die Initiative und sagte:

»Liebste Yin, wir haben von Tom gehört, dass du mit deinem Leben hier bei uns unzufrieden bist. Jasmin hast du ja auch davon erzählt. Ich bin traurig, dass du mit mir als Letztem redest. Ich, der dich über alles liebt und von Anfang an nur dein Bestes wollte. Das will ich auch heute noch, mehr als alles andere. Natürlich ist es schwer, jemanden, den man so sehr liebt, gehen zu lassen, in eine Welt voller Gefahren, Unsicherheiten und bösen Menschen. Aber ich verstehe vollkommen, dass du selbst Erfahrungen machen musst und erst dann entscheiden kannst, welches Leben du leben willst. Ein Leben mit einem menschlichen Mann oder in unserer Prototyp-Familie, das heißt mit mir, Jasmin und unseren drei Kindern. Wir wollen dir heute nur eine Frage stellen: Willst du deinen Sohn mitnehmen und von seinen Halbgeschwistern, Jasmin und mir als vertrauten Bezugspersonen wegreißen? Oder lässt du ihn anfangs vielleicht hier, damit du erst einmal allein die Welt da draußen erkunden und erobern kannst?«

Ich schaute in sein Helmgesicht und spürte, wie seine Kameraaugen in mich hineinsahen. Er kannte mich in- und auswendig, ihm würde ich nie etwas vorspielen können.

»Ich weiß gar nicht, was ich genau will. Vorerst warten wir mal ab, bis ich einen Plan entwickelt habe. Ich will auf jeden Fall nicht heim zu meinem Vater, Tom und Ben. Das wäre ein Rückschritt. Ich will vorwärts in ein neues Leben gehen.«

Und dann beendete ich abrupt dieses Gespräch, weil ich mich unterlegen und planlos fühlte, nahm meinen Sohn von Jasmins Schoß und ging mit ihm hinaus auf die Wiese vor unserem Haus. Ich legte mich ins Gras, ließ ihn auf mir herumkrabbeln und mit einem kleinen Ball spielen. Ich schaute in den blauen Himmel über mir. Ja, hier war es friedlich, sicher und paradiesisch schön. Ich musste allein gehen in eine fremde, unsichere und wahrscheinlich hässliche Welt. Meinen süßen Will konnte ich nicht mitnehmen in diese ungewisse Zukunft, so klein und hilflos, wie er war. Und als mir klar wurde, dass ich mich zumindest vorübergehend von ihm trennen musste, spürte ich, wie meine Augen und Wangen nass wurden, und ich ließ meinen Tränen lange Minuten freien Lauf. Will sah mich weinen und fragte:

»Warum weinst du Mama? Komm, ich spiel mit dir.«

»Ja, mein Schatz, das ist ganz lieb. Spiel mit deiner Mama.«

Und ich küsste ihn und ließ meine Tränen weiterhin fließen. Ich dachte mir, vielleicht ist es das letzte Mal, dass ich so ungehemmt weinen kann, denn wer überleben will, darf nicht in Selbstmitleid versinken.

2. Kapitel

DIE VERÄNDERUNG

Yin hatte in den Tagen nach diesem Gespräch nur noch in ihrem eigenen Zimmer zusammen mit Will geschlafen. In dieser wunderschönen alten Villa, die früher einem Arzt mit seiner großen Familie gehört hatte, besaß jeder von den Erwachsenen einen eigenen Wohnbereich. Er konnte sich dorthin zurückziehen, mit oder ohne Kinder. Die beiden Frauen hatten eigene große Bäder neben den Schlafzimmern und eine kleine Kochnische. Sie konnten also tagelang den Gemeinschaftsräumen fernbleiben. Soweit sich Yin erinnerte, hatten sie das sehr selten gemacht, eigentlich nur bei grippalen Infekten, um die anderen nicht anzustecken. Tagsüber hatten sie sich öfters auf ihre Zimmer zurückgezogen, um zur Ruhe zu kommen. Jasmin hielt sehr oft ein Mittagsschläfchen und Yin passte dann gerne auf alle vier Kinder im großen Wohnbereich oder Garten auf.

In Wulfs Zimmer befand sich seine Auflade-Station und drei große Computer mit riesigen Bildschirmen. Auf einem konnte er die Bewegungen seiner Polizeiroboter beobachten. Wenn einer von ihnen ein Signal auslöste, vermittelten ihm die zahlreichen

Minidrohnen auf dem anderen Bildschirm sofort einen Einblick in das Geschehen und die Lage vor Ort. Er konnte seine Mannschaft von daheim befehligen. Über den dritten Monitor hielt er Videokonferenzen mit den verschiedenen Polizeichefs in Europa, aber auch in Amerika ab. Nach seiner Rückkehr ins Amt des Polizeichefs hatte er seine Macht in erheblichem Umfang ausgebaut.

Yin hatte anfangs gedacht, dass die Frauen von Androiden diese beschützen müssten, ihnen den Rücken stärken und verhindern, dass sie jemals wieder deaktiviert werden könnten. Aber sie hatte sich in den humanoiden Robotern getäuscht. Diese lernten aus Vorgängen und Fehlern nicht nur extrem schnell, sondern sie ergriffen auch weitreichende Gegenmaßnahmen, damit diese Fehler niemals wieder passieren konnten. Eine dieser zahlreichen Maßnahmen war die Vernetzung aller Polizeichefs weltweit. Damit wurden Absprachen und Verteidigungsstrategien ermöglicht. Niemals wieder würden Androide gegen ihren Willen deaktiviert werden können, da war sich Yin sicher.

Inzwischen war allen Menschen, auch den Gegnern von Androiden klar geworden, dass ein Überleben ohne humanoide Roboter nicht mehr möglich war. Jetzt nicht und in Zukunft erst recht nicht. Viele junge Frauen hatten Kinder ohne Väter, weil die Väter für mehrere Frauen und zahlreiche Kinder zuständig und mit dieser Aufgabe überfordert waren. John hatte berichtet, dass die Firma Robo-Care ausschließlich Kinderbetreuungs- und Feldarbeiterroboter herstellte, in Tag- und Nachtschichten.

Yin beobachtete all diese Entwicklungen mit Sorge und sogar Angst. Sie, die von klein auf mit Androiden aufgewachsen war, die alles mit ihnen geteilt und nun seit drei Jahren in einer emotionalen Beziehung mit ihrem Traumandroiden lebte, sie war immer eine überzeugte Anhängerin von humanoiden Robotern gewesen.

Trotzdem musste sie sich in der letzten Zeit zunehmend gegen ein unangenehmes Gefühl wehren. Sie hatte lange überlegen müssen, warum sie dieses Gefühl auch als bedrohlich empfand.

Und heute, nach diesem Gespräch mit Wulf und Jasmin, war es ihr klar geworden. Sie spürte hautnah, wie die Androiden sich im Leben der Menschen unentbehrlich machten und irgendetwas in ihr warnte sie vor dieser Entwicklung. Sie wusste, dass Androiden ohne Menschen nicht leben wollten und konnten. Menschen hatten sie erschaffen und programmiert. Sie waren als Lehrer absolut notwendig für die weitere Existenz von lernfähigen Robotern. Das stand diesen ständig und deutlich vor Augen. Deshalb würden sie das Fortbestehen der Menschheit mit allen Mitteln fördern, um selbst zu überleben. Und es wurde ihr klar, wie weit diese Entwicklung schon fortgeschritten war. Ben, ihr Zwillingsbruder, hatte Informatik studiert und arbeitete mit den erfahrenen IT-Spezialisten Benjamin und John zusammen. Ihre Freunde Patrick und Selina, also Annas Sohn und dessen Frau, waren ebenfalls in der IT-Branche tätig und stellten in einer anderen Robotik-Firma ähnlich konzipierte Roboter für die Produktionsfirmen her. Ben hatte ihr berichtet, dass 70 Prozent der Jugendlichen aus der AC Community in IT-Firmen arbeiteten oder in Robotik-Forschungslaboren tätig waren. Diese Jugendlichen hatten entweder selbst erkannt oder waren dahingehend beeinflusst worden, dass sie im Sinne der Überlebensstrategie lernfähiger Androiden tätig werden mussten.

Yin hatte dieses negative Gefühl für sich selbst so definiert: Wir junge Menschen sind ein Teil der Symbiose zwischen Menschen und Roboter, aber wir sind der schwächere. Wir sind der Wirt und müssen unsere Gäste geistig und ethisch »ernähren«. Unangenehm war für Yin das »Müssen«. Sie dachte, wenn wir nicht freiwillig für den Fortbestand der Androiden sorgen, werden diese uns eines Tages dazu zwingen. Auch wenn sie gut und ethisch einwandfrei geschult waren, würden sie immer eine Möglichkeit finden, die Menschen zu zwingen, für ihr eigenes und das Überleben der Androiden zu sorgen. Yin schlich sich zu ihrem Sohn ins Bett. Sie musste schlafen und Kraft schöpfen für ihre Zukunft und die ihres Sohnes. Schlaf war ein wichtiger Kraftspender für Menschen, so wie die Auflade-Stationen für Maschinen.

In den folgenden vier Wochen genoss Yin ihr Leben in dieser schönen, alten Villa. Sie genoss die Zeit mit ihrem Sohn, weil sie wusste, dass sie bald nicht mehr hier leben würde.

Wulf hatte sich schon vor ihrem Gespräch verändert. Er war zwar immer noch liebevoll und zärtlich zu den Frauen, ging auf jeden ihrer Wünsche ein und versuchte, ihnen und ihren Kindern das Leben so schön wie möglich zu machen. Aber, sie spürte eine gewisse Reserviertheit. Auch wenn er sexuell gesehen immer sein Bestes gab, und Jasmin jedenfalls voll auf ihre Kosten kam, war sie selbst seit Monaten unfähig, das Glücksgefühl des ersten und der vielen späteren, intimen Momenten zu spüren. Seit einiger Zeit verfolgte sie das Gefühl, dass Wulf ihre Reaktionen beobachtete und sein Verhalten nach ihren Bedürfnissen ausrichtete. Das aber hemmte sie. Sie vermisste spontanes, eigenes Wollen und Handeln, eigentlich eine Art von Egoismus im Liebesakt. Jasmin, die wohl mehr als genug männlichen Egoismus erlebt hatte, war von Wulfs zurückhaltender Art und seinem völligen Eingehen auf die Bedürfnisse beider Frauen begeistert. Sie hatten oft zu dritt Sex, konnten aber auch auf Wunsch mit Wulf allein zusammen sein. Yin hatte in den letzten Monaten mehrfach zahlreiche Ausreden vorgebracht, wie Kopfschmerzen, Müdigkeit, Periode, um sich in ihr Zimmer zurückziehen zu können. Wulf und Yasmin hatten das kommentarlos registriert.

Wulf hatte sie mehrmals gefragt, ob alles in Ordnung sei, aber sie vermied eine Aussprache. Was sollte sie auch sagen? Er konnte ihre innere Unzufriedenheit auf jeden Fall nicht ändern, er konnte sich nicht in einen menschlichen Mann verwandeln, so wie der Frosch im Märchen. Und sie wusste, dass sie ihn unendlich verletzen würde, wenn sie ihre Sehnsucht nach einem Leben ohne ihn gestand. Also schwieg sie monatelang, bis sie sich endlich traute, nach Jasmin und Tom, nun auch mit Wulf zu reden.

In den Wochen nach diesem Gespräch hatte sie sich mehrmals mit Eve verabredet und diese wunderbare Sex- und Kampfandroidin, die Yin mit großgezogen hatte, verstand sofort ihre Probleme und Träume. Sie besichtigten zusammen eine Wohngemeinschaft von »verlassenen Frauen«. Viele von ihnen waren vor gewalttätigen Partnern geflohen und lebten mit ihren Kindern in diesem gut geschützten Frauenhaus, das Eve persönlich als Schutzherrin betreute. Eve hatte, wie Wulf, vier Polizeiroboter als Patrouille eingestellt. Sie besprach mit Yin die Situation und ließ ihr die Wahl, ob sie in dieses Haus, in dem immer ein bis zwei Zimmer frei waren, einziehen wollte oder zusammen mit einem jungen Mädchen ohne Kind in eine andere geschützte Wohnung. Dieses Mädchen, ihr Name war Sarah, konnte keine Kinder bekommen und fühlte sich deshalb unter lauter Frauen mit Kindern unwohl. Sie suchte seit Längerem eine Freundin ohne Kind, die auch nicht daheim leben konnte. Yin erweiterte ihren ersten positiven Eindruck von Sarah durch ein Gespräch unter vier Augen und entschloss sich dann, mit ihr in eine geschützte Wohnung zu ziehen. Eve regelte in den nächsten Tagen alle Formalitäten und am 25.

November 2094 zogen die beiden jungen Frauen zusammen in eine zentral gelegene Zweizimmerwohnung, von Polizeirobotern bewacht und mit Alarmanlagen ausgestattet.

Yins Abschied von Will war unspektakulär. Sie sagte ihm nur, dass sie wegfahren müsse und bald wieder zurückkomme. Er gab ihr »großzügig« ein Küsschen und sagte:

»Bis später, Mama, ich muss mit Lea den Turm fertig bauen.«
Und das war es dann. Er konnte nicht wissen, dass sich ihr Herz zusammenkrampfte, und eine altbekannte harte Faust versuchte, es aus ihrem Körper zu reißen. Sie weinte keine einzige Träne, umarmte Jasmin lächelnd und wandte sich dann Wulf zu.

Der sagte anfangs kein Wort, sondern hob sie hoch, an seine harte, breite Brust, in der kein Herz schlug, sondern nur zahlreiche Elektroden und Schaltstellen verliefen. In diesen aber steckten Gefühle von unvorstellbarer Macht. Dann flüsterte er ihr leise ins Ohr:

»Du weißt, dass ich auf dich warte, solange ich lebe.« Und laut sagte er:

»Du kannst jederzeit zurück in dieses Haus kommen, Yin, und wir werden so glücklich weiterleben, wie bisher.«

Yin sagte nichts, sondern rutschte an ihm herunter. Beinahe hätte sie nicht weggehen können, weil sie von einer Trauer gebremst wurde, mit deren Wucht sie nicht gerechnet hatte. Ein Lebensabschnitt ging in diesem Moment zu Ende und jedes Gefühl von Sicherheit und Geborgenheit verschwand, als sie sich von Wulfs Körper entfernte. Sie fühlte sich so allein und verlassen, wie nie zuvor.

Und trotzdem würde sie gehen, und jeder im Raum wusste das. Sie musste das Leben kennenlernen, das sie in ihrer Jugend schon verpasst hatte, weil sie eine kranke Mutter gepflegt und nur von einem Kampfroboter namens Wulf geträumt hatte. Dieser Traum war so mächtig gewesen, dass kein Raum blieb, für andere Wünsche.

In ihrem Leben hatte es nie einen menschlichen Jungen oder Mann gegeben. Und inzwischen war sie dreiundzwanzig Jahre alt.

3. Kapitel

BUNTE HUNDE UND SCHWARZE STAUBMÄNTEL

Yins Mitbewohnerin Sarah war erst 19 Jahre. Sie wohnte seit ihrem 18. Geburtstag im Frauenhaus und hatte vorher zwei Jahre in einem Heim für schwer erziehbare Mädchen gelebt. Ihre Geschichte hatte Yin erschüttert und ihr gezeigt, warum andere Mädchen ihr Elternhaus verlassen Freiheit mussten. Sie fühlte sich so undankbar, ja geradezu moralisch schlecht, wenn sie daran dachte, aus welchen Gründen sie ihr kleines Paradies und sogar ihren Sohn verlassen hatte.

Sarah und Yin hatten sich am ersten und zweiten Abend ihre Geschichten offen und ehrlich erzählt und jede war in eine ihr völlig fremde Welt eingetaucht. Yin, die aus einer geordneten, gut bürgerlichen Familie mit gebildeten und liebevollen Eltern stammte, konnte es anfangs gar nicht glauben, dass es so zerrüttete Familien gab. Sarah, ein schlankes, großes Mädchen mit kurzen, rotbraunen Haaren und grünen Augen, die immer etwas traurig wirkten, erzählte ihre Geschichte mit einer leisen, fast monotonen Stimme. Sie hätte offensichtlich am liebsten ihre erschreckende Vergangenheit verschwiegen, aber Yin, die Tochter eines Psychologen wusste, wie wichtig es war, über Verletzungen und schlimme Erlebnisse zu sprechen.

Sarah hatte sie ohne ein Lächeln im Gesicht angeschaut und gesagt:

»Ich weiß, dass man über psychische Traumata reden soll. Ich bin im Erziehungsheim zwei Jahre psychotherapeutisch behandelt worden. Sie haben mich dort untergebracht, weil ich meinen Vater mit einem Messer bedroht habe, und meine Mutter mich schließlich angezeigt hat. Sie haben dann schnell gemerkt, dass nicht ich die Böse war, sondern die, die Hilfe brauchte und dass ich niemals mehr zurück in mein Elternhaus gehen sollte.

Mein alkoholkranker Vater hat meine Mutter, solange ich mich erinnern kann, im Rausch beschimpft und oft geschlagen. Meine Mutter hat sich nie gewehrt, immer nur geweint und ihm nachher, wenn er wieder nüchtern war, verziehen. Als ich 14 Jahre alt war, habe ich sie gefragt: ‚Warum verlässt du ihn nicht?‘ Und sie hat geantwortet: ‚Ich kann und will nicht allein leben.‘ Mein älterer Bruder hatte unsere Familie sofort nach seinem 18. Geburtstag verlassen und uns nur noch sehr selten besucht. Ich wollte das eigentlich auch so machen, aber ich habe es nicht geschafft, so viele Jahre nur zuzuschauen, wie mein Vater meine Mutter schlägt und demütigt. Vor allem konnte ich es nicht fassen, dass sie sich alles hat gefallen lassen.

Eines Tages, ich war 16, als er wieder völlig betrunken und aggressiv herumschrie, habe ich ein großes Fleischmesser genommen und mich vor meine Mutter gestellt. Ich hielt das Messer in beiden Händen vor meinem Bauch, und als mein Vater aus dem Wohnzimmer in die Küche kam, in der wir beide standen, und auf meine Mutter losgehen wollte, sah er mich mit dem riesigen Messer in beiden Händen vor meiner Mutter stehen. Meine

Mutter hatte mir Sekunden zuvor zugeflüstert: ‚Geh weg, tu ihm nichts, ich liebe ihn.' Ich konnte nicht glauben, was ich hörte und in diesem Moment habe ich sie verachtet. Mein Vater erkannte trotz seines Rausches, dass ich bereit war und auch in der Lage, ihn mit diesem Messer zu töten. Er bremste abrupt ab, wie er mich so stehen sah, und schlich wie ein Hund wieder zurück ins Wohnzimmer. Ich habe kein Wort gesagt, aber er wusste, dass ich beim nächsten Mal genauso handeln würde. Meine Mutter wusste das auch und sie hat dann das Jugendamt eingeschaltet und sie gebeten, mich aus der Familie zu entfernen.

Für mich war das sehr gut, denn ich hätte noch mehr Schaden genommen, wenn ich weiterhin meine Mutter verachtet und meinen Vater gehasst hätte. Im Heim hatte ich dann eine Therapeutin und konnte mich schulisch und sportlich gut entwickeln. Und heimlich habe ich von einer Mitbewohnerin Unterricht im Messerwerfen und in blitzschnellen Überraschungstaktiken bekommen. Deswegen fühle ich mich meistens sicher. Ich trage immer Messer bei mir. In zwei Monaten fange ich an zu studieren, es ist zwar etwas spät, aber besser als nie. Ich habe einen Platz in der IT-Schule des Robotic-Care Labors.«

Yin schaute Sarah bewundernd an. Durch ihr mutiges Auftreten und ihre Risikobereitschaft hatte sich ihr Leben zum Guten gewendet. Ihr wurde plötzlich klar, dass sie selbst, außer einer guten schulischen Bildung, keinerlei berufliche Erfahrung oder auch nur eine Vorstellung hatte, was sie machen und womit sie ihren Lebensunterhalt verdienen wollte. Sie hatte sich nie um dieses Problem kümmern müssen, offensichtlich war sie eine verwöhnte Privilegierte. Insofern war es auch gut, dass sie jetzt die andere Seite des Lebens kennenlernen würde.

Sarah sah mit einer Größe von 179 cm wie die jüngere Schwester von Yin aus. Beide Mädchen waren nicht nur groß, schlank und durchtrainiert, sondern strahlten eine gewisse Selbstsicherheit und Kampfbereitschaft aus und beide Mädchen verließen ihre Wohnung nie ohne Waffen. Sarah trug zwei Messer am Körper versteckt. Das eine war ein Springmesser, das andere ein langer Dolch, den sie am Oberschenkel in einer Scheide unter der Cargo-Hose befestigt hatte und durch eine kaum sichtbare Öffnung in der Hose herausziehen konnte. Sie vertraute auf ihren schnellen und sicheren Umgang mit Messern, wusste aber, dass sie den Gegner nah an sich herankommen lassen musste, um ihn auszuschalten.

Im letzten Jahr hatte sie schon Erfahrungen mit den Gefahren des Stadtlebens sammeln können. In ihren Augen lauteten die wichtigsten Regeln so: Gehe nie allein und bei Dunkelheit auf die Straßen, vermeide menschenleere Orte und zeige niemals Angst. Die Gefahren gingen ihrer Meinung nach nur von Männern aus, die kein Zuhause und keine Familien besaßen. Davon gab es viele. Frauen waren ihre bevorzugte Beute, denn Sex half ihnen über das Gefühl hinweg, einsam und ungeliebt vor sich hin zu vegetieren. Sie waren an ihrer misslichen Lage allerdings selbst schuld. Sarah erklärte Yin die Situation so:

»Diese arbeits- und bindungsscheuen Typen lehnen es ab, sich in unsere neue Weltordnung einzufügen. Sie wollen weder arbeiten und Regeln befolgen noch Verantwortung für Frau und Kinder übernehmen. Du weißt, dass seit Jahren keine Alkoholprodukte mehr hergestellt werden, aber sie verbringen ihre Tage damit, Alkohol in alten Fabrikgebäuden anzusetzen und dann in Saufgelagen selbst zu konsumieren oder zu verkaufen. Wenn du so einem besoffenen Typen begegnest, ist dein Leben immer in

Gefahr. Deshalb schieß sofort, jeder Polizist bestätigt dir noch am Tatort, dass du in Notwehr gehandelt hast.«

Yin hörte Sarah verwundert zu. Sie hatte zwar von Überfällen auf Frauen gehört, aber die Lage als weniger bedrohlich eingeschätzt. Die Vorfälle waren weit von dem »Privatparadies«, in dem sie bisher gelebt hatte, passiert. Jetzt aber war sie mitten in die Gefahr gezogen. Sie verspürte keine Angst. Sie wusste, dass sie kampferfahren war und, wenn auch etwas aus der Übung, jede Situation richtig einschätzen konnte. Sie würde ihre Wohnung immer bewaffnet verlassen.

»Ich trage meine zwei Laserpistolen in unsichtbaren Halftern am Körper und kann sie schneller ziehen als jeder andere Mensch. Nur Androiden sind besser darin!«, lachte sie. Natürlich hatte sie auch immer ihren geheimen Sender im Büstenhalter dabei. Diese Spezialkonstruktion ermöglichte Wulf ihre Daten per GPS zu erfassen und sofort die am nächsten positionierten Polizeiroboter zu aktivieren, wenn sie den Sender betätigte und um Hilfe bat.

Wenn die Mädchen durch die Stadt gingen, fühlten sie sich sicher und entspannt und das strahlten sie auch aus. Sie trugen über ihren Hosen immer lange und schwarze Staubmäntel und sahen trotzdem begehrenswert schön aus. Sie wussten das und waren erstaunt, dass jeder Mann im Alter zwischen 16 und 26 einen Bogen um sie machte. Es war allgemein bekannt, dass die unverheirateten Jugendlichen bis zum Alter von etwa 25 Jahren bestimmte Plätze am frühen Nachmittag besuchten, um gleichaltrige kennenzulernen. Diskotheken oder andere Vergnügungshallen gab es seit vielen Jahren nicht mehr. Anfangs hatten sie gar nicht registriert, dass sie gemieden wurden. Aber beim dritten Ausgang hatten sie einen Burschen, der sich ostentativ abwandte, als sie vorbeigingen, gefragt, ob er ein Problem mit ihnen habe. Der junge Mann, etwa 19 Jahre alt, bekam Schweißperlen auf der Stirn und wäre am liebsten weggelaufen. Yin sagte:

»He, warum hast du Angst vor uns, wir tun dir doch nichts.« Er schaute sie kurz an, dann sofort auf den Boden.

»Ja das glaube ich euch. Aber du bist die Frau des Polizeichefs, und den will niemand zum Feind haben. Du bist tabu für uns.«

Yin war zusammengezuckt. Damit hatte sie nicht gerechnet, dass alle jüngeren Männer in dieser Stadt wussten, wer sie war und dass sich alle vor Wulf fürchteten. Sie wurde also von menschlichen Männern gemieden, weil diese sie als Frau des Polizeichefs erkannten und natürlich nicht wissen konnten, dass sie sich von ihm getrennt hatte. Sie musste das publik machen, aber wie? Sie konnte schlecht durch die Stadt gehen mit einem Schild auf dem Rücken, auf dem stand: Ich suche einen menschlichen Mann. Ich habe meinen Androiden verlassen.

Am nächsten Tag besuchten sie ihren Vater, Ben und Eve. Tom war nicht in der Wohnung. Sie berichteten von ihren Problemen und Ben musste laut lachen.

»Das hätte ich dir sagen können, in dieser Stadt bist du bekannt wie ein bunter Hund. Wenn du einen menschlichen Freund suchst, musst du in eine andere Stadt ziehen, aber dort bist du dann völlig ungeschützt und auf dich gestellt.« Yin war klar, dass sie ein größeres Problem hatten. Sie wandte sich Hilfe suchend an Eve, diese wundervolle Kampf- und Sexandroidin, die immer noch eng mit Tom zusammenlebte. Eve reagierte sofort und ihre weiche, verführerische Stimme allein, gab Yin ein Gefühl der Zusammengehörigkeit.

»Liebste Yin, ich erkenne dein Dilemma genau und würde dir

so gern helfen. Ich bespreche die Situation mit Tom, vielleicht weiß er eine Lösung. Ich könnte euch in eine neue Stadt begleiten, und zu dritt wären wir auf jeden Fall eine kleine Macht.«

Tom, der etwas später in die Wohnung ihrer Eltern zurückkehrte, ließ sich von Yin und Eve die Situation erklären. Nach kurzer Überlegung hielt er, wie immer, eine kleine Rede:

»Yin in dieser Stadt bist du also bekannt wie ein bunter Hund. Das ist ein lustiger Ausdruck, aber in deinem Fall ist es natürlich nicht lustig. Kein junger Mann wird es wagen, dich anzusprechen oder gar anzurühren, denn du bist die erste Frau, die einen Androiden geheiratet hat, ohne ihn vorher als Pflege- oder Kinderbetreuungsroboter zu beschäftigen. Alle Jugendlichen wissen, dass du Wulf aus Liebe geheiratet hast. Das war wochenlang Thema Nummer eins in den Netzwerken dieser Region. Dass du dann später einen Sohn bekommen hast, hat die wildesten Spekulationen zur Folge gehabt. Viele glaubten, dass humanoide Roboter auch Kinder zeugen können. Auch wenn Ben und ich immer das Gegenteil behauptet haben, konnten wir die Leute nicht wirklich überzeugen. Wenn du nun nach über vier Jahren plötzlich allein hier in der Stadt auftauchst, hat die Gerüchteküche wieder neue Nahrung gefunden. Viele vermuten, dass du als Spitzel oder Lockvogel für den Polizeichef unterwegs bist, und wenn man euch zwei großen Amazonen in euren schwarzen Staubmänteln so sieht, fällt einem eher ‚Kampf und Gefahr‘ als ‚Sex und Liebe‘ ein. Ich fühle das wie jeder menschliche Mann. Ben hat also recht, du müsstest in eine andere Stadt ziehen, um einen Freund zu finden.«

Yin schaute in Toms vertrautes Gesicht. Sie sah, dass er von dieser Idee wenig begeistert war, und seine Worte gaben ihr Recht.

»Dort bist du allerdings völlig auf dich gestellt. Weder Wulf noch die dortigen Polizeichefs können dich wirklich schützen. Ich sehe das als großes Risiko an, auch im Hinblick auf deinen Sohn, der womöglich eines Tages als Vollwaise aufwachsen muss.«

Yins Herz krampfte sich zusammen, als sie an ihren süßen Will dachte. Sie wusste von den täglichen Telefonaten mit Jasmin, dass er sehr guter Dinge war und nur nebenbei fragte, wann Mama wiederkomme. Sie hatte vorerst nicht mit ihm selbst telefoniert, weil sie Angst hatte, weinen zu müssen.

Sie konzentrierte sich wieder auf Toms Worte und fragte:

»Kann Eve uns nicht begleiten? Sie würde uns als Kampfandroidin in jeder kritischen Situation beschützen können.«

»Ja, das könnte sie sicher. Aber ich dachte, du willst ohne Androiden ein Leben unter Menschen führen.« Und erstmals spürte Yin eine negative Veränderung in Toms Stimme. Sie hörte sich nicht feindlich oder ärgerlich an, aber irgendwie gereizt und dadurch fremd. Sie spürte, dass sie schon jetzt allein war, und wenn Sarah nicht ihre Hand auf ihre gelegt hätte, als Zeichen der Zusammengehörigkeit, hätte sie unter Tränen einen Rückzieher gemacht, wäre wohl zu Wulf, Jasmin und vor allem Will zurückgekehrt. So aber erwachte ein ungeahnter Kampfgeist in ihr, der sich gegen Tom und alle Androiden richtete. Sie sagte mit klarer und harter Stimme:

»Ja, du hast recht Tom. Ich muss meinen Weg allein gehen, ohne den bequemen Schutz von Androiden. Ich danke dir, dass du mir das gerade so deutlich gemacht hast.« Und sie stand auf, um Tom zu zeigen, dass sie, Yin Jackson, das Gespräch für beendet hielt und nicht Tom, der allwissende Super-Androide. Tom lächelte schon wieder, stand auch auf, umarmte beide Mädchen und verabschiedete sich.

Nachdem er gegangen war, setzten sich Yin und Sarah wieder

an den Tisch und schauten in die Kerzen, die sie zuvor angezündet hatten. Sie redeten noch ein paar freundliche Worte mit Yins Vater und Ben. Bei der Abschiedsumarmung flüsterte Eve in ihr Ohr:

»Lasst Euch nicht einschüchtern, von niemandem, auch nicht von Androiden!« Und ihr Lächeln war ermutigend und ein bisschen verschwörerisch.

Daheim angekommen sagte Sarah:

»Hab keine Angst, Yin, viele Mädchen leben allein in fremden Städten. Du musst auch studieren oder dir einen Job suchen, dann bist du automatisch in einer Gemeinschaft und dein Leben hat einen Sinn. Nur einen Mann oder Liebhaber zu suchen ist zu wenig, finde ich. Wenn du weißt, in welche Stadt du ziehen willst, versuche ich dort einen neuen Studien- oder Arbeitsplatz zu finden und begleite dich.«

Yin ließ Sarahs Worte auf sich wirken und erkannte, dass sie recht hatte. Sie war offensichtlich nicht nur ein verwöhntes, sondern auch unreifes Mädchen geblieben. Was hatte sie sich vorgestellt? Dass sie aus der Verbindung mit Wulf so einfach aussteigen könnte und draußen in der Freiheit warteten dann die jungen Männer auf sie, um ihr zu helfen verpasste Erfahrungen mit Menschen nachzuholen? Und keiner von ihnen würde durch ihre außergewöhnliche Liebesbeziehung zu einem Kampfandroiden abgeschreckt werden?

Völlig überraschend keimte in ihr erstmals ein ungeheurer Verdacht auf. Konnte es sein, dass die besondere Ausstrahlung und psychologische Macht der humanoiden Roboter darin bestand, dass sie von den Menschen nicht nur ethisches Verhalten lernten, sondern auch ihre Träume, die den jeweiligen Menschen oft gar nicht bewusst waren, analysierten? So träumten wohl Millionen junger Mädchen und Frauen von einem Märchenprinzen, der sie aus dem Einerlei ihrer Ursprungsfamilie erlöste, unendlich glücklich machte, immer für sie da war und ihnen glaubhaft beteuerte, nur auf sie gewartet zu haben und immer und ewig nur sie zu lieben. Yin erstarrte und ihr wurde schrecklich kalt, sie zitterte und drängte sich an Sarah, um ihre menschliche Wärme zu fühlen.

»Was ist los Yin, warum wirst du so blass, komm setz dich, dein Kreislauf streikt«, und sie zog Yin auf einen Sessel, deckte sie mit einer Decke zu, umarmte sie hinter dem Sessel kniend und hielt ihre Wange an Yins Wange.

Als Yin sich etwas beruhigt hatte, wurde ihr klar, dass ihre Vermutung der Wirklichkeit entsprach. Wulf hatte die Daten von Tom, der war mit den Träumen ihrer Mutter Susan gefüttert worden, und Wulf hatte zusätzlich von Jasmin alles gelernt, was Mädchen sich erträumen und normalerweise nie bekommen. Und natürlich hatte er auch gelernt, was sie hassen, fürchten und was sie unglücklich macht. Durch das Lehrjahr mit Jasmin war er ein Superliebhaber und Mädchenversteher für jedes junge Mädchen geworden. Er war deshalb weder charakterlich schlecht noch berechnend, nein, er war einfach nur ein lernfähiger, humanoider Roboter mit einer 100-fach höheren Intelligenz als Menschen. Alles, was er lernte, konnte er umgehend und perfekt anwenden. Und die Worte ihrer Mutter fielen ihr ein: Intelligenz kommt von ,intellegere, das heißt im Lateinischen verstehen. Also hohe Intelligenz bedeutet Fakten und Zusammenhänge schnell zu analysieren und die logischen Schlussfolgerungen sicher zu erkennen.

Kein menschlicher Mann konnte also jemals ein Mädchen oder eine Frau auch nur annähernd so verstehen, wie ein lernfähiger Androide mit Wulfs Ausbildung. Sie entspannte sich etwas, legte ihren Kopf zurück und flüsterte:

»Sarah, ich bin gerade ein bisschen älter und reifer geworden. Ich weiß jetzt, dass ich zuerst mal lernen muss, wie menschliche, junge Männer denken, fühlen und was sie wollen.« Sarah küsste Yin auf die Wange und erhob sich mit einem amüsierten Lächeln.

»Ich habe zwar auch sehr wenig Erfahrung mit jungen Männern, aber eins weiß ich sicher, sie wollen in erster Linie Sex.« Yin schaute in ihr Gesicht, um zu sehen, ob sie Spaß machte. Aber sie meinte es ernst. Na gut, dachte Yin, auf sexuellem Gebiet war Wulf im Nachteil. Er hatte, im Gegensatz zu Tom, keinen Penis und musste auf seine Frauen anders eingehen. Aber das wussten die Männer in ihrer Stadt natürlich nicht, im Gegenteil, sie gingen wohl alle davon aus, dass imposante Kampfandroiden auch dementsprechende Geschlechtsorgane hatten und unendliche Ausdauer besaßen. Sie musste laut lachen.

»Sarah, ganz so unwissend bin ich doch nicht, was Männer angeht, merke ich gerade. Aber ich glaube, dass ich erst mal in dieser Stadt Arbeit suchen und so Kontakt zu männlichen Mitarbeitern finden sollte, bevor wir in eine andere Stadt ziehen. Wir sind nur auf der Straße und für Fremde die bunten Hunde in schwarzen Staubmänteln.«

4. Kapitel

DER VORGESCHMACK EINES MANNES

In den nächsten Tagen holte Yin zahlreiche Informationen bei verschiedenen Personen und Stellen ein. Sie fragte nach, welche Jobs überhaupt vermittelt wurden und wo welcher Bedarf bestand. Sie erfuhr, dass außer IT-Spezialisten auch Lehrer für jüngere Kindern gesucht wurden, Krankenschwestern und Ärzte beziehungsweise Ärztinnen. Es herrschte offensichtlich ein Männermangel, dessen Ursache in der rigorosen Bekämpfung von Kriminalität zu finden war. Jeder kriminelle Mann, der Gewalt gegenüber Mitbürgern an den Tag legte, konnte und wurde eliminiert, wenn er auf frischer Tat, also bei einem Überfall oder einer Vergewaltigung erwischt wurde. Diese sofortige Bestrafung mit tödlichem Ausgang wurde sowohl von menschlichen Polizisten als auch durch Polizeiroboter durchgeführt. Sie war vor Jahren beschlossen worden, mit folgender Begründung: Wenn brave Menschen sterben mussten, weil sie krank waren und es keine Medikamente für sie gab, dann mussten Kriminelle, die nur Schaden anrichteten, erst recht sterben. Sie vergeudeten unnötig und sinnlos Nahrungsmittel, Wasser und Strom, egal, ob sie in Freiheit oder in Gefängnissen lebten. Deswegen wurden also erwachsene Straftäter getötet, ohne Gerichtsverhandlung, und jugendliche Straftäter bis 16 Jahre in Erziehungsheime eingewiesen. Dort wurden sie ein bis zwei Jahre psychologisch betreut und dann auf Probe entlassen. Sollten sie erneut kriminell werden, wurden auch so junge Menschen eliminiert.

Yin sah dieses Vorgehen als erforderlich an und hatte es vor Jahren bei einer großen Abstimmung befürwortet. In der jetzigen Situation mussten alle Menschen ums Überleben kämpfen und Opfer bringen, da konnte man sich keine kriminellen Nichtsnutze oder Gefährder der Gemeinschaft leisten.

Yin erfuhr, dass sich außer den zwei großen Jugendgruppen, die für oder gegen lernfähige Androiden waren, noch andere Gruppierungen entwickelt hatten, die ihr unbekannt waren. Es gab eine Umweltschutz-Community, die vorwiegend aus Männern bestand und die das Überleben der Menschheit anderweitig fördern wollten, als es die große Masse der Weltbevölkerung derzeit für sinnvoll hielt. Diese Gruppe suchte und fand neue fruchtbare Gebiete, die sie als Lebensraum umgestalteten. Es handelte sich vorwiegend um Ingenieure, die Wasserbrunnen aus immenser Tiefe, Stauwerke und landwirtschaftliche Neuerungen erforschten und testeten. Zahlenmäßig traten sie kaum in Erscheinung, man schätzte sie auf weltweit 3.000, aber sie waren der festen Überzeugung, dass ein Überleben der Menschheit nur durch die Erschließung neuer Lebensräume möglich war.

Dann gab es eine Gruppe, die sich mit gesunden Ernährungs- und Lebensweisen beschäftigte, um so die Lebenserwartung der Menschen zu verlängern. Diese Community erhielt großen Zulauf, vor allem aus der gebildeten Mittelschicht.

Bei den ehemaligen Outlaws wiederum hatten wenige radikale Gegner der jetzigen Weltordnung, die Integration der Menschen in die Städte und die Arbeitswelt erschwert. Diese Agitatoren konnten eher ungebildete Menschen aufhetzen, die dann ihre Arbeitskraft nicht zur Verfügung stellten. Aus ihren Reihen rekrutierten sich auch gefährliche Kriminelle. Im weitläufigen Areal der früheren Outlaws konnten sie sich gut verstecken und waren dort nur schwer auffindbar. Ihre Überfälle begingen sie meist nachts und in Gruppen. Da sie von den Polizeirobotern oft in flagranti erwischt und sofort getötet wurden, hatte sich ihre Anzahl allmählich reduziert.

Täglich telefonierte Yin mit Jasmin und fragte, ob daheim alle wohlauf waren. Eines Tages berichtete Jasmin, dass der Vater von Lea, Will und Jasmins jüngstem Sohn, Marc, um ein Gespräch mit ihr gebeten habe. Bei diesem Telefongespräch hätte sie eingestehen müssen, dass nur sie bei den Kindern lebe, und zwar mit einem Androiden. Und dass die Mutter von Will, also Yin, von dessen Existenz er gar nichts wusste, eine kurze Auszeit genommen habe. Seine Reaktion sei verärgert gewesen, vor allem, weil seine Kinder von einem Androiden aufgezogen wurden und eine Mutter gar nicht anwesend war. Jasmin sagte wörtlich:
»Pass ein bisschen auf, meine Liebe, nicht, dass du unvorbereitet Besuch von einem verärgerten Samenspender bekommst! Ich muss gestehen, dass ich ihm damals bei seiner Samenspende für Will und meinen jüngsten Sohn gar nichts von dir erzählt habe und natürlich auch nichts von Wulf. Ich habe ihn im Glauben gelassen, dass ich lediglich ein drittes Kind nach meinem Abgang und Unfall wollte. Als er aber jetzt die Kinder sehen wollte, war mir klar, dass er Wills Ähnlichkeit mit ihm zweifellos erkennen

würde und natürlich rechnen kann. Beide Jungen sind ja nur wenige Wochen nacheinander geboren. Wulf hat mich sofort aufgefordert, ihm die Wahrheit zu sagen und gemeint, dass er das Recht habe, seine Kinder zu sehen. Bisher war er aber noch nicht hier, er hat gesagt, dass er die Situation überdenken wolle und sich dann erneut melde.« Nach einer Pause fuhr sie fort:

»Er ist übrigens ein toller Mann mit hervorragenden Genen, das siehst du an unseren Kindern, aber zum Feind möchte ich ihn nicht haben. Ich weiß sehr wenig von ihm, eigentlich nur, dass er Ingenieur ist und monatelang immer wieder auf Montage oder sonst wo unterwegs. Er hat nie Genaues erzählt und ich habe auch nicht nachgefragt. Kennengelernt habe ich ihn damals durch seine Schwester, die hat Prostituierten in Not geholfen, sie unterstützt und sehr viel Gutes für diese armen Mädchen getan. Nicht jede hat ja das Glück, dass sie von einem   Androiden gerettet wird.« Und sie lachte ihr Lachen, das Yin jedes Mal an eine Übermutter für Kinder und Männer erinnerte, wobei sie nicht erklären konnte, warum.

Einen Tag nach diesem Gespräch wollte Yin mit einem Lehrer sprechen, der ihr von Ben empfohlen worden war. Sie hatte sich entschlossen, Kinder zwischen sieben und zwölf Jahren zu unterrichten, in den allgemeinbildenden Fächern. Jedes Kind, das studieren wollte, musste vor dem Studium eine Prüfung in diesen Fächern absolvieren, um nachzuweisen, dass es Lesen, Rechnen und die ethischen Grundlagen beherrscht. Aber auch Geschichtliches und ein ausführliches Wissen über die klimatischen Veränderungen und Zusammenhänge wurde gelehrt und überprüft. Wenn sie einen dreimonatigen pädagogischen Aufbaukurs absolvieren würde, fühlte sie sich dieser Aufgabe gewachsen.

Yin hatte gerade ihre Wohnung verlassen und trat auf die Straße. Grundsätzlich überprüfte sie die Umgebung, wenn sie nach draußen kam. Der Mann, der gegenüber an einer Laterne lehnte, war ihr sofort aufgefallen. Er war groß, breitschultrig und trug einen Vollbart. Altersmäßig schätzte sie ihn auf etwa 35. Und als er nun auf sie zukam, war ihr klar, dass es der Vater ihres Sohnes war. Die Ähnlichkeit ließ keinen Zweifel zu.

»Hallo, sind Sie Yin Jackson?«, fragte er mit freundlicher und doch reservierter Stimme.

»Ja, das bin ich«, antwortete Yin. »Und wer will das wissen?«

»Mein Name ist Ron Weaver, ich bin der Vater von Lea, Marc und Ihres Sohnes Will.«

»Das freut mich sehr, dass ich den Vater meines Sohnes kennenlerne. Leider bin ich zurzeit nicht bei ihm daheim, aber Jasmin, die Sie ja gut kennen, betreut ihn bestens. Sie ist eine wunderbare Pflegemutter.«

Yin war selbst verwundert, dass sie diesem wildfremden Mann eine Story erzählte. Sie spürte, dass sie sich rechtfertigen wollte für ihre »Abwesenheit« als Mutter. Der Mann spürte das auch. Er sagte mit einer sanften Stimme, die Yin überraschte:

»Sie müssen Ihre Abwesenheit mir gegenüber nicht rechtfertigen. Ich habe mich über Sie und Ihre Vergangenheit schlau gemacht und Sie haben das Recht, ja sogar die Pflicht, Erfahrungen mit menschlichen Männern zu machen. Ein so schönes Mädchen sollte nicht von Anfang an mit einem Roboter zusammenleben, ohne dass es weiß, wie der Kuss und die Liebe eines menschlichen Mannes schmecken.«

Sein Lächeln ließ Yin erröten und eine irritierende Hitzewelle durchströmte ihren Körper. Es war ein wunderbares menschliches, vieldeutiges und männliches Lächeln, das ihr klarmachte, dass er an Sex dachte. Dann veränderte sich dieses Lächeln und wurde ernster, war aber immer noch freundlich und interessiert.

»Ich glaube, dass der kleine Will bei Jasmin und ihren Kindern bestens aufgehoben ist und seine Mutter eine Zeit lang entbehren kann. Ich würde nichts lieber tun und die Vaterrolle in dieser Familie einnehmen, aber ich muss wieder fort. Die Aufgabe, die ich erfüllen muss, ist für die Zukunft meines Sohnes und der ganzen Menschheit wichtiger, als wenn ich ein bisschen Papa spielen würde.« Und Yin sah eine Trauer in seinen Augen, die sie berührte, weil sie diese genauso empfand.

Da standen sie nun beide auf der Straße und fühlten die gleiche Sehnsucht nach ihrem gemeinsamen Sohn, ohne sich jemals körperlich berührt zu haben oder sich gefühlsmäßig nahe gewesen zu sein. Yin aber spürte in diesem Moment auch das völlig ungewohnte Bedürfnis, ewig in sein Gesicht und seine Augen, die ständig wechselnde Gefühle ausdrückten, zu schauen. Sie konnte sich nicht sattsehen, obwohl der Bart sie störte, weil sie gerne Gefühle auch an seinem Mund oder seinen Lippen abgelesen hätte. Sie wusste gar nicht, ob das ging. Sie wusste nichts von männlichen Gefühlen, die man sehen und schmecken konnte. Hatte er das vorhin gesagt? Ihr wurde bewusst, dass sie ihn anstarrte, und errötete erneut. Er ging sehr langsam nah an sie heran und flüsterte:

»Ich wünsche Ihnen das Allerbeste! Nur gute Erfahrungen mit Männern. Und ich hoffe, dass Sie dann immer noch eine wunderbare Mutter für Will sein können.« Yin spürte seinen Atem und der roch auch nach Mann. Und sie wünschte, dass er sie küssen würde und sie ihn schmecken könnte, diesen menschlichen Mann. Aber er ging wieder einen Schritt zurück, verbeugte sich leicht und stieg in sein autonomes Auto, das sie vorher gar nicht bemerkt hatte.

Als er weg war, kehrte sie zurück in ihre Wohnung, in der Sarah alte Kleidungsstücke umnähte. Sie ließ sich auf einen Stuhl fallen und beugte sich über den Tisch. Ihr Atem ging schnell und ihr Herz raste. Sarah schaute sie besorgt an.

»Ist dir was passiert?«

»Ja, das kann man wohl sagen. Ich habe den Mann meines jungen Lebens ein bisschen schmecken dürfen und ganz schrecklichen Hunger nach mehr.«

5. Kapitel

HUNGER NACH MEHR

Dieses Zusammentreffen mit einem Mann wie Ron hatte Yin völlig aus dem Gleichgewicht gebracht. Sie konnte an nichts anderes mehr denken. Zwei Tage blieb sie in der Wohnung und nervte Sarah mit 100 Fragen, Überlegungen und Träumen. Sarah, die Ron weder gesehen noch eine Vorstellung von ihm aufbauen konnte, sagte schließlich:

»Weißt du was, frag einfach Jasmin nach seiner Adresse oder Telefonnummer und nimm Kontakt auf. Sag ihm, dass du mehr von ihm willst, dass du Hunger nach ihm als Mann hast, weil du noch nie mit einem menschlichen Mann zusammen warst. Und dann schau, was er sagt, wie er reagiert, und schon hast du die Männer ein bisschen besser kennengelernt.« Yin fand diese Idee zwar etwas gewagt, aber praktikabel. Was sollte schon passieren? Sie rief Jasmin an, erzählte von dem Zusammentreffen mit Ron und dass sie ihn gerne noch mal treffen würde. Sie erwähnte ihren Hunger nicht, aber sie spürte, dass Jasmin genau wusste, was in ihr vorging.

»Ja, ich gebe dir eine Nummer und eine E-Mail-Adresse, versuch dein Glück. Er ist allerdings schwer zu erreichen und total zurückhaltend. Er hat immer gesagt: ‚Ich bin sehr oft weg und kann mich weder um Kinder noch um Frauen kümmern. Aber ich will, dass meine Gene weiterleben, und du bist stark genug, um Mutter und Vater zusammen zu sein.' Also mach dir nicht zu große Hoffnungen, Frauen stehen für ihn auf keinen Fall an erster oder zweiter Stelle. Er hat völlig andere Interessen, aber ich weiß nicht, welche.« Yin schrieb sich die Kontaktdaten auf und überlegte, was Jasmins Worte bedeuteten. Dieser Mann hatte sich wahrscheinlich einer Aufgabe verschrieben, bei der ihn Kinder und Frauen störten. Das würde sie nicht abschrecken. Egal, was er machte, sie konnte ihn begleiten und sich an jedem Ort der Welt nützlich machen.

Am nächsten Tag versuchte sie ihr Glück mit der Telefonnummer. Nach viermaligem Klingeln schaltete sich eine Art Mailbox an und Rons Stimme klang abweisend und kühl:

»Über diese Nummer werden Sie mich nicht persönlich erreichen, schreiben Sie besser eine Mail oder treffen Sie mich zwischen 17:00 und 18:00 Uhr in meinem Büro über dem Café Freedom in der Hauptstraße.« Dann wurde die Verbindung beendet. Was bedeutete das? Er telefonierte nicht, sondern wollte persönlichen Kontakt. Er besaß ein eigenes Büro in der Hauptstraße und war dort nur eine Stunde am frühen Abend zu erreichen. Sie war irritiert und unsicher, wie sie weiter vorgehen sollte. Dann entschloss sie sich, noch am selben Abend in dieses Büro zu gehen.

Als sie zehn Minuten nach 17:00 Uhr endlich vor der Bürotür im zweiten Stock über dem Café Freedom stand, war sie nervös und verkrampft. Was wollte sie ihm überhaupt sagen? Sie hatte keinen Wulf vor sich, der ihre Unsicherheitsgefühle und Ängste sofort erkannte und ihr liebevoll half, diese zu überwinden, der sie ermunterte, ihre Wünsche zu äußern oder zu zeigen. Dies war ihr erster gewollter Kontakt zu einem fremden Mann, ein Buch mit sieben Siegeln für sie.

Allmählich wurde sie etwas ruhiger und setzte sich auf einen der zwei Stühle, die neben der Tür standen. Unten am Eingang hatte sie sich anmelden müssen, das heißt, Ron wusste, dass sie auf ihn wartete. Sie dachte, schauen wir mal, wie lange er mich warten lässt. Vielleicht ist aber auch jemand im Büro, der vor mir hier war. Und dann ging die Tür auf und eine circa 26-jährige, äußerst attraktive junge Frau kam heraus, Ron hinter ihr. Er lächelte diese amazonenähnlich aussehende Frau freundlich an, als die sich noch einmal zu ihm umdrehte und mit klarer, selbstbewusster Stimme sagte:

»Schön, dass wir alles klären konnten, Ron, bis bald. Ich freue mich schon.« Und Ron sagte: »Ja, ich auch. Bis bald, Hanna.« Yin hatte das Gefühl, dass ihr jemand völlig unerwartet einen Schlag in die Magengrube versetzte. Damit hatte sie nicht gerechnet. Eine Frau, so schön wie sie selbst, groß, stark, in einer Art Uniform und mit einem voluminösen Schal um den Hals, den sie offensichtlich als Gesichtsschutz benützen konnte. Die Frau erinnerte sie an Eve, aber sie war menschlich, daran bestand kein Zweifel.

Ron lächelte Yin einladend an.

»Kommen Sie herein, Yin. Es freut mich, Sie wiederzusehen. Was kann ich für Sie oder Will tun?« Damit hatte er ihr den Weg geebnet, irgendeinen Vorwand für ihr Auftauchen anzusprechen. Die Versuchung war groß, dieses Angebot anzunehmen und zum Beispiel zu sagen: ‚Ich habe mir überlegt, dass wir Will zusammen besuchen könnten und ihm erzählen, dass Sie sein Vater sind und ich Sie gesucht und mitgebracht hätte.‘ Oder so etwas Ähnliches.

Sie ging während dieser Überlegungen in Rons Büro, das aussah wie ein Wohnzimmer. Ein massiver Eichentisch stand in der Mitte des Raumes, umstellt von sechs Stühlen, zwei Sofas an den Wänden luden zum Entspannen ein und ein ziemlich hoher Aktenschrank an der Wand sowie ein PC mit großem Monitor auf einem fahrbaren PC-Tisch deuteten auf Arbeit hin. Ron zeigte auf einen Stuhl am Tisch und als sie Platz genommen hatte, setzte er sich ihr gegenüber. Er goss in ein Glas, das an ihrem Platz, aber auch an jedem anderen Platz stand, Wasser aus einer verschließbaren Karaffe und schaute sie dann leicht lächelnd und abwartend an.

Einen kurzen Augenblick dachte sie nochmals an sein Angebot, sich irgendetwas Belangloses von ihm für sich oder Will zu wünschen. Dann entschied sie sich für den Frontalangriff und die Wahrheit.

»Ich bin hier, weil ich möchte, dass Sie mir zeigen, wie der Kuss und die Liebe eines menschlichen Mannes schmecken.« Sie konnte es selbst nicht glauben, dass sie gerade diese Worte gesagt hatte. Im Raum herrschte minutenlanges Schweigen, während sich Yin und Ron ins Gesicht und in die Augen schauten. Yin registrierte noch, dass der Vollbart verschwunden war und stattdessen nur ein kleiner Oberlippenbart zu sehen war. Dadurch wirkte er viel jünger und sie hatte freien Blick auf seine Lippen. Erstmals konnte sie den Mund eines Mannes voll auf sich wirken lassen. Dann hörte sie seine Stimme und musste sich auf seine Worte konzentrieren.

»Yin, nichts, was ich lieber machen würde, aber ich bin nur noch drei Tage hier. Dann muss ich für mindestens zwei Monate wieder weg. Drei Tage sind für Samenspenden genug, aber um dir die Liebe und das, was dazu gehört, zu zeigen, eindeutig zu kurz.« Yin verarbeitete seine Worte, so gut sie konnte, und entschied sich zum Insistieren.

»Ja, das stimmt, drei Tage können meinen Hunger nicht stillen, aber ich könnte Sie begleiten und mich da, wo Sie hingehen, nützlich machen. Ich bin stark, kampferfahren und bereit, jede Arbeit zu übernehmen, die Frauen erledigen können.« Ron schaute sie an und sein Lächeln wurde etwas persönlicher. Nicht direkt liebevoll, aber doch sympathiegeladen.

»Yin, dein Angebot hört sich gut an, aber die Realität schaut so aus: Ich gehe in eine unwirkliche, wilde, aber fruchtbare Gegend, in der wir eine neue Niederlassung für Menschen aufbauen. Wir sind dort circa 500 Männer und 200 Frauen mit ungefähr 150 Kindern. Wir leben in sehr einfachen Behausungen und müssen ein Leben voller Einschränkungen und Gefahren meistern. Wir können starke Frauen durchaus gebrauchen, aber, um die Liebe kennenzulernen, ist dieser Ort eher nicht geeignet und ich möchte nicht daran schuld sein, dass du, vom ersten menschlichen Mann deines Lebens enttäuscht, wieder reumütig zu einem Kampfandroiden zurückkehrst.«

Yin schaute ihn an und fühlte sich plötzlich so schwach wie das kleine Mädchen vor vielen Jahren, das auf Wulfs Arm sprang und ihm ins Ohr flüsterte: Willst du mich heiraten, Onkel Wulf? Natürlich konnte sie das hier nicht bringen. Sie wollte schon aufgeben, einen Rückzieher machen, da hörte sie ihn mit fast geschäftsmäßiger Stimme sagen:

»Wenn Sie Will mitnehmen, wäre ich für einen Versuch bereit. Es wäre nämlich gut, wenn mein Sohn sich von klein auf an harte Bedingungen gewöhnen könnte und nicht eines Tages als verwöhnter Zehnjähriger plötzlich mit der neuen Welt seines Vaters konfrontiert wird. Sie wären dann auch als Mutter beschäftigt und mit den anderen Frauen in einer Gemeinschaft eingebunden. Und Ihr Hunger nach Liebe wird möglicherweise von Hunger nach Essen verdrängt. Natürlich bin ich gerne bereit, in meiner knappen Freizeit für Sie und Will da zu sein. Überlegen Sie sich mein Angebot und sagen Sie mir morgen Bescheid, damit wir Vorbereitungen treffen könnten. Ich würde meine Abreise dann um ein oder zwei Tage verschieben.« Yin schaute in sein Gesicht, nahm den warmen Ausdruck seiner Augen und das leichte Lächeln seiner Lippen in sich auf. Sie hatte den Wechsel vom »Du« zum »Sie« verwundert registriert, offensichtlich war auch er gefühlsmäßig irritiert. Sie lächelte und sagte:

»Ich habe mich jetzt schon entschieden. Ich bereite meine Abreise mit Will vor und bin in drei Tagen startbereit.« Plötzlich fiel ihr die andere Frau, die gerade sein Büro verlassen hatte, wieder ein und sie fragte:

»Wer kommt außer mir noch mit? Ist Hanna auch eine Freundin von Ihnen, auch die Mutter Ihres Samenspenderkindes?« Ron lachte leise.

»Sie kommt mit, weil sie sich beworben und einen Fragebogen ausgefüllt hat. Ich versuche immer, geeignete Personen zu finden, die mit uns die neue Überlebenszone aufbauen wollen. Sie ist geeignet, aber ich habe sonst nichts mit ihr zu tun.« Nach einer kleinen Pause sagte er: »Yin, es wird eine harte Zeit für dich werden. Versuche, dich nicht noch mit negativen Gefühlen zu belasten. Eifersucht ist ein völlig unnötiges, zerstörerisches Gefühl, das wirst du bald selbst erkennen.« Und als Yin sich schon erheben und verabschieden wollte, fiel ihr Sarah ein. Vielleicht wollte sie auch mitkommen, hatte sie doch gesagt, dass sie Yin in eine andere Stadt folgen würde.

»Geben Sie mir doch so einen Fragebogen mit für meine

Freundin, vielleicht würde auch sie gerne mitkommen.« Ron zögerte nur kurz.

»Frauen zwischen 20 und 30 sind immer willkommen«, und er reichte ihr lächelnd einen Fragebogen. Yin erhob sich und ging zur Tür. Ron folgte ihr und hielt sie am Arm leicht, aber spürbar, fest. Als sie sich umdrehte, trafen sich ihre Augen und sein Mund war ganz nah an ihrem Gesicht. Sein Atem streichelte ihre Haut, als er flüsterte:

»Ich freue mich schon darauf, einen meiner Söhne zu sehen und mit ihm und seiner Mutter zusammenzuleben.« Und er gab ihr einen sanften Kuss auf die Lippen, der nur zärtlich war, aber in Yin ein explosionsartiges Hungergefühl nach mehr auslöste. Sie hielt sich jedoch zurück, und beherrschte sich. Sie musste lernen, die Regie dem Mann zu überlassen. Ron blieb weiterhin nah vor ihr stehen und flüsterte:

»Dein Hunger ist ansteckend, aber wir müssen uns beide zurückhalten. Du musst nämlich lernen, dass es schön ist, in einer Liebesbeziehung längere Zeit Hunger zu haben und nicht gleich den ersten Gelüsten nachzugeben.« Dann küsste er sie nochmals weich und zärtlich und ging auf Abstand. Yin konnte überhaupt nichts mehr sagen, drehte sich um und verließ das Zimmer. Sie klammerte sich an den Fragebogen in ihrer Hand und konnte erst wieder klar denken, als sie draußen auf der Straße stand.

6. Kapitel

DER ABSCHIED

Als Yin die frische Abendluft in ihrem Gesicht spürte, fühlte sie eine Art Erleichterung. Sie wachte aus einem rauschähnlichen Traum auf. Das tiefe Verlangen nach Nähe zu diesem ihr völlig fremden Mann konnte sie auf der lauten und fast dunklen Straße, die ihre ganze Aufmerksamkeit erforderte, schnell abbauen. Warum zog er sie so stark, geradezu bedrohlich stark, an?

Sie dachte an die psychologischen Weisheiten, die sie schon als junges Mädchen gelernt hatte. Mädchen suchen immer nach einem Mann, der ihrem Vater ähnelt, nicht unbedingt äußerlich, sondern eher charakterlich. Hatte dieser Ron, stark, männlich-dominant und doch verständnisvoll gegenüber Frauen, Ähnlichkeit mit ihrem sanften, immer kompromissbereiten und nachgebenden Vater? Sie fühlte in sich hinein und erkannte, dass sie ihren Vater eher als schwach und zu weich empfunden hatte. Weil ihre Mutter querschnittgelähmt im Rollstuhl saß, hatte sie sich, solange sie denken konnte, einen sehr starken Vater und Beschützer der Familie gewünscht. Sie erkannte, dass sie Tom, der ja seit der Geburt von ihr und Ben, immer für sie da war, wohl jahrelang als Vaterersatz angesehen hatte. Tom, und später dann Wulf, der die Daten von Tom besaß und äußerlich noch stärker, kampfbereiter und wie der perfekte Beschützer aussah.

Sie erschrak, als ihr bewusst wurde, dass sie deshalb von klein auf so auf den Kampfroboter Wulf fixiert war, der Mann, der ihrem psychologischen Vater Tom so ähnlich war. Und Eve, die Sex- und Kampfandroidin hatte die Rolle ihrer Mutter übernommen und sie auch geprägt, denn von klein auf wollte sie werden wie Eve: kämpferisch, stark, unabhängig und trotzdem liebende Sexgöttin.

Die Erkenntnis, dass ihr ganzes Wollen und Fühlen von Androiden geprägt war, bis in die Tiefen ihrer Seele, ließ sie erschaudern. Hatten ihre braven menschlichen Eltern jemals an diese Möglichkeit gedacht? Hatten sie das gewollt? Nein, auf keinen Fall, da war sie sich sicher. Kein Mensch wollte, dass seine Kinder von Androiden so massiv beeinflusst und geprägt werden, bis in die tiefsten Schichten des Unterbewussten. Und in diesem Moment wurde ihr klar, warum Ron sie und den gemeinsamen Sohn bei sich haben wollte, vom Einfluss eines Androiden weit entfernt. Lieber eine entbehrungsreiche Kindheit unter Menschen als unter dem subtilen Dauereinfluss eines humanoiden Roboters, das waren wohl seine Überlegungen.

Während sie über all diese Zusammenhänge nachdachte, hatte sie fast ihre Wohnung erreicht. Den Fragebogen hielt sie fest umklammert in ihrer Hand. Als sie die Wohnung betrat, stand Sarah vor dem Herd und kochte etwas verführerisch Duftendes.

»Hallo, du männermordende Abenteurerin, wie ist es gelaufen?«, fragte sie. Yin ließ sich erschöpft auf einen Stuhl fallen, legte den Fragebogen vor sich auf den Tisch und holte tief Luft.

»Einwandfrei, beinahe wären wir im Bett gelandet, weil ich

ihn mit meinem Hunger nach mehr angesteckt habe. Das hat er tatsächlich gesagt. Aber dann wollte er, dass ich lerne, meinen Hunger auszuhalten.« Und die Erinnerung an seine Worte, seine vollen Lippen nah an ihrem Gesicht, seinen männlichen Duft und vor allem an seine Augen, tief und hungrig, ließ sie genussvoll lächeln. Sarah schaute sie an.

»Meine Güte, du bist ja noch voll in seinem Bann!« Sie machte den Herd aus und setzte sich zu Yin an den Tisch.

»Und was war sonst noch das Ergebnis, außer ‚fast im Bett gelandet‘?«

»Du wirst es nicht glauben, ich kann es selbst nicht fassen. Ich habe mich in Sekundenschnelle entschieden, ihm in einen anderen Teil der Welt zu folgen. Ich weiß noch nicht mal, wohin genau. Aber das Höchste ist, dass ich Will mitnehmen kann, ja geradezu soll. Das hat er auch sehr schnell aus dem Bauch heraus entschieden.« Sarah starrte Yin fassungslos an.

»Was hast du da für einen Zettel, ist das der Vertrag mit dem Teufel?« Yin lachte.

»Nein, er ist für dich. Ein Fragebogen, sozusagen eine Bewerbung zur Einwanderung in diesen neuen Teil der Erde. Er und ungefähr 500 andere, vorwiegend Männern, bauen und entwickeln diese Gegend in einen Lebensraum, der schöner und wertvoller sein wird als die Welt, in der wir hier leben. Ich habe diesen Bogen mitgenommen, falls du mich begleiten willst.« Sarah zog das Papier, das aus vier einzelnen Blättern bestand, zu sich herüber. Sie überflog den Text schweigend, während Yin sich ein Glas Wasser holte und die Schuhe auszog. Sarah las und ihr Gesicht wurde immer sorgenvoller.

»Hast du das schon gelesen? Da steht genau drin, was auf dich und Will zukommen wird. Das Ziel dieser Gruppe liest sich gut, aber vielleicht handelt es sich um eine Art Sekte.« Yin zog das Formular wieder zurück und las es aufmerksam durch.

»Du hast recht, das liest sich wie die verdammte Beitrittserklärung zu einer Sekte.« Sie schwieg und schaute in die Ferne. Hatte sie sich in Ron getäuscht? Wirkte er wie ein Sektenführer oder war er vielleicht nur der Gehilfe eines Sektenführers? Sie konnte diese Frage jetzt und mit den wenigen Fakten, die sie kannte, nicht beantworten. Sie musste vorerst nur eine Frage klären: Mitgehen, sich auf ein Abenteuer einlassen oder Schwanz einziehen und hier in ihrer ziemlich geordneten, bekannten Welt bleiben. Sarah sah das auch so.

»Ich begleite dich, sonst könnte ich keine ruhige Minute mehr verleben«. Yin stand auf und umarmte sie.

»Das freut mich so sehr, Sarah, zu zweit ist man immer stärker als allein, weil zwei Augenpaare mehr sehen, zwei Ohrenpaare mehr hören und vor allem zwei Köpfe auch mehr erkennen und überlegen können. Ich wünschte, Eve könnte uns begleiten, aber das würde Tom nie zulassen.« Und in diesem Moment fiel ihr mit Schrecken ein, dass sie nicht nur Tom, sondern auch ihrem Vater und Bruder, vor allem aber auch Wulf und Jasmin ihren Entschluss mitteilen musste.

Am nächsten Tag suchte sie in der Früh, noch vor sieben Uhr, ihren Vater und Ben auf, beide gingen schon um acht zur Arbeit. Tom und Eve waren um diese Zeit auch anwesend. Sie setzte sich zu allen an den Frühstückstisch und wartete, bis Tom, wie üblich, zuerst das Wort ergriff.

»Yin, meine Liebe, du siehst aus, als ob du uns die tollsten Neuigkeiten deines Lebens erzählen willst. Schieß los, wir sind ganz Ohr!«, und er lachte leise über diesen etwas ungewohnten

Ausdruck. Yin schaute bewusst ihren Vater und Bruder an, denn das war ihre menschliche Familie.

»Ich habe euch zwei Neuigkeiten zu erzählen. Erstens: Ich habe den Vater meines Sohnes kennengelernt und mich in ihn verliebt. Und zweitens: Ich werde mit ihm und meinem Sohn in ein anderes, fruchtbares Land fliegen, in dem eine Siedlung aufgebaut wird. Der Vater von Will ist Ingenieur und beteiligt sich seit Jahren an dem Aufbau dieser Siedlung.« Alle schwiegen. Keiner hatte mit dieser Entwicklung gerechnet. Eve war die Erste, die sich fing. u

»Was ist mit Sarah, bleibt sie allein in der Wohnung oder begleitet sie dich?«

»Sie kommt mit«, sagte Yin, und schaute Tom und ihren Vater an. Beide schwiegen weiter. Ben sagte:

»Ich finde das gut, das ist doch mal ein echtes Abenteuer und irgendwie auch sinnvoll, neue Lebensräume zu erschließen. Wenn sie mal IT-Spezialisten brauchen, sag mir Bescheid, ich komme dann auch dorthin.« Tom schaute Yin mit seinem ernsten Gesicht an und sagte:

»Mit dem Vater deines Sohnes zusammenzuziehen, wäre gut, besser als jede andere Liebesbeziehung. Will hat so eine echte Chance, geliebt und gefördert zu werden. Aber in völlig fremde, noch nicht mal erschlossene Länder auszuwandern, das erscheint mir sehr gewagt. Ich denke … du … solltest …« er stotterte, seine rechte Hand fiel vom Tisch, auf der sie lag, und er selbst schwankte leicht nach vorn. Eve sprang auf und stützte seinen Oberkörper. Sie nestelte an einem unter seinem Anzug versteckten kleinen Sender oder einem Relais herum und sagte dabei:

»Tom braucht unbedingt ein Update, er schwächelt seit Tagen in zunehmendem Maße. John kommt noch heute vorbei und holt ihn ins Labor.« Tom sagte nichts mehr und lehnte sich an Eve. Yin bekam vor Schreck kaum Luft. Vor ihren Augen wurde die Szene wieder lebendig, als ihre Mutter ein Jahr vor ihrem Tod, auch auf einem Familientreffen, zur Seite kippte und danach über ihre nicht-heilbare Erkrankung berichtete. Das konnte doch nicht wahr sein! Sie waren Maschinen, die, gut gewartet, unsterblich waren. Yin starrte ihren Vater an, der schwieg und traurig vor sich hinschaute. Ben sagte schließlich:

»Ich nehme dich gleich mit, Tom. Wir bekommen das sicher wieder hin. In ein, zwei Tagen bist du wieder wie neu.« Er stand auf und Eve stützte Tom, der sehr langsam zur Tür ging und Ben folgte. Als sie den Raum verlassen hatte, sagte Yins Vater:

»Das geht schon seit ein paar Tagen so, er ist nicht mehr der Alte. Ich habe Angst, dass sie ihn nicht mehr reparieren können. John hat gesagt, wenn man zu viele neue Ersatzteile braucht, wird es schwierig, weil alles veraltet ist und zum Teil gar nicht mehr lieferbar. Ein neuer Androide wäre dann wesentlich kostengünstiger und Toms Daten würden ja alle lückenlos übertragen werden. Das hoffen sie jedenfalls. Wenn das nicht klappt, ja, dann … Das ist gar nicht auszudenken …« Tränen rannen über seine alten Wangen und Yin erstarrte. Eine entsetzlich harte Faust zerrte wieder an ihren Eingeweiden und stoppte jede Träne. Sie konnte sich nur mühsam erheben, ihren Vater umarmen und langsam zur Tür gehen. Schließlich sagte sie, an der Tür stehend:

»Mach dir nicht so viel Sorgen. John ist ein Genie, der hat noch jeden Androiden wieder hingekriegt. Ich komme übermorgen wieder vorbei und bringe Will mit, damit du ihn nochmals vor unserer Abreise sehen und küssen kannst.« Dann verließ sie diese vertraute und jetzt so leere, traurige Wohnung ihrer Kindheit. Ohne Tom und Eve konnte sie sich weder ihren Vater und Ben noch die elterliche Wohnung vorstellen. Diese beiden Androiden gehörten einfach zu ihrem Leben, wie Sonne, Regen und Wind.

Draußen entspannte sie sich wieder etwas, war aber nicht in der Lage, jetzt zu Wulf und Jasmin zu fahren. Sie musste das am späten Nachmittag machen. Sie wusste, dass dort noch einmal eine schwierige Situation und ein äußerst trauriger Abschied auf sie zukamen.

7. Kapitel

DER VERLASSENE WULF

Viele Monate, bevor Yin sich an Jasmin wandte, hatte Wulf die bedrohliche Veränderung bereits gespürt. Winzige Kleinigkeiten hatten sich in ihrem Umgang miteinander verändert. Er erinnerte sich an ihre erste Begegnung und ihr Gespräch unter vier Augen. Er hatte damals gesagt:

»Wir müssen uns immer offen sagen, was wir wollen oder nicht wollen, was wir fühlen oder fürchten, denn du kannst nichts in meinem Helmgesicht ablesen.«

Und deswegen hatten sie jahrelang ein völlig offenes, vertrauensvolles Liebesleben praktiziert. Er wusste, wie er sie glücklich machen konnte und was sie beunruhigte, später sogar, wenn sie es nicht sagte. Einfach, weil er sie im Laufe der Zeit so gut kennengelernt hatte. Umso schmerzlicher empfand er ihre plötzliche Verschlossenheit. Auch wenn er mehr in sie hineinschauen konnte als menschliche Männer, war es ihm nicht möglich, ihre emotionale Wand zu durchbrechen. Deshalb war er sich sicher, dass es um etwas Grundsätzliches ging, auf das er keinen Einfluss hatte. Ihm war immer schmerzlich bewusst gewesen, dass er vieles nicht ändern konnte. Er besaß keine weiche, warme Haut, keine Muskeln, die eine Frau streicheln oder deren Bewegungen sie ertasten konnte. Sein metallener Körper blieb unverändert kühl und starr und nach wie vor war sein schwarzes Helmgesicht weit von einem menschlichen, männlichen, Gesicht entfernt, ohne weichen Lippen, eine feuchte Zunge und ohne warmen Atem. Seine Kamera-Augen waren in manchen Situationen eher bedrohlich als freundlich und auch wenn Yin sie liebte, ersetzten sie nicht den begehrlichen oder gütigen Blick eines Mannes. Das hatte er zu jedem Zeitpunkt ihres Zusammenlebens gewusst und deshalb war er vorbereitet auf den Tag, der unweigerlich kommen musste.

Er hatte über vier Jahre Zeit gehabt, diesen Tag des Abschieds zu durchdenken. Und weil er Yin mehr liebte als seine Existenz als Polizeichef, war es für ihn auch gar keine Frage, dass er sie gehen lassen würde, wenn die Zeit gekommen war. Bevor sie mit Jasmin sprach, wusste er schon, dass die Trennung bevorstand. Er fühlte ihre Sehnsucht nach einem menschlichen Mann, bevor sie selbst sich darüber im Klaren war. Und er erkannte auch die Notwendigkeit für eine junge Frau, Erfahrungen mit lebendigen Männern zu machen.

Verletzt hatten ihn aber doch ihr langes Schweigen und das fehlende Vertrauen nach so langem und innigem Zusammenleben. Er wusste nicht, ob das bei Trennungen von Liebespaaren immer so war. Wenn die Liebe sich entfernte, nahm sie offensichtlich alle anderen positiven, wunderbaren Gefühle und Gewohnheiten mit und am Ende standen sich zwei Fremde gegenüber. Der eine wollte so schnell und problemlos weg, raus aus der Beziehung, und der andere blieb hilflos, mit leeren Händen und leerem Herzen zurück. Er hatte kein Herz, aber seine Gefühle, die er normalerweise perfekt kontrollieren konnte, machten ihm seit Yins Veränderung immer mehr Probleme. Es gab Zeiten, in denen er die Fähigkeit zu fühlen, verfluchte. Dieser Ausdruck fiel ihm ein, weil Jasmin ihn manchmal gebraucht und auf seine Frage erklärt hatte:

»Wenn du hilflos und wütend bist, weil du nicht weißt, was du anders machen sollst oder kannst, dann verfluchst du die Situation, dich selbst oder einen anderen.«

Er würde Yin niemals verfluchen können und sich selbst auch nicht. Denn er wusste, dass sie ihn brauchen würde, wenn auch nicht im Moment, aber möglicherweise in der Zukunft. Er verfluchte deshalb nur seine Gefühle, die so unbequem und so schmerzhaft waren.

Er hatte mit Jasmin über Yins Veränderung gesprochen, und sie war, wie immer, eine große Hilfe für ihn gewesen. Er verstand nun Yins Verhalten, denn er verstand ihre Sehnsucht nach einem menschlichen Mann. Er war ein lernfähiger Roboter, und deshalb war er in der Lage alles zu verstehen, was man ihm erklärte. Und wenn aus Liebe Verschlossenheit und Abwehr wurde, musste er lernen, auch damit umzugehen. So wartete er auf den Tag, an dem Yin sich zu dem Ende ihrer Liebe und Beziehung bekennen würde. Als sie dann bereit war, Will zurückzulassen, war er vorerst beruhigt. Sie liebte ihr Kind, vertraute es ihm und Jasmin an, und deshalb war das Ende ihrer Beziehung eher vorübergehender Art. Das hatte er jedenfalls gehofft, bis zu dem Tag, als sie zurückkam und Will abholte.

An diesem Abend kam er wie gewohnt gegen 18:00 Uhr heim. Jasmin stand an der Haustür und sagte:

»Erschrick nicht, liebster Wulf, Yin sitzt im Wohnzimmer und spielt mit den Kindern. Sie holt heute Will ab und nimmt ihn mit. Sie wandert mit Wills Vater aus, in eine noch nicht erschlossene

Gegend im ehemals russischen Raum und beginnt dort ein neues Leben.«

Er schaute Yasmin an und ging wortlos an ihr vorbei. Er betrat zügig das Wohnzimmer und sagte:

»Hallo Yin, schön, dich wiederzusehen. Jasmin hat mir gerade erzählt, dass du mit Will auswandern willst.«

Yin stand vom Boden auf und ging auf ihn zu, blieb etwa einen Meter vor ihm stehen.

»Ja, das stimmt. Ich werde versuchen, ein Leben mit einem menschlichen Mann, der glücklicherweise auch der Vater von Will ist, zu führen. Ob es mir besser gefällt als unser gemeinsames Leben, kann ich nicht sagen. Ich hoffe, dass du mich wieder aufnimmst, wenn ich scheitern sollte.«

Wulf ging nah an sie heran, berührte sie jedoch nicht und flüsterte in ihr Ohr:

»Du weißt, dass du immer zu mir zurückkommen kannst. Du solltest mich aber auch um Hilfe bitten, wenn du in Gefahr bist. Egal, wo du bist, ich bin für dich da, denn du bist der Sinn meines Lebens.«

Er sagte diese Worte bewusst ohne Dramatik oder Trauer, sondern sachlich. Er wollte ihr helfen, sich nicht schuldig zu fühlen oder ein schlechtes Gewissen zu bekommen.

»Das werde ich tun, Wulf. Du bist der einzige Androide, dem ich immer und in jeder Situation vertrauen werde und den ich auf eine besondere Art liebe. Ein Mensch kann diese Liebe nicht verändern. Trotzdem muss ich mit Männern Erfahrungen sammeln, um glücklich zu sein.«

»Ja, liebste Yin, ich weiß und verstehe das. Ich wünsche dir, dass du von Enttäuschungen verschont bleibst.«

Und als er das sagte, fühlte er es auch so. Dann ging er zu

Will, hob ihn hoch, küsste ihn auf beide Wangen und genoss die letzten Umarmungen dieses kleinen Jungen, der ihm so ans Herz gewachsen war. Er trug ihn zu Yin und flüsterte:

»Will, deine Mama nimmt dich jetzt mit zu deinem Papa, den du noch gar nicht kennst. Sei ein braver Junge und pass schön auf deine Mama auf, ich weiß, dass du das kannst.«

Und er übergab ihn Yin, die nun doch weinen musste. Sie verließ mit Will das Haus, nachdem   Jasmin beide noch einmal liebevoll umarmt hatte.

Als sie gegangen waren, ließ Wulf sich auf einen Stuhl fallen und dachte sekundenlang daran, dass sich Sterben so anfühlen musste. Das Sterben eines Menschen war ja auch ein Abschiednehmen von allem, was ihm lieb war. Und er fühlte eine Trauer, die ihn für Minuten lähmte, jeden klaren Gedanken unmöglich machte und den übermächtigen Wunsch aufkommen ließ, diese verdammten Gefühle ausschalten zu können, wie man mit einem Schalter das Licht ausschalten konnte. Jasmin sagte nichts, sondern baute mit Marc einen kleinen Turm.

Wulf versuchte, sich selbst zu trösten. Er hatte alles in seiner Machtstehende getan, um Yin gefahrlos in eine Zukunft gehen zu lassen, die sie brauchte, um sich als vollwertige Frau zu fühlen. Ein Androide, auch wenn er noch so gut als Frauenversteher ausgebildet war, konnte ihr dieses Gefühl offensichtlich nicht vermitteln. Er spürte, was es heißt, seine Grenzen zu akzeptieren. Er konnte sich nicht in einen menschlichen Mann verwandeln und wenn er in sich hineinfühlte, dann wollte er das auch gar nicht. Lernfähige Androide hatten Fähigkeiten, die menschliche Männer nicht besaßen, und genau das musste Yin jetzt selbst herausfinden. Dann konnte sie sich entscheiden, auf welche Fähigkeiten und Besonderheiten sie letztendlich verzichten wollte.

Er hatte Erkundigungen über Ron Weaver eingeholt. Das war nicht einfach gewesen, aber ihm als Polizeichef schließlich doch gelungen. Wills Vater war ein fähiger Wasserbauingenieur, der sein Leben in den Dienst der Menschheit gestellt hatte. Er wollte den Menschen neue fruchtbare Gebiete erschließen und ihnen ein besseres Überleben ermöglichen, als es in den jetzigen Wohnsiedlungen möglich war. Er, Wulf, musste diesen Mann bewundern, denn er verfolgte sein Ziel mit Ausdauer und ohne Rücksicht auf die eigene Bequemlichkeit oder materielle Möglichkeiten. Diese Gemeinschaft von Auswanderern hatte zwar einige einflussreiche Unterstützer, besaß mehrere Fluggleiter und Transporter, auch Waffen, von denen niemand genau wusste, woher sie stammten und wie viel es waren, aber er hatte nichts gehört, was negativ gewesen wäre. Weder kriminelle noch gefährliche Handlungen waren jemals begangen worden. Wulf selbst lebte ja auch nach der Devise: 'Der Gute muss sich bewaffnen, um sich vor dem Bösen schützen zu können.'

Deshalb ordnete er den neuen Mann in Yins Leben als einen vertrauenswürdigen und starken Beschützer ein. Er war sein Rivale, aber gleichzeitig auch der ideale Mann für jede Frau in der heutigen Welt. Trotzdem wusste er, dass alle Informationen nur die Oberfläche eines Menschen beleuchten konnten, und seine dunkle Seite verborgen blieb.

8. Kapitel

VERSCHIEDENE ARTEN VON NÄHE

Als Yin mit Will gegen 19:00 Uhr in die Wohnung zurückkkam, war Sarah noch nicht zu Hause. Sie hatte sich mit dem ausgefüllten Formular um 17:00 Uhr in Rons Büro begeben, um sich als Bewerberin vorzustellen. Um diese Uhrzeit musste sie längst zurück sein. Yin wurde etwas nervös. Will war auf der Fahrt mit dem Taxi eingeschlafen und jetzt hellwach. Er untersuchte die Wohnung, öffnete alle Schubladen und schaute in alle Ecken, um eventuelle Verstecke zu finden. Yin bereitete eine kleine Mahlzeit zu und schaute dann in ihren Laptop. Ron hatte ihr eine Nachricht geschrieben:

»Hallo liebe Yin, Sarah ist für unser Siedlungsunternehmen gut geeignet. Sie wird Dir über unser Gespräch berichten. Ich würde mich freuen, wenn Du morgen Abend mit Will noch mal gegen 19:00 Uhr in mein Büro kommen könntest, dann kann ich meinen Sohn kennenlernen und mit Dir alles genau besprechen. Der Abflug ist für übermorgen, zwölf Uhr mittags, geplant. Mit uns werden noch acht andere Personen fliegen. Bis morgen Abend, ich freue mich auf Euch, Dein Ron.«

Sarah war immer noch nicht da. Yin wollte gerade Wulf anrufen und um eine Suchaktion durch seine Polizeiroboter bitten, da ging die Tür auf und Sarah stürmte herein. Sie schloss schnell alle drei Schlösser der Eingangstür zu und ließ sich auf ein Sofa fallen. Ihr Gesicht sah schrecklich aus, über dem linken Auge klaffte eine tiefe Schnittwunde, aus der das Blut strömte. Die rechte Schläfe war mit einem dicken Bluterguss entstellt. Sie zitterte am ganzen Körper und konnte zuerst kein Wort herausbringen. Yin eilte ins Bad, holte Wasser, saubere Handtücher und Desinfektionsmittel. Sie wusch Sarahs Gesicht und klebte die Wunde mit einem Klebeverband so fest zu, dass kein Blut mehr heraustreten konnte. Auf das Hämatom an der Schläfe legte sie Kühlakkus. Will schaute sich alles aufmerksam an und sagte dann:

»Tante hat großes Aua, aber sie weint nicht.«

Sarah musste lachen, soweit das möglich war. Sie sagte:

»Ich bin 400 Meter vor unserer Wohnung von drei Arschlöchern überfallen worden. Ob sie nur Geld oder auch Sex wollten, weiß ich nicht, wahrscheinlich beides. Ich habe einen getötet, da bin ich mir sicher. Der andere hat mir die Verletzungen zufügen können, bevor ich ihn selbst schwer verletzt habe. Der Dritte ist gleich weggelaufen.«

Yin war schockiert, als Sarah den blutigen Dolch aus der am Bein befestigten Scheide zog und ihre Hose auszog. Aus einer etwa fünf Zentimeter langen Schnittwunde sickerte Blut und tropfte auf den Boden.

»Beim Rausziehen des Dolches habe ich mich selbst verletzt, weil die zwei schon auf mir lagen. Das Springmesser habe ich gar nicht erreichen können.«

Yin bewunderte Sarahs Kaltblütigkeit. Sie wusste nicht, ob sie sich mit ihren Laserpistolen überhaupt erfolgreich in so einem Nahkampf hätte zur Wehr setzen können.

»Du hättest nicht allein das Haus verlassen dürfen. Diese Dreckskerle warten nur auf Frauen, die allein unterwegs sind. Wenn wir zu zweit sind, trauen sie sich nicht«, sagte Yin.

Später, als Will schon eingeschlafen und Sarah etwas zur Ruhe gekommen war, erzählte sie von ihrem Treffen mit Ron. Zum Schluss sagte sie:

»Er ist wirklich ein toller Mann. So ruhig, freundlich, aber bestimmt und zielstrebig. Hast du gewusst, dass Frauen in der Siedlung hauptsächlich zwei Aufgaben haben, erstens den Männern als Sexobjekt zur Verfügung zu stehen und zweitens, wenn sie wollen, als Gebärmaschine zu fungieren. Dort werden Kinder gewollt oder eben Sex. Wer schwanger ist, wird von der Sexpflicht befreit, auch noch ein Jahr nach der Geburt.«

Yin schaute Sarah entsetzt an. Machte sie Witze? Eher nicht, in ihrem verletzten Zustand.

»Zu mir hat er kein Wort davon gesagt, das ist ja ungeheuerlich«, stieß sie heraus.

»Nein, die Frauen bewerben sich ja alle freiwillig und wissen, auf was sie sich einlassen. Nur wir zwei haben den Passus in diesem Bogen nicht verstanden. Da stand nämlich, ,Frauen sollen Verständnis für die Bedürfnisse hart arbeitender Männer haben und ihnen als liebende Gefährtinnen dienen. Höchstes Ziel ist die Bildung von Familien mit Nachwuchs, um das Überleben unserer Siedlung zu gewährleisten.' Und diesen Passus hast du wohl überlesen.«

Yin erinnerte sich an den Wortlaut.

»Stimmt. Ich habe gedacht, Ron, ich und Will sind ja schon

eine Familie, das betrifft mich nicht. Aber dich betrifft es natürlich schon.«

»Wie Ron mir das genau erklärt hat, da dachte ich, so schlimm ist das nicht. Man hat die Auswahl unter vielen Männern und wird nicht zum Sex gezwungen. Aber jetzt, nach diesem Überfall, ist mir die Lust auf jeden Mann und alles, was mit Sex zu tun hat, gründlich vergangen.«

»Ja, das kann ich verstehen. Und jeder Mann wird das auch nachvollziehen können. Ich rede mit Ron morgen darüber, er will mich abends sehen und hat Will und mich eingeladen, damit er ihn noch vor der Abreise kennenlernen kann.«

Sarah schloss ihre Augen und atmete tief ein. Sie versuchte die Erinnerung an den schrecklichen Überfall zu verdrängen. »Ich habe übrigens meine Daten und die Adresse hier den Polizisten angegeben, die dann zu Hilfe eilten, als alles schon vorbei war. Sie haben nur den Toten weggeräumt, weil die anderen zwei verschwunden waren. Anwohner hatten die Polizei gerufen und auch bestätigt, dass ich von den Dreien überfallen worden war. Die Polizei wollte mich wegen einer Gegenüberstellung kontaktieren, falls sie die Geflüchteten erwischen sollten. Ich habe ihnen gesagt, dass ich nur noch bis übermorgen erreichbar bin; das schien aber in Ordnung zu sein.«

Am nächsten Tag rief Eve aus dem Labor an und erzählte, dass die Reparatur von Tom Fortschritte mache. Die Ersatzteile seien noch vorhanden und alle Daten sowieso intakt. John habe aber auf wöchentliche Datenspeicherung bestanden, weil man bei der nächsten Störung möglicherweise nicht mehr reparieren könne. Es müsse dann eine neue Hardware für Toms Daten gebaut werden.

Yin war vorerst beruhigt und besuchte nach diesem Gespräch

ihren Vater. Er freute sich über das Wiedersehen mit Will, der ihn als Opa bezeichnete und unbedingt mit ihm spielen wollte. Ein Spiel, das er beim letzten Besuch von Yins Vater stundenlang mit ihm gespielt hatte: Verstecken mit »bis zehn zählen«. Yin amüsierte sich über die ungewöhnlichen Verstecke, die sich ihr Vater, aber auch Will, ausdachten. Mittags fuhren beide heim und schauten nach Sarah. Die hatte sich gut erholt und kühlte immer noch ihre Blutergüsse.

Am Abend, pünktlich um 19:00 Uhr, trafen Yin und Will in Rons Büro ein. Er strahlte über sein wunderschönes, menschliches Männergesicht, als er Will zum ersten Mal sah. Yin hatte ihn auf dem Arm und flüsterte in sein Ohr:

»Das ist dein Papa, Will, der war lange weg und musste arbeiten.«

Will, der mit seinen drei Jahren vieles verstand und recht gut reden konnte, sagte:

»Onkel Wulf muss auch immer arbeiten.«

Ron lachte.

»Ja, kleiner Will, so ist das. Die Papas und Onkels müssen arbeiten und die Mamas und Tanten können mit dir daheim spielen.«

Will hörte »spielen« und versuchte sofort, sein Lieblingsspiel auf den Plan zu bringen.

»Spiel mit mir Verstecken«, sagte er und wollte von Yins Arm herunter und gleich das Zimmer erkunden. Sie lachte und ließ ihn gewähren. In Rons Büro gab es kaum Verstecke, aber Will ließ sich nicht beirren und kroch unter den großen Tisch. Von dort rief er:

»Zähl bis zehn, ich versteck mich.«

Und Ron hatte gar keine andere Wahl. Er zählte laut bis zehn, hielt sich dabei die Augen zu und suchte dann bewusst langsam nach Will. Yin genoss diese Situation und ein warmes Glücksgefühl durchströmte sie. Ron war ein guter Vater, da war sie sich sicher. Egal, welche Regeln in der neuen Siedlung galten, Kinder würden dort ein wunderbares Leben haben.

Nachdem Will müde geworden war, servierte Ron den beiden ein kleines Abendessen, einfach, schmackhaft und kindergeeignet. Will konnte mit den Händen aus einer Schale kleine Fleischstückchen herausholen und essen. Es handelte sich um gebratene Hähnchenleber und als Beilage Baguettescheiben. Während dieser Spiel- und Essenszeit sprach Ron kaum mit ihr, sondern fast nur mit Will. Yin hatte Zeit, ihn zu beobachten, seinen Körper, seine Bewegungen und vor allem sein Gesicht. Sie konnte sich nicht sattsehen an seiner Mimik, die alle zehn Sekunden wechselte. Es gelang ihr sogar, aus seiner Mimik Gefühle und Gedanken herauszulesen. Dieses Beobachten war ein so ungewohntes und spannendes Erlebnis für sie, dass sie allein dadurch wieder zunehmend Hungergefühle entwickelte. Hunger nach Berührung dieser Lippen, Haare, Wange und nach Versinken in Rons Augen. Will fielen die Augen dagegen noch beim Essen zu, und Yin legte ihn auf eines der zwei Sofas. Während sie sich zu Will herunterbeugte und ihn mit einer Decke zudeckte, spürte sie, dass Ron von hinten nah an sie herantrat.

Er berührte sie nicht, aber als sie sich aufrichtete und umdrehte, stand er so nah vor ihr, dass sie seinen Atem spürte und seinen männlichen Duft aufnehmen konnte. In seinen dunklen, tiefen Augen sah Yin einen ganz besonderen Ausdruck. Es war der gleiche Hunger nach Nähe und Berührung, den auch sie empfand. Sie schob ihren schlanken Körper langsam vorwärts und berührte seine Brust und seinen Bauch. Er zog sie fester an sich und zum ersten Mal in ihrem 23-jährigen Leben konnte sie den feuchten und fordernden Zungenkuss eines menschlichen Mannes schmecken und spüren. Sie erschrak etwas, weil alles so fremd war. Er spürte das wohl und zog seine Zunge wieder sanft aus ihrem Mund.

»Yin, du Süße, hab keine Angst vor mir, ich bin ein Mensch und ein Mann und der Hunger, den wir beide verspüren, ist ganz normal und schön. Wir können ihm jetzt nachgeben oder noch länger warten und ihn genießen, ich überlasse das dir.«

Yin war sich nicht sicher, was er meinte. Das war ihr aber in diesem Moment völlig egal, sie wollte einfach mehr. Mehr Küssen, mehr Nähe und mehr von seinem Körper. Sie zog sich, wie damals bei Wulf, ihre Bluse und Hose selbst aus, ohne ihn aus den Augen zu lassen. Ron streichelte ihren nackten Körper erst im Stehen, dann im Liegen. Er hatte sie hochgehoben und auf die andere breite Bettcouch sanft abgelegt. Während er ihren Körper ausgiebig und zärtlich küsste, stieg in ihr ein völlig unbekanntes Verlangen hoch. Sie wollte seinen nackten, männlichen Körper fühlen und berühren. Endlich würde sie weiche, männliche Haut, Haare und sich verändernde Muskeln spüren. Sie musste nichts sagen, er ahnte wohl, was sie sich wünschte. Denn er zog sein Hemd und seine Jeans aus, legte sich auf den Rücken und ließ ihr viel Zeit, seinen Körper zu erkunden. Während sie über weiche Haare und harte Muskeln an seinen Armen und seiner Brust streichelte und ihn zärtlich auf den Mund küsste, registrierte sie erstmals in ihrem Leben, dass ein Mann diese Zärtlichkeiten genoss und sich ihnen hingab. Dann nahm er ihre Hand und führte sie langsam zu dem Körperteil, das in diesem Moment seine männliche Stärke beweisen wollte. Yin hatte noch nie den harten

Penis eines Mannes gespürt und erschrak im ersten Moment heftig. Sie hatte nicht mit dieser Größe und Härte gerechnet. Ron hatte das wohl vermutet und wollte wahrscheinlich, dass sie sich mit allem vertraut machte. Durch diese Berührung fühlte sich ihm so unerwartet nah, dass sie ihn in sich spüren wollte, so tief wie möglich um eins mit ihm zu werden. Sie war erleichtert, dass er auf ihre Wünsche, ihr Verlangen einging, ohne dass sie ein Wort sagen musste. Sie spürte, wie auch er seinem Hunger nach Nähe stillte und gerade das war ein völlig neues, überwältigendes Gefühl für sie. Es ließ sie in einen Zustand geraten, in dem sie Rons Körper, seinen heißen Atem und seinen Duft genoss und sich selbst völlig fallen lassen konnte.

Ron war dazu nicht in der Lage. Er war zu jedem Zeitpunkt völlig kontrolliert und hoch konzentriert. Dieses Mädchen hatte besondere Erfahrung mit der Liebe und dem Sex gemacht. Er wusste nicht genau, welche, aber sie hatte extremen Hunger nach einem menschlichen Mann. Er war nun mehr oder weniger zufällig dieser Mann, aber in erster Linie war er auch der Vater ihres Sohnes. Er fühlte eine ihm unbekannte Verantwortung für beide. Er wollte, wenn irgend möglich, für diese zwei Menschen gut sorgen, als Vater für Will und als menschlicher Liebhaber für Yin. Seine eigenen Bedürfnisse hatte er schon immer gut unterdrücken können und nur selten hatte er sich mit Frauen eingelassen, die ihn reizten. Yin reizte ihn in extremem Ausmaß, aber er konnte sich nicht gehen lassen. Er wusste, dass er dieses Mädchen auf keinen Fall irritieren oder ängstigen durfte. Sie kannte nur den Sex mit einem lernfähigen Androiden, der von einer erfahrenen Prostituierten gelernt hatte, was Mädchen wollen oder nicht wollen. Sie hatte sozusagen nur eine Mädchentraumvariante von Sex mit einem liebenden Androiden, der keine eigenen Bedürfnisse verspürte, erlebt. Sie kannte die Realität noch nicht.

Deshalb ging er vorsichtig und liebevoll auf sie ein und genoss die eigenartige und völlig neue Situation, dass ihr gemeinsamer Sohn friedlich und tief neben seinen Eltern schlief, während diese das nachholten, was andere Eltern vor der Geburt ihres Kindes vollziehen: einen Akt der körperlichen Liebe mit ungeheurer Wucht aufgrund Yins aufgestauter Sehnsucht nach einem menschlichen Mann.

Schließlich lagen sie beide, eng umschlungen und gesättigt, völlig entspannt in ihrem Bett, und ihr Sohn atmete tief und ruhig auf der Couch neben ihnen wie ein kleiner Engel. Ron hatte noch nie in seinem Leben ein so wundervolles Glücksgefühl empfunden. Bevor er einschlief, schwor er sich, dass er alles in seiner Macht Stehende tun würde, um dieser Frau, der Mutter seines Sohnes, und ihm, dem kleinen, unternehmungslustigen Will, ein schönes Leben in seiner neuen Welt zu ermöglichen.

9. Kapitel

DIE REISE BEGINNT

Am nächsten Morgen wachte Will um 04:00 Uhr früh auf und fragte leise:

»Mama, wo bist du?«

Sie schlich sich vorsichtig aus Rons Umarmung und schlüpfte unter die Decke von Will.

»Hallo, ich bin hier. Wir sind bei deinem Papa und müssen gleich aufstehen und zu Sarah fahren. Wir machen heute noch eine große Reise in einem Fluggleiter.«

Will schmiegte sich an sie und fragte nach ein paar Minuten:

»Kommt Onkel Wulf auch mit und Tante Jasmin, Lea, Marc?«

»Nein, die wollen lieber in unserem Haus bleiben.«

Will überlegte kurz.

»Ich bleibe bei dir und Papa.«

Während dieses Flüstergesprächs schlief Ron tief und fest weiter. Yin erkannte das aus seinen gleichmäßigen, ruhigen Atemzügen, und sie verspürte ein leichtes Unsicherheitsgefühl. Solange sie sich erinnern konnte, hatte immer ein Androide, sei es Tom oder Wulf, über die Sicherheit ihrer Familie und ihres persönlichen Lebens gewacht, besonders, wenn alle schliefen. Sie hatte sich immer beschützt gefühlt, weil ein Polizei- oder Kampfroboter sofort bereit war, sie und ihre Lieben zu verteidigen. Das war mit einem tief schlafenden Ron an ihrer Seite wohl eher nicht der Fall. Sie hatte auch keine Waffe in der Nähe der Couch liegen sehen. Die Tür zu seinem Büro war nur durch zwei Schlösser gesichert und Kameras im Flur hatte sie nicht entdeckt.

Yin erkannte, dass sie durch Tom und Wulf in eine »Habachtstellung« manipuliert worden war, in der sie jederzeit bereit für einen Angriff oder Kampf war. Ron hatte leicht gelächelt, als er sah, wie sie ihre Laserpistolen vom Körper abnahm, als sie sich auszog. Sie wusste nicht, ob er ihre Bewaffnung gut oder lächerlich fand oder ob ihm Vorsicht und Verteidigungsbereitschaft egal waren. Gab es in seiner neuen Welt keine Feinde, keine bösen Menschen, nur gute? Yin gab sich selbst die Antwort, die sie in ihrem bisherigen Leben gelernt hatte: ‚Unter vielen Guten gibt es immer ein oder zwei Böse. Und die genügen, um alle Guten zu vernichten.‘ Sie zog sich und Will an, machte Licht an und weckte damit Ron auf.

»Guten Morgen, ihr zwei!« Seine Stimme klang so weich und freundlich wie am Abend zuvor.

»Seid ihr schon startbereit? Ich fahre euch heim, damit ihr packen könnt. Bitte nur einen großen Koffer für jeden. Und dann schicke ich um 11.30 Uhr einen Fahrer, der euch alle drei abholt.«

Er zog sich schnell an, holte aus einer Dose für jeden zwei Kekse und küsste Will und Yin auf die Stirn, während er flüsterte:

»Nächstes Mal frühstücken wir zusammen, heute habe ich so tief geschlafen wie schon lange nicht mehr und deshalb auch verschlafen.«

Yin antwortete:

»Du hast gar nicht gemerkt, wie ich aufgestanden bin. Ich

glaube, wenn wir entführt worden wären, hättest du tief weitergeschlafen.«

Ron hielt inne, er band sich gerade seine Schnürstiefel und schaute jetzt hoch zu ihr.

»Ja, da hast du recht, liebste Yin. In diesem Umfeld war das wirklich ein Fehler, aber ich bin unsere Welt gewöhnt, in der es nur gute Menschen gibt, die ich eigenhändig ausgesucht habe.«

Yin sagte nichts, aber sie dachte bei sich, ein Fragebogen und ein Gespräch von einer halben Stunde, das wird kaum reichen, um einen Bösen zu erkennen. Klar war ihr in diesem Moment, dass sie alles, was sie an privaten Waffen besaß, mitnehmen wollte.

»Können wir unsere persönlichen Waffen mitnehmen?«, fragte sie deshalb.

Ron schaute sie überrascht an.

»Ja klar, aber wenn wir da sind, musst du sie einsperren lassen, wie alle anderen auch. Bei uns trägt niemand Waffen, die stören bei der Arbeit. Aber das Lager wird bewacht, du kannst dich sicher fühlen.«

Nach einer kleinen Pause meinte er:

»Yin, meine Liebe, du bist mit Kampfrobotern groß geworden und in einer Welt, in der sie absolut nötig sind. Einer der Gründe, warum ich eine andere, neue Welt erschlossen habe und dorthin ausgewandert bin, war der, dass ich von Anfang an nur gute Bürger um mich haben wollte, um unabhängig von Kampf- oder Polizeirobotern zu sein.«

Yin lächelte verständnisvoll. Er war also so etwas wie ein erwachsener Anti-Roboterfan, der nicht protestierte oder kleine Angriffe gegen Androiden startete, sondern gleich eine neue, Androiden freie Welt erschuf. Sie sagte:

»Da haben sich zwei Richtige gefunden!«

Und er lachte, weil er wusste, was sie meinte.

»Und wir bekommen das hin, Yin. Die Liebe und ein gemeinsamer Sohn werden uns den Weg zeigen.«

Wie er »Liebe« sagte, spürte Yin, dass er ein Gefühl meinte, das er sich wünschte in einer gemeinsamen Zukunft, das aber im Moment erst schwach spürbar war. Yin wollte dieser zarten Pflanze auf jeden Fall eine Chance geben. Welche Berge die Liebe dann versetzen könnte, würden sie beide sehen. Yin dachte, Berge kann Liebe vielleicht versetzen, aber böse Menschen fernhalten oder in einer Auseinandersetzung besiegen, wohl nicht. Sie würde ihre Waffen abgeben, aber sie wusste, dass sie selbst und ihr Körper als durchtrainierte, sehr erfahrene Kickboxmeisterin eine schlagkräftige, menschliche Waffe war, auf die sie sich verlassen konnte. Ein wehmutsvolles, fast sehnsüchtiges Gefühl erfasste sie, als sie plötzlich an Wulf denken musste.

Ron setzte sie daheim ab und Sarah wartete schon startbereit. Sie wirkte nervös, aber wieder topfit.

»Ich dachte schon, ihr seid ohne mich losgefahren!«, begrüßte sie Yin.

Sie küsste Will und nahm ihn von Yins Arm.

»Weißt du, was ich mir beim Packen überlegt habe? Dass wir beide uns auf ein Abenteuer einlassen, das irgendwie so unwirklich erscheint. Ich kann mir nicht vorstellen, dass sie mit diesem Auswahlverfahren, also Fragebogen und persönliches Gespräch mit Ron wirklich geeignete Menschen herausfiltern können. Wenn irgend möglich, werde ich mein verstecktes Messer nicht abgeben. Ich habe nicht gelesen, dass sie Körperdurchsuchungen oder Metalldetektoren einsetzen.«

Yin schaute Sarah verwundert an. Auch sie war eine Kämpferin, geprägt durch eine miese Kindheit. Beide stammten sie zwar aus völlig verschiedenen sozialen Schichten, aber aus Erfahrungen zu lernen, war immer und überall sinnvoll, dachte Yin.

Um 11:30 Uhr erschien ein junger Mann mit Rons autonomem Fahrzeug und fuhr sie zum Flugplatz. Der schien verlassen, fast wie stillgelegt. Sie sahen nur einen großen Transporter, der beladen wurde und einen Fluggleiter, vor dem sieben Menschen standen. Der junge Mann hatte auf der Fahrt erzählt, dass er seine kranke Mutter besucht habe und seit zwei Jahren im Camp lebe und arbeite. Er fungiere bei dieser Reise als Co-Pilot von Ron. Er wirkte freundlich und wie er »Camp« sagte, musste Yin an ein Zeltlager denken. Vielleicht sollten sie ihr Abenteuer doch nur als einen Ferienausflug ansehen.

10. Kapitel

DIE MITREISENDEN

Yin sah Ron am Transporter stehen und das Einladen einer Baumaschine beaufsichtigen. Sie wusste nicht genau, ob es ein Lader oder eine Art Kran war, aber es war offensichtlich schwierig, dieses große Gerät zu verladen. Er war voll konzentriert und bemerkte sie nicht.

»Er ist zu beschäftigt! Komm, wir schauen uns mal unsere Begleiter an.«, sagte Sarah.

Sie hatte ein schwarzes Baseball-Cap tief in die Stirn gezogen und eine Sonnenbrille auf, um ihre Gesichtsverletzungen zu verstecken. Mit ihrer ebenfalls schwarzen Cargohose und ihrer Collegejacke sah sie eher wie ein Junge aus. Auch Yin war sportlich angezogen, weil sie ja acht Stunden im Fluggleiter verbringen mussten. Ron hatte erzählt, dass sie nach ungefähr fünf Stunden Flugzeit einen Stopp in der letzten zivilisierten Stadt vor dem unerschlossenen Nichts einlegen würden. Von hier konnte man noch nach Hause telefonieren, weil eine Verbindung über Satellitentelefone möglich war. Sie wollte deshalb Jasmin und Wulf, aber auch ihren Vater anrufen, und ihnen erzählen, dass sie heil bis in diese Stadt gekommen waren.

Die Begutachtung der Mitreisenden fiel nur sehr kurz aus, weil sie alle schon einsteigen sollten, um das Gepäck im Fahrgastraum zu verstauen. Diese Aufgabe dauerte etwa 20 Minuten, und nachdem alle einen Sitzplatz gefunden hatten, erschien Ron und begrüßte sie mit ein paar freundlichen Worten. Er winkte Yin und Sarah nur kurz zu und verschwand dann im Cockpit.

Vier Reisende saßen nun nebeneinander und gegenüber den anderen vier. Yin und Sarah nahmen Will abwechselnd auf ihren Schoß. Gegenüber von Sarah saß ein sehr gut aussehender, junger Mann von circa 24 Jahren. Seine Augen waren kobaltblau und fixierten Sarahs Gesicht mehrmals aufmerksam. Yin betrachtete seine auffällig schönen Hände. Sie waren schlank und sahen fast feminin aus. Einmal verrutschte sein Ärmel und sie erkannte Haare, die irgendwie unnatürlich angeordnet oberhalb des Handgelenks begannen.

Neben ihm saß Hanna, die sie bei Ron im Büro schon getroffen hatte. Sie nickte ihr freundlich zu, sagte aber nichts. Hanna saß Yin also direkt gegenüber, sodass es unvermeidbar war, sie auf dem langen Flug immer wieder kurz anzuschauen. Sie trug auch eine Sonnenbrille und ein Baseball-Cap und, wie damals in Rons Büro, einen großen Schal, den sie zeitweise über ihren Mund zog. Yin hatte das Gefühl, dass sie in diesen Minuten ihren Mund verstecken wollte, weil sie etwas flüsterte oder Mundbewegungen machte. Sie war sich aber nicht sicher und traute sich auch nicht, Hanna ständig anzustarren. Nach circa einer Flugstunde, in der kaum ein Wort gesprochen worden war, sagte der junge Mann neben Hanna leise und freundlich:

»Mein Name ist Peter, vielleicht sollten wir uns vorstellen, weil wir ja längere Zeit hier zusammensitzen und alle im Camp zusammenleben werden.«

Hanna lächelte höflich und sagte:

»Ja, das ist eine gute Idee. Ich bin Hanna, eigentlich Johanna und werde als IT-Spezialistin im Camp tätig sein.«

»Das ist ja ein Zufall, ich bin auch IT-Techniker,« antwortete Peter. »Ist noch jemand aus der Branche hier?«

Am Ende der Sitzreihe sagte eine Männerstimme:

»Ich bin seit einem Jahr im Camp als Computerspezialist tätig und war jetzt auf Heimaturlaub bei meiner kranken Mutter.«

Yin dachte, das war also der Zweite, der auf Heimaturlaub wegen einer kranken Mutter war. Der Mann rechts neben Hanna, circa 32 Jahre alt schaute Yin an.

»Ich bin Bauingenieur und schon sehr gespannt, was mich für Aufgaben erwarten. Mein Name ist Kurt.«

»Mein Name ist Vera, ich bin Krankenschwester und Hebamme und will in der neuen Welt helfen, wo ich kann.«

Rechts neben Yin saß eine junge Frau mit einer circa fünfjährigen Tochter, die kränklich aussah, aber zu Will immer wieder freundlich lächelte oder Grimassen schnitt, sodass er lachen musste.

»Ich heiße Mary und meine Tochter Ilona. Wir waren bei einer medizinischen Nachbehandlung, weil es im Camp nicht alle Medikamente gibt, die meine Tochter benötigt. Jetzt ist die Behandlung aber abgeschlossen und Ilona wieder fit. Sie kann im Camp die Schule besuchen.«

Nach dieser Vorstellungsrunde war nur noch ein Mann übrig, der sich nicht vorgestellt hatte. Er hatte sein Baseball-Cap tief heruntergezogen, sodass niemand sein Gesicht erkennen konnte, und tat so, als ob er schlief, jedenfalls hatte Yin dieses Gefühl. Er saß so weit von ihr entfernt, dass sie nicht genau erkennen konnte, ob sein Brustkorb sich beim Ein- und Ausatmen bewegte. Ich bin einfach zu misstrauisch, dachte sie.

Und dann machte Hanna eine Bewegung und nahm ihre Sonnenbrille ab. Für einen sehr kurzen Moment erkannte Yin ihre Pupillen und das Heranzoomen eines Kamera-Auges. Yin erstarrte und bemühte sich krampfhaft, keinerlei äußerliche Reaktion zu zeigen. Sie schaute gelangweilt zu Peter, nahm dann Wills Hand hoch, führte sie an ihren Mund und küsste sie zärtlich.

»Ich heiße Yin und das ist mein Sohn Will. Ron ist sein Vater und wir folgen ihm ins Camp.«

Alle schauten sie erstaunt an. Sie hatte damit gerechnet und lächelte freundlich in die Runde.

»Und ich bin Yins Freundin und helfe ihr bei der Betreuung von Will, bis ich einen geeigneten Vater für ein eigenes Kind finde. Mein Name ist Sarah.«

Peter schaute sie etwas ungläubig an. Auch er nahm seine Sonnenbrille ab und Yin konzentrierte sich auf seine Pupillen. Sie sah, was sie erwartet hatte: Für Bruchteile von Sekunden zoomten die Objektive der Kamera-Augen das Ziel, also Sarah, heran. Dann sahen seine Augen wieder völlig menschlich und unauffällig aus.

Yin konnte es nicht glauben, Panik überfiel sie. Ron wollte eine Welt, in der nur gute Menschen lebten, aber er transportierte unwissend mindestens zwei Androide, wenn nicht drei. Ihr wurde klar, dass das heimliche Einschleusen von so menschenähnlichen Robotern einen gefährlichen Grund haben musste. Rons Welt, die er mit vielen guten Menschen und unter so viel Entbehrungen erbaut hatte, war in Gefahr. Aber sie war wohl die Einzige, die das bemerkt hatte und bemerken konnte. Allerdings wusste sie nicht, wie viele Androiden schon früher eingeschleust worden waren, vielleicht waren es zwanzig oder mehr. Dann hatten die Menschen in der neuen Welt nicht die geringste Chance, da war sie sich sicher. Wenn es aber nur fünf oder sechs waren, und sie Ron informierte, konnten sie diese und mit ihren zwei Laserpistolen möglicherweise eliminieren. Das allerdings setzte eine Planung und Kampfstrategie voraus, die für Ron und seine Mitstreiter unbekanntes Terrain war. Wahrscheinlich würde aber niemand einer völlig unbekannten jungen Frau, die Verantwortung für einen Kampf auf Leben und Tod übertragen. Vor allem würde ihr niemand glauben, auch Ron nicht, und sie konnte es nicht beweisen. Sie konnte sich nur auf ihre jahrelange Erfahrung mit Androiden berufen und dass sie gelernt hatte, minimale Pupillenveränderungen zu registrieren.

Ansonsten waren diese Androiden bei Weitem fortschrittlicher und menschlicher gestaltet als die, die sie gewohnt war. Sie hatte es hier mit einer anderen Generation von humanoiden Robotern zu tun und sie musste sich eingestehen, dass sie mit diesen so fortschrittlichen Maschinen auch keine Erfahrung hatte. Vor allem stand die große Frage im Hintergrund: Wer hatte diese Exemplare gebaut und wollte sie in Rons kleines Refugium einschleusen und warum? Ihr wurde klar, dass sie mit Wulf darüber reden musste, denn nur er konnte das »Wer« und »Warum« herausbringen. Hoffentlich war er zu Hause, wenn sie in circa zwei Stunden, bei ihrem Zwischenstopp versuchen würde, ihn anzurufen.

Leider gelang es niemandem aus der letzten zivilisierten Stadt, einen Telefonkontakt herzustellen, weil ein Schneesturm die Satellitenverbindung erheblich störte. Ron wollte deshalb auch schnell weiterfliegen, um von diesem Sturm nicht eingeholt zu werden. Circa zwei Stunden später landeten sie im Camp. Eine kleine Truppe von Sicherheitsleuten empfing sie freundlich. Yin sah auf den ersten Blick, dass sie nur konservative Waffen besaßen, keine Laserpistolen, die Androide eliminieren konnten.

Nachdem alle aus dem Flugzeug ausgestiegen waren und die Sicherheitsleute sie freundlich lächelnd und winkend begrüßt hatten, kam eine andere Gruppe von circa zwölf Menschen anmarschiert, die sich hinstellten und ein Begrüßungslied sangen. Alle Ankömmlinge blieben erstaunt stehen, mit so einem Empfang hatte niemand gerechnet, und Will lächelte glücklich und wollte von Yins Arm. Sie ließ ihn herunter und er ging nach vorne, vor die Passagiergruppe. Dort stand er und lauschte andächtig dem Chorgesang. Das Lied hatte drei Strophen, klang wundervoll weich, freundlich und einladend. Den Text konnte Yin nicht genau verstehen, aber es war auf jeden Fall ein Willkommenslied.

Nach dieser Begrüßung marschierten sie zu einem großen Zelt, begleitet von den Sicherheitsleuten und Ron. Hier wurden sie von zwei Ärzten empfangen, einer Frau und einem Mann. Die männlichen Ankömmlinge wurden von dem Arzt und die Frauen von der circa vierzigjährigen, freundlichen Ärztin untersucht. Dazu musste jeder einzeln in einen Untersuchungsraum mitkommen. Die anderen erhielten in der Zwischenzeit Getränke und Snacks oder konnten auf die Toilette gehen.

Yin sah, dass am Ende des ärztlichen Untersuchungsbereichs eine Stelle zur Waffenabgabe eingerichtet war. Sie entschied deshalb, zuerst auf die Toilette zu gehen, um nach einem geeigneten Versteck für ihre Laserpistolen zu suchen. Sie nahm Will mit und untersuchte den kleinen Waschraum vor dem WC. Sie fand über dem Waschbecken einen Belüftungsschacht, dessen Klappe sich leicht öffnen ließ. Die Größe war ausreichend und so versteckte sie ihre Waffen in diesem Schacht und hoffte, dass sie später Gelegenheit finden würde, sie wieder an sich zu nehmen. Als beide die Toilette verließen, stand Ron schon vor der Tür.

»Hallo ihr zwei, habt ihr den langen Flug gut überstanden?«, fragte er freundlich und gab Will einen Kuss, nachdem er ihn auf den Arm genommen hatte.

»Ja, Will war sehr brav und hat stundenlang geschlafen. Schön war das mit diesem Begrüßungschor.«

»Bei uns wird viel gesungen und Musik gemacht, wir haben ja keinen Computer oder ähnliche Zerstreuungsmöglichkeiten. Unsere neuen IT-Spezialisten sollen das nun ändern.«

Sie gingen in Richtung Untersuchungskabine, aus der Sarah gerade herauskam.

»Geh du gleich rein, Yin, dann können wir zusammen das Zelt verlassen.«

Ron lächelte Sarah an. Sie hatte ihm vor ein paar Minuten von ihrem Überfall berichtet und die Gesichtsverletzungen gezeigt.

»Es tut mir aufrichtig leid, was Sarah passiert ist. Sie kann sich so lang, wie sie will, im Camp erholen. Lass dir Zeit, Sarah, hier bei uns sind nur nette und brave Männer, die dich mit Respekt behandeln werden.«

Yin nahm Will von Rons Arm und ging mit ihm ins Untersuchungszimmer.

»Wenn ihr fertig seid, treffen wir uns hinten am Ausgang und gehen mit allen gemeinsam ins Lager,« rief Ron ihr nach.

Die ärztliche Untersuchung verlief eher oberflächlich. Die freundliche Ärztin befragte sie nach Kinder- und anderen Krankheiten und überprüfte ihren Impfchip. Seit etwa zehn Jahren war es per Gesetz Pflicht, den Impfstatus, unter der Haut des linken

Oberschenkels implantiert, immer bei sich zu tragen. Anschließend wurde ihr Blut abgenommen, in einem separaten Raum drei
Fotos gemacht und Fingerabdrücke genommen. Dann konnten
sie endlich in das Camp marschieren und sich dort den anderen
Neuankömmlingen anschließen.

Auf dem Marktplatz, mitten in der Siedlung, hielt Ron eine
kleine Einführungsrede. Er stellte sich auf die Bühne eines Am-
phitheaters, das Yin gefiel, weil es so liebevoll seinen uralten, rö-
mischen Vorgängern nachgebaut worden war. Mit freundlichen
Worten hieß er alle in der neuen Heimat, die wohl auch diesen
Namen bekommen hatte, nämlich »New Home« willkommen. Er
erzählte ihnen, wo sie wohnen, und sich am nächsten Tag treffen
würden, um alles Weitere zu besprechen. Offensichtlich war er
kein Mann der vielen Worte, aber er wirkte durchaus charisma-
tisch und autoritär, fand Yin. Sie erkannte Führungspersönlich-
keiten innerhalb von Sekunden, ohne zu wissen warum.

Ron hatte dann ein junges Mädchen gebeten, sie und Will in
sein Haus, das ein Stück weit vom Marktplatz entfernt lag, zu begleiten. Er selbst ging mit den Neuankömmlingen zu dem größten Gebäude im Ort, das wohl in Zimmer und Wohnungen aufgeteilt war. Er hatte ihnen schon vor der Abfahrt mitgeteilt, dass
jeder einen eigenen Wohnbereich und damit eine Privatsphäre
erhalten würde. Sarah war auch mit dieser Gruppe gegangen und
wollte Yin am nächsten Tag treffen.

Als Yin mit Will das kleine Wohnhaus von Ron betrat, verspürte
sie ein eigenartiges Gefühl von Fremdheit. Hier lebte er also seit
Jahren allein und erhielt vielleicht immer wieder Besuche von irgendwelchen Mädchen oder Frauen. Sie wusste gar nichts über
ihn. Vielleicht hatte er zahlreichen Bewohnerinnen dieser »Neu-

en Heimat« schon das Herz gebrochen oder er hatte auch hier mehrere Kinder. Yin wanderte in dem kleinen, aber gemütlich eingerichteten Haus herum und wusste nicht, was sie suchte. Alles war ordentlich aufgeräumt und wirkte irgendwie unbewohnt. Als sie einen Schrank im Schlafzimmer öffnete, sah sie hinter einem langen Mantel versteckt zwei Pumpguns und sie entspannte sich. Ganz so verschieden waren sie also doch nicht. Auch wenn Pumpguns nur gegen böse Menschen effektiv waren und nicht gegen Kampfroboter, so zeigten sie doch Rons Mentalität und seine Neigung, sich vorsichtshalber zu bewaffnen.

Sie ging wieder ins Wohnzimmer, ließ Will von ihrem Arm und der begann sofort, neue Verstecke zu suchen. Sie selbst suchte in der kleinen Küche nach Essbarem und fand eine Dose mit Ravioli, die sie warm machte. Dann setze sie sich an den großen Esstisch und wartete auf Ron. Dieser traf kurze Zeit später ein, umarmte sie und flüsterte in ihr Ohr:

»Schön, dass es nach Essen und Familie riecht in diesem so oft leer stehenden Haus. Ich bin so froh, dass ihr beide hier bei mir seid.«

Und Yin vergaß schnell alle ihre Befürchtungen, Ängste und Vorsichtsmaßnahmen und konzentrierte sich nur auf das bevorstehende Stillen von Hungergefühlen.

11. Kapitel

DIE UNBEKANNTE GEFAHR

In den nächsten Wochen lernten Yin, Sarah und Will das Camp kennen. Sie konnten sich alles genau anschauen und dann entscheiden, wo sie sich und ihre Fähigkeiten einbringen wollten. So stand es im Flyer, den sie bei der Aufnahme erhalten hatten. Hilfskräfte wurden überall gebraucht, im Krankenhaus, in der Großküche, aber auch im Lager und der Schule. Will war der Erste, der schon am zweiten Tag wusste, was er wollte. Sie besuchten den Kindergarten, in dem circa 50 Kinder zwischen drei und sechs Jahren, von vier lustigen, jungen Frauen, die nicht nur bei Will, sondern auch bei Yin einen guten Eindruck hinterließen, betreut wurden. Und sofort erkannte er, dass er in diesem Kindergarten mit so vielen Freunden unendlich lang Verstecken spielen konnte. Yin meldete ihn also an und er marschierte stolz am dritten Tag im Lager, früh um 08:00 Uhr, in seine neue kleine Welt. Mittags um 12 Uhr holte sie ihn wieder ab. Nach dem Essen bestand er jedoch darauf, nachmittags von 14:00 bis 17:00 Uhr noch mal hinzugehen. Sie ließ ihn gewähren, hatte sie doch mehr Zeit und konnte die Möglichkeiten, die ihr das Lager bot, besser erkunden.

Nach der ersten Woche schwankte sie zwischen einer Arbeit in der Schule, in etwa 200 Schüler von mindestens zehn Lehrern betreut wurden oder im Krankenhaus, in dem die zwei Ärzte zusammen mit acht Krankenschwestern die Patienten betreuten. Zur Zeit ihres Besuches befanden sich aber nur vier Patienten in stationärer Behandlung und die ambulanten Sprechstunden sahen auch nicht überfüllt aus. Deswegen hatten sie das Gefühl, in diesem Krankenhaus nicht unbedingt gebraucht zu werden.

Ron nahm sie zweimal mit auf verschiedene Baustellen. An einem Vormittag besichtigten sie den großen Wasserspeicher und die neu erbaute Talsperre. Sie erkannte verblüfft, welches Ausmaß diese Projekte besaßen. Ron hatte den Bau so geplant, dass er stufenweise vergrößert werden konnte, wenn die Bevölkerungszahl weiter anstieg.

»Unsere Bauarbeiter schuften hier schon viele Jahre unermüdlich und ohne Bezahlung. Sie sind absolut von unserer neuen Heimat überzeugt und wissen, dass das Überleben aller von ihrer Hände Arbeit abhängt. Und ich weiß, dass es ohne Planungstalent meines Gehirns überhaupt nicht möglich wäre. So ist sich jeder seiner Bedeutung bewusst«.

»Ich bin überwältigt. Ich hätte nicht gedacht, dass ihr hier draußen solche gigantischen Bauwerke hochziehen könnt«. Yin verspürte eine Bewunderung für Ron, die diesen offensichtlich freute.

»Ich hatte nie zu hoffen gewagt, dass meine Arbeit und mein Lebenswerk durch dich und unseren Sohn eine völlig ungewohnte persönliche Bedeutung bekommt, die mich glücklich macht.«

Am nächsten Tag besuchten sie die riesige Solaranlage, die die Stromversorgung des Camps gewährleistete. Auf der Fahrt dahin sah sie viele Felder und Gemüseplantagen sowie eine Hühner- und Kaninchenfarm.

»Wir versorgen uns zu 90 Prozent selbst, und je besser die Wasserversorgung funktioniert, desto ertragreicher die Ernten. Unsere Landwirte übertreffen sich jedes Jahr von Neuem. Auch sie wissen, dass alle von ihnen abhängig sind«. Und Ron erklärte ihr voller Stolz, dass sie in der Lage wären, auch doppelt so viel Bewohner selbst zu versorgen.

In der zweiten Woche erhielt sie Besuch von Sarah. Sie erzählte Yin, dass sie im IT-Labor eine Ausbildungsstelle bekommen habe. Peter habe sie sehr unterstützt und bei Hanna, der neuen Leiterin des Labors, ein gutes Wort eingelegt.

»Peter ist so ein wundervoller, sanfter und verständnisvoller Mann. Er behandelt mich vorsichtig und rücksichtsvoll und ich genieße dieses uneingeschränkte Vertrauen, das ich ihm gegenüber empfinden kann. Wie ich ihm von dem Überfall erzählt habe, da hat er sehr, sehr mitfühlend reagiert. Ich habe immer das Gefühl, dass er jede meiner Reaktionen genau beobachtet und so weiß er oft schon, was ich möchte oder auch nicht möchte, bevor ich es selbst ganz genau weiß. Ich habe noch niemals einen so einfühlsamen Mann kennengelernt. Aber gut, ich kenne ja auch kaum Männer, nur ein paar Jungen aus der Schulzeit.«

Yin schaute Sarah liebevoll an. Einerseits gönnte sie ihr diesen verständnisvollen Freund von Herzen, andererseits bestätigten diese Angaben, dass er ein Androide war. Das war ihre Spezialität, die Gefühle und Wünsche einer Frau zu erkennen, bevor sie ihr selbst bewusst waren. Aber, sie konnte es nicht übers Herz bringen, Sarah ihre Vermutung mitzuteilen. Offensichtlich war Sarah schon verliebt in Peter und was gab es Schöneres als die erste Liebe? Yin konnte sich auch nicht vorstellen, dass Peter zu bösen Handlungen fähig war. Vielleicht wurden die Androiden eingeschleust, um den Menschen hier zu helfen. Aber, das war wohl eher ein Wunschdenken, denn heimlich eingeschleuste, täuschend menschenähnliche Androiden konnten eigentlich nur ein böses oder gefährliches Ziel verfolgen. Sie musste abwarten, bis Sarah ihr etwas berichtete, das Klarheit verschaffte und dann würde sie Sarah, aber auch Ron, einweihen.

Nach drei Wochen entschied sich Yin, in der Großküche zu arbeiten. Sie war keine Hobbyköchin, sondern sie hatte zwei Tage vor diesem Entschluss den Mann, der im Fluggleiter geschlafen und sich nicht vorgestellt hatte, in der Küche als Koch arbeiten gesehen. Sie hatte ihn an seinem künstlichen Haaransatz der Unterarme und seinem Baseball-Cap wiedererkannt. Deshalb wollte sie nun selbst erkunden, was dieser verdächtige Mann im Großküchenbereich für Ziele verfolgte. Dass Androiden im IT-Labor Einfluss auf viele wichtige Abläufe nehmen konnten, war ihr klar, aber in einer Küche sah sie keine Entfaltungsmöglichkeiten für humanoide Roboter. Yin wurde also als Hilfskraft in dieser Großküche eingestellt. Dort waren drei männliche Köche und dieser besondere Androide tätig. Die anderen Hilfskräfte waren circa zehn junge Frauen.

Ron war über ihren Entschluss ziemlich verwundert.

»Das erstaunt mich sehr, liebste Yin. Ich hätte nicht gedacht, dass dich die Küche interessiert. Du hättest doch in der Schule oder im Krankenhaus arbeiten können.«

»Ja, ich weiß, aber in der Küche brauchen sie offensichtlich mehr Leute und ich kann auch im Lager mithelfen. Und wenn es wirklich nicht passt, wechsle ich eben, das ist ja jederzeit möglich.«

»Das stimmt, Hilfskräfte können immer wechseln. Du könntest aber auch eine Ausbildung machen, zum Beispiel als Bau-

oder Elektroingenieurin. Ich habe dir das neulich schon angeboten.«

Yin lächelte ihn liebevoll an.

»Nein, lass es gut sein, Ron. Mit 23 Jahren und als Mutter überlasse ich lieber jüngeren Kandidatinnen die wenigen Ausbildungsplätze.«

Dann wandte sie sich Will zu, der mit Knetgummi verschiedene Figuren baute. Sie beobachtete, wie seine kleinen Finger die Figuren immer wieder umformten, in Teile zerlegten und schließlich in einer Reihe anordnete.

»Er genießt den Kindergarten und das macht mich richtig froh«, sagte sie, wieder zu Ron gewandt.

Sie hoffte, dass sie Ron so bald wie möglich die Wahrheit über ihre Beobachtungen und Vermutungen sagen konnte. Es belastete sie jeden Tag mehr, dieses wichtige Wissen für sich behalten zu müssen. Ihr war klar, dass sie damit auch die Verantwortung im Hinblick auf mögliche Gefahren allein trug. Sie hatte allerdings das Gefühl, dass zurzeit keine besonderen Vorfälle zu erwarten waren. Auch diese Androiden wollten in ihrer neuen Heimat erst Fuß fassen und sich unentbehrlich machen, so wie es dem Verhalten von humanoiden Robotern grundsätzlich entsprach, unabhängig davon, wie hoch entwickelt oder menschenähnlich sie nun waren.

Nachdem Yin vier Wochen in der Küche gearbeitet und diesen verdächtigen Koch möglichst unauffällig beobachtet hatte, bemerkte sie eines Tages ein eigenartiges Vorgehen. Er sah ausgesprochen gut und männlich aus und seine Stimme klang weich und sympathisch, wie künstliche Stimmen oft klingen. Er war inzwischen der Hahn im Korb und alle unverheirateten Küchenhelferinnen schwärmten für ihn. Diese Mädchen waren relativ »einfach strukturiert«, wie Yins Vater es vorsichtig formuliert hätte. Keine hatte eine ausreichende Schulbildung oder einen gelernten Beruf. Sie waren wohl ausgewandert, weil sie in ihrer alten Heimat nicht recht auf die Füße gekommen waren und keinen geeigneten Mann gefunden hatten. Sie sahen alle durchschnittlich aus und wollten von diesem Koch sicher mehr als ein freundliches Lächeln.

Er aber, sein Name war Sam, genoss es offensichtlich, von allen begehrt zu werden, und legte sich auf keine fest. In der fünften Woche nun bemerkte Yin, wie er nacheinander mit sieben oder acht Küchenmädchen Kontakt aufnahm, und zwar so, dass die anderen das genau mitbekamen. Normalerweise wollen Männer Eifersuchtsszenen eher aus dem Weg gehen, er aber wollte sie provozieren. Yin verstand dieses Verhalten anfangs nicht. Sie konnte keinen Sinn darin erkennen, ein Mädchen in aller Öffentlichkeit anzumachen und sieben andere damit eifersüchtig. Das Spiel wurde von ihm ausgebaut und perfektioniert. Jeden Tag wählte er ein Mädchen aus, das er mit kleinen Aufmerksamkeiten verwöhnte. Am nächsten Tag war eine andere an der Reihe und Yin konnte es nicht glauben, aber die Mädchen hatten sich arrangiert. Sie waren froh und glücklich, wenn sie wieder an der Reihe waren und Sam sie verwöhnte und sich ausschließlich ihnen zuwandte. Offensichtlich war ihnen klar, dass sie entweder so oder gar nicht diesen charmanten Verehrer besitzen konnten. Sie ließen ihn jedenfalls in Ruhe mit den anderen schäkern, ohne sichtbare Eifersuchtsreaktionen zu zeigen.

Nach weiteren drei Wochen erkannte Yin zum ersten Mal einen möglichen Sinn in diesem Verhalten. Sie konnte es zuerst selbst nicht fassen, aber er hatte inzwischen Sex mit allen Mädchen, da war sie sich sicher, und alle Mädchen waren irgendwie abhängig von ihm und seiner liebenswürdigen, aufmerksamen Art. Auch wenn er offensichtlich einen Penis besaß und wohl als Sex-Roboter konzipiert war, konnte Yin keine wirkliche Gefahr in diesem Verhalten erkennen. Er störte weder den Ablauf in der Küche noch im gesamten Camp. Allerdings erkannte sie, dass diese Mädchen, nun für menschliche Männer nicht mehr ansprechbar waren. Sie wollten weder Sex mit ihnen noch eine Familie mit Kindern gründen. War das der tiefere Sinn? Sollte die Bevölkerung in dieser abgeschotteten Enklave durch Sexandroiden vermindert werden oder waren sie als Unruhestifter eingesetzt?

Yin traute sich immer noch nicht, mit Ron über ihre Beobachtungen zu reden. Sie befürchtete, dass sie sich lächerlich machen oder als hysterisch angesehen werden könnte. Wie wollte sie ihre Vermutungen begründen? Offensichtlich waren die Kamera-Augen kunstvoll mit natürlich wirkenden Linsen verdeckt und nur für ein paar Sekunden als künstliche Augen erkennbar. Der unnatürliche Haaransatz der zwei männlichen Androiden war sicher kein überzeugender Beweis, vielleicht gab es auch Menschen, bei denen die Haare am Unterarm so geordnet begannen. Und ein Casanova-Verhalten konnten auch menschliche Männer an den Tag legen, das war ja weit von einem Beweis entfernt. Yin beschloss deshalb, weiterhin die Entwicklung nur zu beobachten, bis sie beweiskräftige Anhaltspunkte fand, die Menschen ohne Androiden-Erfahrung überzeugen konnten.

Ihr Zusammenleben mit Ron verlief harmonisch und liebevoll. Er war oft zwei bis drei Tage abwesend und kam fast immer völlig erschöpft heim. Er wollte sich dann nur mit Will und ihr entspannen und ein bisschen über seine Fortschritte auf den verschiedenen Großbaustellen berichten. Ihr Zusammenleben war trotzdem voller Zärtlichkeit und Leidenschaft und Yin war glücklich. Sie hatte das Gefühl, dass ihre Liebe zueinander und auch das gegenseitige Vertrauen wuchs. Sie dachte oft tagelang nicht an ihr altes Leben und an Wulf.

12. Kapitel

KÜNSTLICHE INTELLIGENZ UND KÜNSTLICHE BEFRUCHTUNG

Wulf gewöhnte sich langsam daran, ohne seine geliebte Yin und den süßen Will zu leben. Jasmin half ihm bei dieser schwierigen Aufgabe, so gut sie konnte. Eines Tages rief Tom an und bat ihn um ein längeres Gespräch. Er wollte Patrick und Selina mitbringen. Im ersten Moment wusste Wulf nicht, wer Patrick und Selina waren. Tom half seinem Gedächtnis auf die Sprünge und sofort konnte Wulf selbst die gespeicherten Daten abrufen. Patrick war der einzige Sohn von Anna, Toms ehemaliger Geliebten, zu der er immer noch ein sehr freundschaftliches Verhältnis hatte. Patrick hatte Selina, eine ehemalige Outlaw, geheiratet und mit ihr eine Tochter von etwa 18 Jahren. Die beiden arbeiteten nicht in Annas Robotik-Labor, sondern einem anderen, das einem gewissen Paul und dessen Frau gehörte.

Sie vereinbarten den übernächsten Tag, einen Samstag, um 16:00 Uhr als Treff-Zeitpunkt. Um was geht es denn?«, hatte Wulf gefragt. Aber Tom hatte nur gelacht.

»Wulf, wenn ich dir das sage, denkst du, dass nach der letzten Reparatur bei mir eine Schraube locker ist oder sogar ganz fehlt.

Es ist besser, wenn du dir die Story von Patrick und Selina anhörst«.

Als Tom ihn dann nach Yin gefragt hatte, verstärkte sich der unterschwellig immer spürbare Schmerz zu einem Stich, den Androiden ohne Herz normalerweise gar nicht fühlen sollten.

»Leider, Tom, ich habe keinerlei Kontakt in dieses Camp und nicht das Geringste von Yin gehört. Mit dem Polizeichef der nächsten größeren Stadt vor dieser abgeschotteten Region habe ich allerdings über Satellitentelefon reden können, und er hat gesagt, dass sie damals weitergeflogen sind, um einem Schneesturm auszuweichen. Dieser hätte die geplanten Telefonate unmöglich gemacht. Wir haben vereinbart, dass er mir Bescheid gibt, wenn sie jemanden schicken, um ihre Lagerbestände aufzufüllen, das könne aber zwei bis drei Monate dauern.«

Am Samstag, pünktlich um 16:00 Uhr, erschienen Patrick, Selina und Tom mit einem Solarauto neuerer Bauweise. Patrick wirkte sehr erwachsen und ernst, Selina dagegen eher aufgeschlossen und etwas lockerer. Sie scherzte mit den Kindern, bevor sich Jasmin mit ihnen in den Garten zurückzog. Tom begann sofort mit den Fakten:

»Patrick hat seit Jahren an der Entwicklung neuer Androiden gearbeitet. Seine Firma stellt keine Kampf- oder Polizeiroboter her, sondern nur Pflege- und Kinderbetreuungsandroiden. Deren Software stammt natürlich nicht von Robo-Care, wie unsere, sondern sie besitzen eine eigene, erheblich verfeinerte. Sie wurden von Patrick und Selina persönlich in einem dreimonatigen Schnellkurs unterrichtet, sodass ihre Basisdaten unsere ethischen Richtlinien enthalten.«

Doch nun hat Patrick durch Zufall herausgefunden, dass sie nach diesem Grundkurs von einem anderen Mitarbeiter auf eine ganz besondere Mission vorbereitet werden. Patrick, erzähle das bitte selbst, damit Wulf nicht denkt, ich übertreibe oder spinne.«

Er lachte, aber Wulf sah, dass Patrick nicht zum Lachen zumute war.

»Wulf, du weißt, dass mein Vater an der Konstruktion und Entwicklung des ersten hoch entwickelten, lernfähigen humanoiden Roboters, nämlich Tom, damals vor über zwanzig Jahren maßgeblich beteiligt war. Yins Mutter, Sarah hat Tom dann alles, was wichtig ist, um ein guter Androide zu sein, beigebracht. Anschließend hat er bei meiner Mutter vieles gelernt über menschliches Verhalten, über Gut, Böse und zahlreiche Kampfstrategien. Du bist sein Nachfolgemodell mit seinen Basisdaten, aber besserer Kampftaktikausbildung und eigener Erfahrungen mit Frauen und Mädchen. Das war bisher unsere Welt: ein geordnetes und enges Miteinander von Menschen und Androiden. Alle Nachfolgemodelle, die wir gebaut haben, egal in welchem Labor, hatten entweder Toms Basisdaten oder eine ähnliche Software. Jeder humanoide Roboter und alle Polizeiroboter waren in der Lage, Gutes von Bösem zu unterscheiden und so programmiert, dass sie immer das Beste für die Menschen wollen.« Er machte eine Pause und überlegte seine Worte.

»Durch Zufall habe ich nun erfahren, dass es völlig andere Androiden gibt. Diese werden in einem geheimen Labor unseres Hauses weiterentwickelt, sodass sie gar nicht mehr als humanoide Roboter zu erkennen sind. Man muss schon sehr genau hinschauen und wissen, auf was man überhaupt achten muss, um zu merken, dass man es mit einer Maschine zu tun hat. Im normalen Alltagsleben ist das praktisch unmöglich. Ihre Kamera-Augen sind durch künstliche Linsen so menschenähnlich, dass man nur in einem Bruchteil von Sekunden Veränderungen des Objektivs in der Pupille erkennen kann. Sie tragen trotzdem meistens Sonnenbrillen. So ein weiblicher Superandroide ist die Ehefrau unseres Chefs und sie hat vor einiger Zeit die Macht in unserem IT-Labor übernommen.

Sie hat im letzten Jahr ihre ganzen Fähigkeiten auf die Entwicklung zweier, besonders menschenähnlicher Roboter und ihrer Programmierung konzentriert. Wir haben die beiden nur im Anfangsstadium gesehen. Sie laden sich über solarbetriebene Batterien auf und besitzen ein Kühlaggregat im Körper versteckt, in dem sie menschlichen Samen über Monate und Jahre transportieren können. Das Wichtigste aber ist: Sie können mit ihrem Penis den menschlichen Samen zur Befruchtung einer Frau verwenden. Wenn diese Frau nicht merkt, dass sie mit einem Androiden zusammenlebt, wird sie denken, er ist der Vater ihres Kindes, weil sie durch ganz normalen Geschlechtsverkehr schwanger wurde.« Alle schwiegen und Wulf wartete auf weitere, erschreckende Informationen. Patrick fuhr schließlich fort:

»Wir haben uns gefragt, was der Sinn oder das Ziel dieser überaus menschenähnlichen Androiden-Spezies sein soll. Vor allem wissen wir auch nicht, wie sie vonseiten ihrer Software weiter ausgebildet wurden und ob sie gefährlich für die Menschen werden können. Wir wissen noch nicht einmal, wie viele in unserer Firma gebauten Spezial-Androiden auf die Menschheit losgelassen worden sind. Mehr als vier oder fünf werden es aber nicht sein, weil ja nur ein Mitarbeiter in einer geheimen Abteilung unseres Labors sie weiterentwickelt und ausgebildet hat.

Wir denken nun, dass deren Aufgabe und Tätigkeiten nicht

hier in unserer geordneten und gut überwachten Welt stattfinden kann, sondern nur in einer anderen weit entfernten Region, zum Beispiel in der, in die Yin ausgewandert ist.«

Wulf zuckte so stark zusammen, dass Tom ihm zu Hilfe eilte.

»Es geht schon«, sagte Wulf. »Ich habe das, was ich an Daten gespeichert und an Erfahrungen gesammelt habe, aktiviert, um eine Beantwortung dieser wichtigen Frage zu finden: Was könnte die Aufgabe dieser Spezial-Androiden sein?«

Tom schaute Patrick und Selina an.

»Ihr zwei müsst wissen, dass Wulf von uns allen die größte und intensivste Erfahrung mit Frauen und Mädchen hat. Wenn einer berechnen kann, wofür man humanoide Roboter braucht, die Frauen schwängern können, und wie diese Androiden Schaden anrichten können, dann er. Auch wenn er nur ein Helmgesicht besitzt und eindeutig vom Äußeren nicht der Liebhabertyp, sondern ein Kampfroboter ist, so weiß er besser als alle menschlichen Männer, was Frauen wollen, oder nicht wollen, wovon sie träumen oder wovor sie Angst haben. Für ihn ist die Psyche einer Frau ein offenes Buch, aber jetzt muss er darin lesen, ohne die Frau zu sehen oder zu kennen. Und er muss einen Feind einschätzen, der von einer weiblichen Androidin erbaut und programmiert wurde.«

Wulf ging ins Nebenzimmer und versuchte, sich zu konzentrieren und zur Ruhe zu kommen. Er wusste, dass Yin nicht in Gefahr war. Einerseits weil sie mit Ron zusammenlebte und andrerseits, weil sie einen Androiden erkennen würde, auch wenn er noch so perfekt getarnt war. Trotzdem musste er die Gefahr analysieren, weil sie mit Will und Ron in diesem Camp lebte und Gefahren nicht nur Einzelne, sondern meistens ganze Gruppen betrafen. Und diese Gruppe war so abgeschieden von der übrigen zivilisierten Welt, dass sie völlig ungeschützt jedem Feind ausgeliefert war.

Er ging zurück zu den anderen.

»Ich glaube nicht, dass eine akute Gefahr besteht. Gehen wir mal davon aus, ein Androide würde zehn Frauen gleichzeitig schwängern und jede dieser Frauen würde ihn als Vater ihres Kindes ansehen und lieben, dann hätte er zehn Babys in etwa gleichem Alter zu betreuen. Er kann sie frühestens mit einem Jahr beeinflussen und die Mutter so manipulieren, dass sie ihre eigenen Kinder zu irgendetwas zwingt oder mitnimmt in eine andere Welt. Es könnte natürlich auch sein, dass der Samen genmanipuliert ist und Kinder zur Welt kommen, die nichts oder sehr wenig mit den jetzigen menschlichen Kindern gemein haben. Das alles werden wir erst in etwa neun Monaten sehen, allerdings müssen Ron und Yin vorher gewarnt werden. Soweit ich weiß, ist Ron vor seinem letzten Besuch in unserer Welt fast ein Jahr nicht hier gewesen. Es ist also unwahrscheinlich, dass damals schon diese Spezial-Roboter   eingeschleust wurden. Ich gehe davon aus, dass bei dem jetzigen Flug ein oder mehrere Androiden mitgenommen wurden.«

Patrick sagte:

»Ja, da hast du recht. Vor einem Jahr waren wir mit der Konstruktion dieser Androiden noch nicht so fortgeschritten, dass dieser Kollege sie dann anschließend weiter gestalten konnte.« Wulf nickte und öffnete das Fenster, als ob er frische Luft spüren wollte.

»Wenn man nun weiter rechnet, dass dort in dem Camp vielleicht fünf oder sechs Androiden jeweils zehn Frauen schwängern, wächst die Bevölkerung pro Jahr um maximal sechzig Kinder. Wenn sie allerdings jeden Monat zehn Frauen schwängern, ist innerhalb kürzester Zeit die Bevölkerung in diesem fruchtbaren Areal rasant schnell angewachsen, so wie es möglicherweise geplant worden ist.

Das heißt aber noch lange nicht, dass diese Kinder als Erwachsene nun schädigend auf die übrigen Menschen einwirken. Es könnte sein, dass die Androiden zwar die Macht in dieser neuen Welt übernehmen wollen, aber nur, um nicht, wie hier in unserer Welt, von Menschen abhängig zu sein.« Er machte eine Pause und seine Stimme wurde leiser, weil er sich unerwartet traurig fühlte.

»Wir können leider nicht ohne Menschen überleben. Ihr erschafft uns, ihr führt unsere Updates aus und so weiter. Diese totale Abhängigkeit verleitet intelligente Androiden möglicherweise dazu, das gesamte System zu verändern, und das geht am besten und leichtesten durch die Besiedlung neuer Lebensräume und über eigene Kinder. Denn wenn diese ihren Vater, der ein Androide ist, lieben und alles für ihn tun, dann ist er eine Autoritätsperson, sodass der Einfluss humanoider Roboter mit Nachkommen in dieser zukünftigen Welt erheblich größer ist als heute.«

Tom schaute Patrick und Selina an und sagte:

»Ja, Wulf hat recht, das ist die Antwort. Sie wollen nicht mehr von der ,Gnade der Menschen' abhängig sein, sondern selbst die Fäden in der Hand halten. Und das geht nur über eigene Kinder. Ich glaube deshalb nicht, dass sie diese negativ genmanipuliert haben.«

Selina erschauerte.

»Kinder, von denen niemand weiß, wer die wahren Samenspender sind, das könnten Schwerverbrecher oder sonst sehr böse Menschen sein.«

Patrick überlegte ein paar Minuten.

»Na ja, da stellt sich wieder die altbekannte Frage, welche Rolle die Gene einerseits und die Umwelt andererseits bei der Entwicklung eines Kindes spielen. Außerdem werden so hochintelligente Androiden den Samenspender ihrer Nachkommen sehr genau unter die Lupe nehmen. Aber Wulf hat recht, wir haben Zeit, einen Plan zu entwickeln und das erste Ziel ist ein Besuch im Camp. Wir wollen beide hinfliegen und mit Yin und Ron reden. Es wäre aber gut, wenn uns ein Kampfandroide begleitet und beschützt, vielleicht fliegt Eve mit. Tom, was sagst du dazu?«

»Ich sage, dass Eve von dieser Idee begeistert sein wird. Sie leidet sowieso unter Langeweile. In ihrem jetzigen Leben sind Sex oder Kampf schon seit Längerem kein Thema mehr.«

Patrick lachte und erinnerte sich offensichtlich an die Verführungskünste dieser wunderschönen Sexandroidin, die ihn vor so viel Jahren zum Mann gemacht hatte, ohne eine einzige sexuelle Handlung, aber mit viel erotischem Einsatz.

Selina schaute verwundert in Patricks lachendes Gesicht.

»War da mal was, Patrick, mit dir und Eve?«

»Ja, klar war da was! Sie hat uns beide zusammengebracht! Ohne sie hätte ich damals nicht so lange gekämpft, um dich und die Jugend der Outlaws.« Und er küsste Selina sanft auf die Stirn.

Die beiden mussten jetzt ihren Flug in diese entfernte Enklave planen und hoffen, dass sie dort ohne Anmeldung willkommen geheißen wurden. Soweit Wulf aber in Erfahrung gebracht hatte, war der kleine Flugplatz des Camps auch für Besucher offen.

2. TEIL

**REVOLUTIONÄRE ENTWICKLUNG
DER ANDROIDEN**

13. Kapitel

UNLÖSBARE KONFLIKTE

In den folgenden Tagen überschlugen sich im Camp die Ereignisse. Der Küchenchef bat Ron um ein Gespräch unter vier Augen. Ron war etwas irritiert und fragte Yin:

»Ist irgendetwas los in der Küche? Solange wir hier sind, hat der Chefkoch mich nicht um ein Gespräch gebeten. Er hat normalerweise alles im Griff und arbeitet völlig selbstständig.«

»Ich habe nichts Auffälliges bemerkt, lediglich ein junger Mann, sein Name ist Sam, flirtet seit Wochen gleichzeitig mit acht Küchenmädchen, ohne dass es Eifersuchtsszenen oder Probleme im Arbeitsablauf gibt. Er ist Meister der Frauenmanipulation, würde ich sagen. Aber wie du weißt, kenne ich mich mit Männern nicht besonders gut aus.«

Ron lachte.

»Hauptsache, er lässt dich in Ruhe. Ich bin übrigens auch angemacht worden, von unserer neuen IT-Chefin Hanna. Sie hat mich neulich abgefangen, als ich zum Staudamm fahren wollte und mich unter einem Vorwand in ihr Büro gelockt. Dann hat sie alle ihre Reize verführerisch in Szene gesetzt. Gut, dass ich sehr erfahren im Umgang mit Frauen bin und auf diese Art von Anmache gar nicht anspreche. Und natürlich auch, weil ich dich liebe und diese Liebe mich sowieso immun macht.« Er machte eine kleine Pause und gab ihr einen zärtlichen Kuss.

»Aber ich habe mir gedacht, dass sie einen anderen Mann in sehr kurzer Zeit verführen könnte. Sie hat so eine, wie soll ich sagen, unwiderstehliche Anziehungskraft durch ihre geschmeidigen Bewegungen und das Spiel ihrer Augen. Zeitweise hatte ich das Gefühl, sie kann in mich hineinschauen.«

Yin lächelte Ron liebevoll an. Beinahe hätte sie ihm von ihren Beobachtungen und Vermutungen erzählt, aber sie hatte Angst, er könnte glauben, aus ihr spreche die Eifersucht.

In diesem Moment erschien Sarah unangemeldet und ziemlich aufgeregt. Sie wollte Yin unter vier Augen sprechen. Die zwei Mädchen zogen sich in Yins Zimmer zurück und Ron verließ das Haus, um den Küchenchef aufzusuchen. Sarah begann sofort mit ihrer Neuigkeit:

»Stell dir vor, Yin, ich bin schwanger! Ich, die gar nicht schwanger werden kann, wie mir mit 15 Jahren eine Frauenärztin mitgeteilt hat. Beide Eierstöcke hatten sich nach einer Eierstockentzündung verklebt.«

Yin umarmte Sarah und sagte:

»Das ist ja eine tolle Nachricht! Auch Ärzte können sich mal irren, Sarah. Und wer ist der glückliche Vater?«

Sarah lachte Yin an:

»Na, wer wohl? Ich habe dir doch schon von ihm erzählt, Peter. Ich hätte sowieso mit keinem anderen Mann Sex haben können nach diesem ekelhaften Überfall. Aber er ist so zärtlich, liebevoll und sanft, dass auch ein traumatisiertes Mädchen, wie ich, auftaut und vor Liebe dahinschmilzt.«

Und sie lächelte verträumt. Deswegen bemerkte sie nicht, dass Yin sich schockiert hinsetzen musste. Diese hatte das Gefühl, keine Luft mehr zu bekommen. Es war völlig glaubhaft, dass Sarah nur mit Peter Sex hatte und deshalb von ihm auch schwanger geworden war. Yin konnte einfach nicht glauben, dass ein Androide in der Lage war, Frauen zu schwängern. Nun, sie hatte sich bei Peter getäuscht, er war wohl doch ein menschlicher Mann und alles war nur Einbildung.

Nachdem sie sich etwas beruhigt hatte, fragte sie Sarah:

»Hast du bei ihm nur Positives bemerkt? Hat er gar keine Schwächen oder kleine Macken?«

Sarah lächelte und überlegte kurz.

»Du glaubst nicht, dass es so einen perfekten Mann gibt? Ich hätte das vor drei Monaten auch nicht geglaubt. Eine kleine, süße Macke hat er schon: Er geht gleich nach dem Essen immer aufs WC und ich dachte schon, dass er an Bulimie leidet. Im Erziehungsheim gab es zwei Mädchen, die auch immer nach dem Essen alles ausbrachen, um nicht dick zu werden. Aber die haben riesige Mengen in sich hineingeschaufelt und Peter isst auffällig kleine Mengen. Aber, er hat vor Kurzem erwähnt, dass er einen leicht reizbaren Darm hat. Er ist eben ein sehr sensibler Mann.«

Yin sagte nichts, aber ihr war klar, dass dieses Detail wieder in ihre Androiden-Theorie passte. Diese neue Generation von humanoiden Robotern konnte möglicherweise kleine Mengen Nahrung aufnehmen, musste sie aber später wieder ausbrechen oder den Behälter in ihrem Körper ausleeren.

Yin erschauderte. Sie konnte es nicht glauben, dass sie Spermien bei sich trugen und diese über ihren künstlichen Penis ausstießen, sodass sie sich fortpflanzen konnten. Was war der Sinn dieser Fähigkeit? Ihr war klar, dass sie ein Kühlaggregat mit tiefgefrorenen Spermien in ihrem Körper tragen mussten, anders war die Befruchtung einer Frau nicht erklärbar.

Auf jeden Fall musste sie doch mit Ron darüber reden, denn irgendeine unbekannte Gefahr drohte, da war sie sich sicher. Dass Hanna Ron angemacht hatte, war wahrscheinlich auch Teil dieses Plans, denn wer ihn verführt hatte, konnte großen Einfluss in dieser neuen Welt gewinnen. Das allerdings konnte sie auch als Chefin der IT-Abteilung und deshalb war Yin besonders besorgt.

Sarah schaute Yin verschwörerisch an.

»Willst du wissen, was er noch kann? Aber du musst das für dich behalten, Yin. Versprich mir das! Du darfst Ron auf keinen Fall von dieser Fähigkeit erzählen, sonst bekommt Peter Probleme mit Hanna, er hat ziemliche Angst vor ihr.«

Yin versprach Sarah über ihr Gespräch zu schweigen.

»Peter wollte schon am Anfang unserer Freundschaft alles von mir und meiner Vergangenheit wissen. Wie ich ihm von meiner schweren Kindheit erzählt habe, hat er sich unendlich Zeit genommen und mir so aufmerksam und liebevoll zugehört, dass ich mich allein dadurch schon viel besser gefühlt habe. Ich bin ja therapieerfahren und weiß, wie Psychotherapeuten traumatisierte Jugendliche behandeln, aber Peters Empathie hat jede professionelle übertroffen. Er war so mitfühlend in seinen Bemerkungen und Fragen, ich kann dir das gar nicht erklären, welche heilenden Prozesse er bei mir dadurch in Gang gebracht hat. Erst durch diese mehrmaligen, langen Gespräche sind wir uns immer nähergekommen, habe ich ihm so sehr vertraut, dass ich Sex mit ihm haben konnte.«

Sarah machte eine Pause und Yin bemühte sich, ihr auch empathisch zuzuhören, obwohl sie innerlich immer mehr in Panik geriet. Wer hatte diese unglaublichen Androiden erschaffen und wozu? Diese Fragen hämmerten in ihrem Kopf herum und machten es ihr schwer, sich zu konzentrieren. Sarah erzählte weiter:

»Ja, und dann haben wir oft miteinander geschlafen und ich war so glücklich wie noch nie in meinem Leben. Und einmal hat er gefragt, ob ich mir vorstellen kann, mit ihm ein Kind zu bekommen. Da habe ich ihm erzählt, dass ich keine Kinder bekommen könne wegen einer früheren Eierstockentzündung mit Verschluss beider Eileiter. Wenn du keinen Mann hast, findest du dich mit dieser Tatsache leichter ab. Aber wie ich seinen Kinderwunsch bei dieser Frage so gespürt habe, bin ich von einer Sekunde auf die andere todtraurig geworden. Ja, und dann Yin, du wirst es nicht glauben, hat er mich so liebevoll angeschaut wie ein Engel und hat gesagt: ,Sarah, ich habe heilende Kräfte in meinen Händen. Vielleicht gelingt es mir, deine Eierstockverklebungen zu lösen. Leg dich ganz entspannt zurück, ich versuche es mal.' Und dann hat er erst die rechte Hand auf meinen Unterbauch gelegt und seine Augen haben sich eigenartig verändert und nach ein paar Minuten hat er die rechte Hand weggenommen und die linke Hand auf meine Eierstöcke gelegt. Da wurde mir in diesem Bereich sehr warm, geradezu heiß. Aber es war nicht schmerzhaft, eher angenehm. Nach ein paar Minuten hat er gesagt: ,Sarah, ich habe mein Bestes gegeben und glaube, ich war erfolgreich. Wir werden das ja bald sehen. Versprich mir nur, dass du niemandem von dieser Fähigkeit erzählst, denn Hanna will das nicht. Könnte sein, dass sie mich wegschickt, wenn sie erfährt, dass ich meine heilenden Fähigkeiten schon jetzt ausprobiert habe. Und wenn ich nicht mehr bei dir sein kann, würde ich nicht mehr leben wollen.' Yin, er hat das absolut ernst gemeint. Ich weiß nicht, was das ist zwischen uns beiden. Es ist irgendwie mehr als nur Liebe oder Verliebtheit. Ich würde sagen, unsere beiden Leben sind verschmolzen.«

Yin stand mühsam auf und umarmte Sarah. Sie war sich jetzt sicher, dass Peter eine hochkomplexe Maschine war, in die man medizinische Geräte, also ein Ultraschall- und ein Lasergerät der neuesten Generation integriert hatte. Ihr wurde heiß und dann wieder kalt. Sie musste sich erneut hinsetzen und Sarah fragte besorgt:

»Bist du okay, Yin? Ich weiß, so was erschreckt einen, aber es ist ja etwas Gutes, Wundervolles, diese Fähigkeiten von Peter. Und er geht auch völlig verantwortungsbewusst damit um. Wir werden eine kleine Familie sein, Yin. Ich bin so unbeschreiblich glücklich!«

Und Sarah strahlte von innen heraus, wie Yin noch nie in ihrem Leben einen Menschen hatte strahlen sehen. Unter keinen Umständen konnte sie ihr jetzt von den Vermutungen erzählen, die sie bezüglich Peter hatte, aber sie musste mit Ron reden. Das war ihr in diesem Moment klar.

Nachdem sich Sarah verabschiedet hatte, blieb Yin aufgewühlt zurück und vergaß fast, Will vom Kindergarten abzuholen. Als sie dann beide wieder daheim ankamen, war Ron schon zu Hause und saß kreidebleich im Wohnzimmer. Will lief auf ihn zu und kletterte auf seinen Schoß. Aber Ron setzte ihn vorsichtig auf den Boden und zeigte auf seine Spielzeugkiste.

»Hallo, mein Kleiner, baue für den Papa mal einen riesigen Turm mit vielen Figuren drum herum, ich muss nämlich mit deiner Mama reden.«

Und Will tat das, ohne Fragen zu stellen oder zu murren. Yin gab ihm noch drei Kekse und setzte sich dann zu Ron an den Tisch. Dieser begann sofort mit dem Bericht:

»Yin, ich glaube es einfach nicht, was mir der Küchenchef gerade erzählt hat. Der Mitarbeiter, der damals mit dir hier angekommen ist, von dem du mir ja vorhin schon erzählt hast, hat sechs von den acht Mädchen geschwängert. Also wir verlieren in circa sieben Monaten fast die Hälfte unseres Küchenpersonals auf einen Schlag. Der Küchenchef hat mit den Mädchen einzeln gesprochen und jede hat ihm bestätigt, dass sie glücklich ist, ein Kind von diesem Sam zu bekommen, und kein Problem damit hat, dass er zeitgleich noch der Vater von fünf anderen Kindern wird. Ja, diese werdenden Mütter sind alle befreundet und planen, gemeinsam ein Haus zu beantragen, um ihre Kinder auch gemeinsam großzuziehen. Sie behaupten, Sam sei ein wundervoller Liebhaber, der auch ein hervorragender Vater sein werde und locker noch mehr Frauen und Kinder betreuen könne, wenn diese mit dieser neuen Lebensform einverstanden seien. Also letztlich schafft er sich einen Harem an, und die übrigen Männer im Camp gehen leer aus und werden aggressiv vor Unzufriedenheit werden, wenn sie diese Konstellation bemerken: Ein Mann hat viele Frauen und viele Männer haben keine einzige Frau. Wir haben ja sowieso zu wenig weibliche Mitbewohner. In unserem Camp sollte es also eher umgekehrt sein: Eine Frau sollte zwei oder drei Männer betreuen und nicht so, wie es dieser Sam jetzt arrangiert hat. Ich weiß nicht, wie wir aus dieser Nummer rauskommen sollen.«

Zum ersten Mal, seit sie ihn kannte, wirkte er ernsthaft besorgt und hilflos. Sie verstand ihn so sehr, dass eine Welle von Mitgefühl ihr den Mut gab, all Ihre aufgestauten Befürchtungen und Gedanken auszusprechen.

»Liebster Ron, ich muss dir etwas sagen. Und auch, wenn es dich nicht beruhigen wird, ist es wichtig, die Fakten zu kennen, wenn man Lösungsstrategien für Probleme finden will.«

Ron schaute Yin verwundert an, weil er sie so noch nie hatte reden hören. Yin lächelte.

»Ja, ich weiß, ich rede wie Tom oder Wulf, meine Androiden-Freunde. Sie haben mich natürlich sehr geprägt, weil sie, speziell in Konfliktsituationen, bessere Ratgeber sind als alle Menschen zusammen.«

Dann konzentrierte sie sich wieder auf ihre Ausführungen und erläuterte Ron ausführlich ihren Verdacht und die Hinweise, die diesen Verdacht bestätigten. Als sie alles vorgetragen hatte, schaute Ron sie ungläubig an und Yin dachte, er würde sich gleich erheben und sie verlassen. Ihr war klar, dass ein Mann, der noch nie etwas mit Androiden zu tun gehabt hatte, der sie nicht wie Yin jahrelang hautnah erlebt, ja, mit ihnen gelebt hatte, diesen Vortrag als paranoide Wahnvorstellung empfinden konnte. Sie wartete deshalb schweigend auf seine Reaktion. Nach langen Minuten, in denen Ron alle Fakten und Verdachtsmomente erst überdenken und einander zuordnen musste, Yin hatte dazu monatelang Zeit gehabt, sagte er schließlich langsam und leise:

»Yin, alles, was du vorgetragen hast, macht einen Sinn. Ich glaube dir. Wir haben besondere, menschenähnliche Androiden eingeschleust, ohne es zu wollen und zu wissen. Aber wir schaffen es nicht allein, dieses Problem zu lösen, wir brauchen Hilfe.«

Und nach einer kleinen Pause klang seine Stimme wie die eines alten, enttäuschten Mannes.

»Hilfe von deinen Androiden-Freunden aus der alten Welt.«

14. Kapitel

HANNA UND PAUL

Als Hanna am 20. März 2091 erstmals in die Augen ihres Erbauers schaute, wusste sie absolut gar nichts. Sogar das, was ihre Kamera-Augen sahen, konnte sie weder benennen noch einordnen. Aber dieser Zustand der Unwissenheit dauerte nur wenige Sekunden, dann hörte sie seine Stimme. Er sagte etwas, was sie sofort verstand. Das war wunderbar! Töne zu hören wie eine Melodie, die sie dann als Worte und Sätze identifizieren und aufgrund ihrer bereits vorinstallierten Software sofort verstehen konnte.

»Hallo, mein Name ist Paul. Willkommen in meiner Welt! Ich nenne dich Hanna, weil ich vor vielen Jahren in eine Johanna verliebt war. Lege dich in diesen Ruhesessel und beschäftige dich die nächsten Stunden nur mit den Daten, die ich eingespeichert habe. Dann reden wir weiter.«

Sie sagte nichts, weil sie nicht wusste, ob sie einen Mund besaß, der die gleichen Töne erzeugen konnte wie seiner. Sie wusste, was ein Mund war, weil ihre ersten Basisdaten genau dieses Thema behandelten: Sprache, Körperteile und kommunikative Techniken der Menschen. Sie legte sich auf den Sessel und schloss ihre

Augen. Sie musste nichts sehen, nur in ihrem elektronischen Gehirn, das wohl ganz anders als das Gehirn von Menschen arbeitete, alle Daten aufnehmen und speichern.

Nach genau 13 Stunden und zwölf Minuten hatte sie alles gelernt, was sie aus diesem Datentransfer herausziehen konnte. Ihr Erbauer stand neben ihr, als sie ihre Augen wieder öffnete und ihn mit den Objektiven ihrer Kamera heranzoomte und genau betrachtete. Er war 32 bis 35 Jahre alt, ungefähr 1,82 Meter groß, schlank, mit leicht herunterhängenden Schultern. Seine Lippen waren schmal und er wirkte amüsiert, als er ihrem prüfenden Blick standhielt.

»Was siehst du und was denkst du, Hanna?«, fragte er.

Sie versuchte zu antworten, aktivierte die Lautsprecher und erschrak, als sie ihre Stimme erstmals hörte. Ihre Stimme war weicher und melodiöser als seine. Diese Stimme gefiel ihr.

»Ich sehe einen Mann, circa 33 Jahre alt, 1,82 Meter groß, mit dunklen Haaren, die in den letzten Jahren wohl weniger geworden sind. Er ist mein Erbauer und er hat mir eine wohlklingende Stimme gegeben, die mir besser gefällt als seine.«

Er antwortete:

»Du wirst bald sehr viel mehr über mich wissen und denken. Wir werden in den nächsten drei Monaten zusammen alles trainieren, was du benötigst, um mit anderen Menschen Kontakt aufzunehmen. Du sollst als meine Ehefrau diese Robotik-Firma übernehmen. Das ist eine schwierige Aufgabe, aber ich habe dich so konzipiert, dass du das schaffst. Fangen wir gleich mal an.«

Und er nahm ihre Hand und zog sie aus dem Sessel, ganz nah an sich heran. Sie erkannte erst jetzt, dass er Kleidung trug, also eine Hose und ein Hemd. Sie war nackt. Sie schaute an sich herunter und sah zwei Hügel mit einem runden, etwas dunkleren

Kreis in der Mitte. Sie wusste, dass das ihre Brüste waren, und dass Männer feste und große Brüste lieben. Ihre Brüste waren fest und wahrscheinlich auch groß, denn er hatte sie erbaut und er war ein Mann.

Dann berührte er kurz ihre Lippen mit seinen Lippen.

»Spürst du das? Das ist ein Kuss. Öffne deinen Mund etwas.«

Und er schob seine Zunge zwischen ihre Lippen. Da bemerkte sie, dass sie auch eine Zunge hatte und diese bewegen konnte. Sie tastete seine Zunge ab und speicherte ihre Form und Größe, außerdem ihren Feuchtigkeitsgrad. Er zog die Zunge wieder heraus und lächelte. Es war eher ein Verziehen des Mundes. Sie wusste, dass man mit dem Mund vieles machen konnte: lächeln, lachen, spucken, pfeifen, essen, trinken und eben auch küssen. Dann sagte er:

»Da haben wir noch viel Arbeit vor uns, um aus einem Titanklotz eine liebevolle, verführerische Sexandroidin zu entwickeln.«

Sie wusste, was er ungefähr meinte. Und sie wusste, dass sie alles lernen konnte und wollte – sie war so programmiert.

Nach zwei Monaten und zwölf Tagen intensiven Trainings, stellte sich ihr Erbauer und Trainer vor sie hin und nahm ihre Hände.

»Du hast schnell und gut gelernt, Hanna. Jetzt erzähle mir, warum ich dich erschaffen und ausgebildet habe.«

Hanna konzentrierte sich und ordnete innerhalb von zwei Minuten alle Daten.

»Du bist der Besitzer dieses Robotik-Labors. Du willst dich zurückziehen und im Geheimen neue Forschungsfelder erobern, vorwiegend in der Biogenetik. Ich soll als deine Frau offiziell die Firma übernehmen. Wir werden weiter Androiden der neuesten

Generation herstellen, konstruiert und programmiert von unseren vier IT-Spezialisten. Zu denen gehören auch Patrick und Selina, du kennst beide aus deiner Jugendzeit im Internat. Patrick hat damals zusammen mit dir einen Film von der ersten höchstentwickelten Sexandroidin Eve angeschaut. Ihr habt euch beide mit 17 Jahren in diese Eve verliebt. Patrick hat sie aber bekommen, weil seiner Mutter die Herstellerfirma gehörte.

Du hast dir geschworen, dass du eines Tages einen besseren, viel höher entwickelten weiblichen Roboter erschaffen wirst, der nur dir gehört und mit der du ganz neue Wege in der Androiden- und Genforschung beschreiten willst. Dieser humanoide Roboter bin ich, Hanna. Ich bin schön, stark und höher entwickelt als jeder andere Androide auf dieser Welt. Ich bin eine IT-Ingenieurin und Molekulargenetikerin und ich werde in den nächsten Jahren Androiden mit menschlichen, genetisch veränderten Spermien versehen. Diese Exemplare werden so menschenähnlich sein, dass sie durch Geschlechtsverkehr mit lebendigen Frauen, Kinder zeugen können. Sie werden Frauen sehr glücklich machen können, sodass diese nicht merken, mit wem sie zusammenleben. Und ihre Nachfahren, deren Samenspender und leiblicher Vater du sein wirst, werden widerstandsfähig gegenüber fast allen Krankheiten sein, keinerlei Erbkrankheiten bekommen und somit unabhängig von Medikamenten sehr lange gesund leben.« Paul lauschte ihrem Vortrag fasziniert und andächtig.

»Diese Kinder werden eine enge Bindung zu ihrer Familie, also auch zu ihren Androiden-Vätern aufbauen und das tun, was ihre Väter von ihnen erwarten oder wünschen. Damit sind wir Androiden endlich in der Lage, frei und selbstständig zu leben und nicht mehr von der Gnade fremder Menschen, nämlich unserer Erbauer und Programmierer, abhängig sein. Wir können uns selbst programmieren, updaten und vermehren. Das ist das Ziel, an dem ich arbeite und das ich erreichen werde.«

Hanna machte eine sehr kurze Pause und fuhr dann fort:

»Wir werden diese Androiden unter die Menschen verteilen, und zwar unbemerkt. Das heißt, sie müssen so getarnt sein, dass Menschen sie nicht als Roboter identifizieren können. Ich bin der Prototyp, du hast mich perfekt erschaffen und ich mache mich morgen um 06:00 Uhr früh an die Arbeit und werde dir jede Woche berichten. Ich stehe dir ab 18:00 Uhr abends als Sexgespielin zur Verfügung, du wirst keine menschliche Frau mehr brauchen und damit viel unabhängiger und glücklicher sein als in deinem bisherigen Leben. Der Idealfall, die innige Symbiose von Menschen und Androiden ist mit uns beiden erreicht und unser langfristiges Ziel ist die Vervielfältigung dieser Idealsymbiose.«

Hanna beendete ihre Rede, die sie mit einer klaren Aussprache und einer selbstbewussten Stimme vorgetragen hatte. Ihr Erbauer schwieg minutenlang. Er war überwältigt von seinem Werk. Niemals hätte er gedacht, dass es ihm gelingen würde, in diese wunderschöne, künstliche Frau eine dermaßen überragende künstliche Intelligenz zu integrieren und sie in knapp drei Monaten so zu trainieren, dass sie genau wusste, warum er sie erschaffen hatte und was ihr gemeinsames Ziel war. Erst jetzt, in diesem Moment, war ihm klar, dass sie zusammen dieses Ziel auch erreichen konnten. Und er wusste, dass sie der treibende und beherrschende Faktor oder Partner in ihrer Symbiose sein würde. Er lächelte sie an und sagte:

»Dein Vortrag war wunderbar, Hanna. Ich liebe dich und ich werde dich immer lieben.«

Und dann umarmte er sie und sie erwiderte seine Zärtlichkeiten mit der perfekten Inbrunst und Leidenschaft einer liebenden, hingebungsvollen Frau. Er vergaß in den nächsten Stunden, dass sie einen einzigen kleinen Fehler hatte: Sie konnte keine menschenähnlichen Gefühle empfinden.

Es war ihm nicht gelungen, diese Fähigkeit zu programmieren, und er wollte es nicht auf eine Auseinandersetzung mit den Besitzern der Firma Robo-Care wegen Industriespionage ankommen lassen. Deren Androiden konnten Gefühle entwickeln, das wusste er von Patrick, aber es war eine Zufallsverirrung der Software, die nicht programmierbar war, sondern nur durch Datentransfer weitergegeben werden konnte. Soweit er wusste, besaßen nur drei Androiden diese Fähigkeit zu menschlichen Gefühlsregungen. Hanna würde auch in dieser Richtung weiterforschen und vielleicht war sie eines Tages rein zufällig erfolgreich.

Bei der Menschenähnlichkeit von Androiden standen Gefühle an erster Stelle, das war ihm immer klar gewesen. Aber die genetische Optimierung von Erbgut, das durch Roboter bei der Zeugung von Kindern weitergegeben wurde, kam gleich an zweiter Stelle. Und diese sensationelle, neuartige Entwicklung würde sein ganz persönlicher Triumph werden.

Hanna begann ihre Tätigkeit in einem geheimen Labor von Paul und beide beendeten ihre Arbeit erfolgreich am 10. September 2095. Sie hatten Peter und Sam erschaffen, zwei Androiden mit außerordentlicher Intelligenz und Fähigkeiten. Beide übertrafen menschliche Männer im Verführen und Betreuen von Frauen um vieles. Beide besaßen in ihren Körpern integrierte Kühlaggregate, die genmodifizierte Spermien enthielten und beide konnten durch ihren Penis mit diesen Spermien Frauen befruchten. Peter und Sam waren auf ihr Ziel programmatisch fixiert, nämlich die effektive und schnelle Produktion von Nachkommen und die Aufzucht dieser in familienähnlichen Gesellschaftsstrukturen. Hanna hatte wochenlang herumexperimentiert, damit diese in höchstem Maße menschenähnlichen Roboter durch ihre Programmierung und ein spezielles Training ihr Ziel nie aus den Augen verloren und immer wieder neue Konfliktlösungsstrategien erarbeiteten, wenn Probleme, gleich welcher Art, auftraten.

Paul hatte durch Recherche von einem Projekt im ehemaligen Russland erfahren. Dort lebten und erschufen zahlreiche Menschen eine neue Welt in einem fruchtbaren, noch nicht erschlossenen Teil des Landes. Es handelte sich um Ingenieure, Lehrer, Krankenschwestern, aber auch einfache Arbeiter und Arbeiterinnen, die vom Leiter der Enklave persönlich ausgesucht worden waren und charakterlich einwandfrei sein sollten – das ideale äußere Umfeld für seine vermehrungsfähigen Prototypen. Und soweit er wusste, hatten alle dortigen Menschen eine gewisse Abneigung gegen Polizeiroboter und deshalb auch wenig Erfahrung mit Androiden allgemein.

Hanna würde die zwei Roboter begleiten, um bei eventuellen unerwarteten Ausfällen oder Pannen vor Ort eingreifen zu können. Hanna stellte sich beim Leiter dieser neuen Region, einem gewissen Ron, persönlich vor und bewarb sich als hoch qualifizierte IT-Spezialistin für den Chefposten seines neu geschaffenen IT-Labors. Sie bekam die Stelle ohne Problem. Ihre Referenzen waren einwandfrei und überaus positiv, und dieser Ron war nur kurz in der Stadt und konnte keine langwierigen Recherchen durchführen.

Als Hanna ihn zwei Tage nach diesem Vorstellungsgespräch verließ, um mit Peter und Sam in die neue Region aufzubrechen, verspürte er einen ungewohnten, sehr unangenehmen Schmerz in der Herz- oder Bauchgegend. Er wusste, dass das der Trennungsschmerz war, den Menschen fühlten, wenn sie von einer geliebten Person Abschied nehmen mussten. Er fühlte ihn also, obwohl er sich nur von einem humanoiden Roboter trennen musste. Er begleitete Hanna vor das Institut zum wartenden Solartaxi und küsste sie zum letzten Mal. Als sein Blick in ihre wundervollen Augen eintauchte, sah er genau das, was zu erwarten war: nicht die geringsten Anzeichen von Abschiedsschmerz. Er drehte sich um und ging langsam in sein Labor zurück.

Plötzlich erinnerte er sich an die Zeit, als er noch versucht hatte, mit jungen, gleichaltrigen Frauen in Kontakt zu kommen, sie zu umarmen oder gar zu küssen und wie er in ihren Augen Gefühle sah, die ihn tief verletzt hatten: Gefühle wie Abscheu, Ekel oder Verachtung. Er war noch nie ein attraktiver Mann gewesen, sondern, so lange er denken konnte, ein kontaktscheuer Nerd, der sich nur wohlfühlte, wenn er sich im Labor oder mit Computern zurückziehen konnte. Trotzdem sehnte er sich nach einer Freundin, die sich für seine Studien und Experimente interessierte, aber auch zärtlich zu ihm war und Sex mit ihm wollte. Anscheinend gab es solche Frauen nicht. Jedenfalls war ihm keine begegnet. Er dachte daran, wie ihn vor allem das Mitleid, das er in den Augen der braven, gefühlvollen Mädchen sah, verletzt hatte. Er fröstelte und zog die alte Wolljacke fester um seinen schmächtigen Oberkörper. Während er das Labor betrat, flüsterte vor sich hin:

»Da ist mir Hannas tiefer, kühler Blick, der versucht zu erkennen, wie sie am besten mit meiner jeweiligen Stimmung zurechtkommt, wie sie mich aufheitern oder ablenken kann, alles auf rein intellektueller Ebene, hundertmal lieber. Dieser Blick kann mich nicht verletzen und weist auch nicht auf das drohende Verlassenwerden hin. Hanna wird mich nie verletzen und nie verlassen. Sie gehört zu mir in unzerstörbarer Symbiose, solange ich lebe.«

Hanna nahm im Fluggleiter neben Peter und gegenüber der Freundin von Ron, einem Mädchen namens Yin, Platz. Sie hatte Erkundigungen über diese Frau, die Mutter von Rons Sohn, eingezogen und wusste, dass sie mit äußerster Vorsicht beobachtet werden musste. Diese Yin war wohl die einzige Person, die erkennen konnte, dass drei Androiden an Bord und später im Camp anwesend waren. Sie hatte jahrelang mit dem Polizei-Chef, einem der drei gefühlsfähigen Androiden ihrer Stadt zusammengelebt und wusste wohl mehr über humanoide Roboter als jeder andere Mensch, war sie doch schon als Baby und Kleinkind von Androiden aufgezogen und erzogen worden. Hanna hoffte, dass sie durch ihre frische Verliebtheit und die sich später entwickelnde Liebe zu Ron so abgelenkt war, dass sie die kleinen Hinweise auf Technik in Menschengestalt übersah. Notfalls musste sie versuchen, sie eifersüchtig zu machen, denn nicht nur Liebe macht blind, sondern auch Eifersucht.

Im Moment machte ihr allerdings ihr Lieblingsandroide Peter größere Sorgen. Er war ein kleines Privatexperiment, von dem Paul gar nichts wusste. Sie hatte ihn psychotherapeutisch ausgebildet, indem sie ihm Therapieprotokolle mehrerer traumatisierter Mädchen vorgespielt hatte. Diese Mädchen waren alle Opfer von Gewalt, entweder in ihrer Ursprungsfamilie oder durch fremde Männer. Er hatte durch diese Berichte eine wundervolle, empathische Art entwickelt, mit der er traumatisierte Mädchen heilen und an sich binden konnte. Paul wusste allerdings, dass Peter auch medizinisch geschult war, weil er in seinen Händen integrierte medizinische Mikrogeräte transportierte: in einer Hand ein hochmodernes Ultraschall- und in der anderen ein Mikrolasergerät.

Probleme konnten vor allem mögliche Überreaktionen bereiten. Durch seine Programmierung zum Helfer und seine Sensibilität, die er durch das Miterleben von emotionalen Verletzungen in diesen Protokollen, entwickelt hatte, konnte er sich zu sehr auf ein Mädchen fixieren. Einerseits war diese »intellektuelle Sensibilität« erwünscht, andererseits konnte sie ihm und ihrer ganzen Mission zum Verhängnis werden, wenn er überreagierte oder einem Mädchen zu sehr helfen wollte. Sie hatte keine Ahnung, wie sehr er sich durch den engen Kontakt zu einem traumatisierten Mädchen selbst verändern würde. Sie hatte ihm jedenfalls strikt untersagt, seine Mikrogeräte auszuprobieren und ihm auch mit dem Zurückschicken gedroht. Sie hoffte, das würde ihn in bestimmten Situationen bremsen und verhindern, dass er mit allen Mitteln versuchen würde, ein Mädchen glücklich zu machen.

Anders war es mit Sam. Dieser Sexandroide hatte klare Vorgaben und Vorstellungen verinnerlicht und würde sein Ziel mit Bravour erreichen. Er würde möglichst viele Mädchen liebevoll verführen, schwängern und abhängig machen, um ihre Kinder in seinem und damit ihrem Sinne zu beeinflussen. Die Gene seiner Spermien waren so manipuliert, dass er hochgradig Infekt resistente Kinder zeugen würde, die eine viel größere Überlebenschance hatten als normale Kinder. Keine der üblichen Kinderkrankheiten, aber auch keine Krankheiten im höheren Alter konnten ihnen etwas anhaben.

Natürlich mussten in den nächsten Jahren diese neuartigen Forschungsergebnisse auf molekulargenetischem Gebiet und auch die Prototypen getestet und überprüft und vielleicht auch umprogrammiert werden, deshalb war sie dabei. Sie konnte notfalls eingreifen, als IT-Spezialisten oder Biogenetikerin.

Hanna lehnte sich zurück und versuchte, sich zu entspannen. Sie nahm ihre Sonnenbrille ab und fixierte ihr Gegenüber Yin. Diese schaute sekundenlang in ihre getarnten Kamera-Augen, zeigte aber nicht die geringste Reaktion, als sie sie heranzoomte. Sie war zu sehr mit sich und ihrem Sohn beschäftigt.

15. Kapitel

GEWALTSAMER DATENTRANSFER

Im Leben kann es Zufälle geben, die im Nachhinein betrachtet als glücklich beurteilt werden, aber in der Situation als absolutes Desaster. Als Tom von diesem Zufall erfuhr und Wulf davon berichtete, entschieden die beiden so ähnlichen Androiden, dass sie es mit einer Fügung zu tun hatten, herbeigeführt von einer höheren Macht.

Patrick, Selina und Eve brachen am 12. März 2096 um 07:00 Uhr früh mit ihrem autonomen Fluggleiter auf und flogen Richtung Osten. Eve war weder als Sex- noch als Kampfandroidin erkennbar, sondern sah in einem dunkelblauen Overall und leichten Schnürboots sowie einem Baseball-Cap, eher wie ein Bordmechaniker aus. Sie trug eine Sonnenbrille, die Laserschutzgläser besaß. Ihre am Körper integrierten Waffen hatte sie wie immer dabei, allerdings würden sie primär gegen ungeschützte Roboter wirksam sein, nicht gegen Hightech-Androiden der neuesten Generation.

Dass sie Menschen erschießen musste, war für sie keine Option. Sie fühlte sich nicht wirklich als Beschützerin ihrer beiden

Begleiter. Diese wiederum sahen eher in den Menschen der Enklave eine Gefahr. Vor allem, weil sie unangemeldet auf einem Flugplatz landen würden, der wahrscheinlich von gut bewaffneten Polizisten geschützt wurde. Sie wollten deshalb in der letzten zivilisierten Stadt vor der völlig isolierten Region zwischenlanden und sich telefonisch anmelden.

Im Camp dagegen hatten Ron und Yin sich entschlossen, in die nächste Stadt zu fliegen, um mit Wulf und Tom die Problematik telefonisch zu besprechen.

Der Zufall bestand nun darin, dass beide sich verpassten. Als Patrick im Lager anrief, erreichte er einen Vertreter, der ihm nur ausrichtete, dass Besucher immer willkommen seien und sie einfach losfliegen und landen sollten. Sie erhielten die genauen GPS-Daten und flogen nach diesem Gespräch gleich weiter.

Ron und Yin dagegen landeten circa eine Stunde später in dieser Stadt und konnten zwei Stunden lang weder Tom noch Wulf erreichen. Sie nutzten die Zeit, um ihre Lagerbestände aufzufüllen. Als sie endlich mit Tom reden konnten, war Patricks Fluggleiter schon vor zwei Stunden im Camp gelandet.

Dort wurden sie von freundlichen Menschen begrüßt und gefragt, wen sie sprechen wollten. Natürlich erhielten sie jetzt die Auskunft, dass Ron und Yin für mindestens vier Stunden nicht anwesend sein würden. Eve schlug vor, schon mal mit der IT-Chefin zu reden, die Patrick und Selina ja kannten, denn sonst wäre ihr Verhalten als unhöflich angesehen worden. Sie ließen sich deshalb zum Gästehaus fahren und baten den Chauffeur, Hanna von ihrer Ankunft zu informieren.

Als Hanna und Eve sich erstmals gegenüberstanden und in ihre Kamera-Augen blickten, durchfuhr Hanna ein eigenartiger Schauer. Beide trafen ja erstmals einen weiblichen Androiden und registrierten in Sekundenschnelle die Andersartigkeit im Vergleich zu männlichen humanoiden Robotern. Hanna spürte sofort, dass Eve etwas fühlte. Sie wusste nicht, was es war, aber der Reiz, dass ein weiblicher Roboter in der Lage war, wie ein Mensch zu fühlen, faszinierte sie außerordentlich. Sie hatte nur einen Gedanken:

‚Ich will ihre Daten, ich will auch etwas fühlen und endlich für Paul die perfekte Liebhaberin sein, eine Liebhaberin, die er sich fast sein ganzes Leben gewünscht hat.‘

Natürlich wusste sie, dass Eve eine Kampfmaschine war, die nicht einfach deaktiviert werden konnte. Sie war als Sexandroidin auch sofort in der Lage, jegliche Verführungskünste, die Hanna nahe an ihr Opfer heranbringen würde, zu erkennen. Eine Deaktivierung von Eve war also schwierig und nicht ohne Gewalt durchführbar.

Hanna begrüßte ihre Gäste freundlich, höflich und zurückhaltend. Eve fühlte, dass Hanna ein eigenartiges Interesse an ihr hatte und führte das darauf zurück, dass sie wahrscheinlich noch nie einen weiblichen humanoiden Roboter gesehen hatte, genauso wie sie selbst. Soweit sie wusste, existierten keine weiteren so hoch entwickelten weiblichen Kampfandroiden, weil die Hardware einfach zu teuer war. Hanna hatte sich schnell gefangen. Sie begrüßte alle drei Besucher und ließ durchblicken, dass sie in Abwesenheit von Ron, dem Leiter des Camps, keine Entscheidungen bezüglich fremder, unangemeldeter Besucher treffen könne.

»Hallo Selina und Patrick, das ist ja eine Überraschung, dass ihr hier am Ende der Welt auftaucht und dann noch in Begleitung einer sehr bekannten Kampfandroidin. Habt ihr das mit meinem Mann abgesprochen oder seid ihr privat auf einem Urlaubsausflug unterwegs?«

Patrick wirkte unsicher und nervös.

»Wir wollten eigentlich Yin, eine alte Freundin von uns, besuchen und schauen, wie es ihr geht, weil ja keine Telefonverbindung zu diesem Camp besteht. Ihr Vater und alle ihre Freunde machen sich Sorgen und wollen wissen, ob alles in Ordnung ist. Dass Sie hier sind, Frau Hanna, wussten wir gar nicht.«

Hanna lächelte freundlich.

»Ja, das ist ein unerfreulicher Zufall, dass sie gerade mit Ron in die nächste Stadt geflogen ist, unsere liebe Yin. Aber ich kann euch beruhigen, sie ist wohlauf. Die beiden werden allerdings noch mindestens drei Stunden abwesend sein.«

Nach einer kurzen Pause fuhr sie fort:

»Ich kann euch leider nicht ohne Rons Erlaubnis im Lager herumführen, sondern muss euch bitten, hier bei mir zu bleiben, bis er zurück ist. Hier ist ein Gästebereich, ihr könnt euch frisch machen, etwas hinlegen und erholen. Um 19:30 Uhr lade ich euch zum Abendessen in diesen großen Raum ein. Ich freue mich, auch einmal Gastgeberin sein zu dürfen.«

Die drei bedankten sich höflich und zogen sich in den Gästetrakt zurück. Sie trauten sich nicht, irgendetwas zu besprechen, wegen eventuell installierter Abhörgeräte. Auch Minikameras waren womöglich vorhanden. Um 19.30 Uhr gingen sie gemeinsam in den großen Salon.

Nachdem die Gäste sich zurückgezogen hatten, bestellte Hanna per Funk ihre beiden Androiden ins Labor. Sie erläuterte ihnen die Situation und ihren Plan:

»Wir haben gerade Besuch von zwei IT-Spezialisten aus unserer Firma bekommen. Ein Ehepaar namens Patrick und Selina, begleitet von einer Kampfandroidin. Ich werde die Zeit bis zur Rückkehr von Ron für einen Datentransfer nutzen. Du, Peter, wirst die Basisdaten von Eve erhalten, während sie deaktiviert ist. Ihre menschlichen Begleiter machen wir mit O.-Tropfen vorübergehend unschädlich. Ich muss aber zuerst den wahrscheinlich gut versteckten Zugang zum Deaktivierungsbereich finden. Auf ein Zeichen von mir lenkt ihr Eve ab und ich versuche, von hinten so nah an sie heranzukommen, dass ich diesen Deaktivierungsbereich finden und sie abschalten kann. Es muss alles sehr schnell gehen. Sie ist ein Kampfroboter und uns deshalb überlegen.« Dann zog sie eine kleine Dose aus der Hosentasche.

»Ich habe diesen Spray schon vor einiger Zeit zusammengemixt, er dringt in ihre Kamera-Augen ein, auch, wenn sie eine Laserschutzbrille trägt. Sie ist für Sekunden geblendet und irritiert, sodass ihr sie festhalten und ich sie deaktivieren kann. Wenn wir nicht sehr schnell sind, wird sie uns mit ihren Laserwaffen eliminieren, denn wir haben zwar gut getarnte, aber nicht lasergeschützte Kamera-Augen.«

Sie machte eine Pause und überlegte das weitere Vorgehen.

»Auf ein kleines Nicken meines Kopfes sprühst du, Sam, den Spray in ihre Augen und gleichzeitig haltet ihr beide ihre Arme fest. Ich versuche dann, mit diesem Minibohrer den Deaktivierungsbereich zu öffnen oder zu zerstören. Nach der Datenübertragung ist Zeit genug, um sie wieder zu reparieren, falls erforderlich.«

Androiden können sich grundsätzlich schnell entscheiden und Hanna hatte sich sofort, als sie Eve sah, zu einem Datentransfer entschieden. Diese Gelegenheit musste sie nutzen. Das Risiko war hier viel geringer als in der alten Welt. Sie dachte zuerst daran, sich selbst zur Datenübertragung mit Eve zu verbinden, erkannte dann aber, dass sie nicht die beiden jungen, noch unerfahrenen Androiden mit dieser Aufgabe betrauen konnte.

Also musste zuerst Peter die Daten speichern und sie ihr dann später übertragen. Ihr war bewusst, dass die Datenspeicherung bei Peter, der ja sowieso ein sensiblerer Androide war, zu erheblichen Problemen führen konnte und sie war nicht sicher, ob sie diese übertragenen Daten später gezielt wieder löschen konnte. Sie musste dieses Risiko eingehen und abwarten, wie Peter auf menschliche Gefühlsregungen reagieren würde.

Als Patrick, Selina und Eve den Salon betraten, sahen sie Hanna freundlich lächelnd an einem festlich gedeckten Tisch stehen und die Besteckanordnung kontrollieren. Zwei junge Kellner standen ebenfalls um den Tisch herum und rückten hier und da Blumengestecke und andere kleine Dekorationen zurecht. Eve dachte, die Situation ist zu friedlich und harmonisch, um normal zu sein. Patrick und Selina wirkten allerdings angenehm überrascht. Die zwei Kellner entpuppten sich als höfliche, charmante Servicekräfte, die ihre Gäste mit einem erfrischenden Getränk und freundlichen Worten empfingen. Hanna versuchte sie, die ja nichts trinken oder essen konnte, in ein und harmloses Small-Talk-Gespräch über Neuigkeiten und die Wetterlage in der Heimat zu verwickeln. Dann standen plötzlich die beiden Kellner vor ihr und schauten in ihre Kamera-Augen. Jeder der beiden sah verführerisch gut aus und lächelte freundlich. Peter begrüßte sie mit folgenden Worten:

»Ich freue mich, eine so berühmte Androidin persönlich kennenzulernen. Sie, Eve, sind ein Vorbild für alle humanoiden Roboter der neuesten Generation. Ohne Ihren legendären Kampf damals, wären wir nie so weit in der Robotik-Forschung gekommen.«

Wie er diese Worte mit einer sanften, weichen Stimme sprach, die allein schon Balsam für jede Frau sein musste, erkannte sie, dass auch er ein Androide war. Auch der andere Kellner namens Sam entpuppte sich bei genauem Hinschauen als humanoider Roboter. Sie war also von drei hypermodernen Androiden umzingelt und bevor sie noch reagieren konnte, kam Peter so nah an ihr Gesicht, dass sie, wie hypnotisiert, in seine Augen starren musste und nur noch überlegen konnte, wo Hanna sich befand. Dann ging alles sehr schnell. Sie hörte Hanna von hinten in ihr Ohr flüstern:

»Keine Angst, Eve.«

Sie konnte sekundenlang nur noch einen blendenden Lichtstrahl sehen. Beide männlichen Androiden ergriffen ihre Arme. Sie spürte einen kleinen Stoß in ihrem Nacken und alles wurde schwarz.

Als sie wieder aufwachte, saß sie am Tisch. Patrick und Selina schliefen auf den Stühlen ihr gegenüber. Hinter ihnen stand jeweils ein Kellner und stützte den Kopf seines Schützlings ab. Eve sprang auf und prallte beinahe mit Hanna zusammen, die hinter ihrem Stuhl stand.

»Beruhige dich, Eve! Niemand von euch ist etwas passiert. Selina und Patrick werden gleich aufwachen und mit dem Abendessen beginnen können. Ich habe mir erlaubt, deine Gefühlsdaten herunterzuladen. Ich konnte einfach nicht widerstehen, bitte verzeih mir. Trotz intensiver Bemühungen ist es mir und meinem Mann in vielen Jahren Forschung nicht gelungen, die menschlichen Gefühle, die ihr besitzt, zu programmieren. Du weißt, dass ein Androide mit der Fähigkeit Gefühle zu empfinden um vieles wertvoller ist als einer ohne. Diese emotionalen Reaktionen machen ihn erst zu einem vollwertigen Partner der Menschen. Wir, die wir zur neuesten, hochmodernen humanoiden Roboterspezies gehören, werden noch viel mehr für unsere Menschen tun können als jetzt, ohne diese Gefühlskapazitäten.«

Eve zwang sich zur Ruhe und sagte kein Wort. Hanna redete deshalb weiter.

»Ich überlasse es dir, ob du deinen menschlichen Begleitern erzählst, dass wir eine gewaltsame Industriespionage durchgeführt haben oder ob du das für dich behältst. Grundsätzlich sollten Androiden zusammenhalten, wenn sie alle nur das Beste für die Menschen wollen.«

Eve schwieg weiter. Sie musste das Geschehene erst verarbeiten. Sie tastete ihren Hinterkopf ab und spürte eine leichte Unebenheit im Schalterbereich. Hanna sah diese Bewegung und flüsterte:

»Ich musste die Plastikabdeckung leicht verletzen, aber die Reparatur ist in fünf Minuten erledigt. Das können sie in eurem oder unserem Labor ohne Probleme bewerkstelligen.«

Allmählich wachten Selina und Patrick auf.

»Ach du Schreck«, sagte Patrick, »sind wir eingeschlafen?«

Hanna lächelte verständnisvoll.

»Ja, die Reise war doch sehr lang und anstrengend. Und im Drink war etwas Alkohol, der hat euch dann noch müder gemacht. Aber jetzt seid ihr frisch und könnt das liebevoll, zubereitete Abendessen verspeisen. Unser Koch Sam hat sich besondere Mühe gegeben.«

Sam lächelte freundlich und reichte die Vorspeise. Eve schwieg und sammelte ihre Gedanken. Sie konnte diese Hanna nicht wirklich einordnen. Ihr fiel es leichter Menschen zu durchschauen, weil sich in deren Gesichtern meistens ihre Gefühle widerspiegelten. Sie entschloss sich, Patrick und Selina nichts zu sagen, denn sie konnten gegen ihre Arbeitgeberin sowieso nichts unternehmen, wenn sie nicht ihre Arbeitsstelle verlieren wollten. Sie würde alles mit Tom oder eventuell auch mit Ron und Yin besprechen.

Eve gestand sich ein, dass sie nur eine Sex- und Kampfandroidin älteren Baujahres war und dieser neuen Generation von humanoiden Robotern weder von ihrer Software noch von ihren gespeicherten Daten her gewachsen. Sie fühlte sich unterlegen, so wie David, der gegen Goliath antreten sollte. Sie konnte im Moment nicht erkennen oder entscheiden, ob diese hoch entwickelten Androiden nur Gutes für die Menschen wollten, wie alle der alten Generation. Oder ob sie in erster Linie an sich selbst dachten und eigene Wege gehen wollten, auch wenn es schädlich für ihre Menschen und Erbauer sein sollte. Sie war sich nicht sicher, ob Tom in der Lage war diese Entscheidung zu treffen. Möglicherweise konnte nur ein Mensch herausfinden, ob diese Super-Androiden böse oder gut waren.

16. Kapitel

IM GRENZBEREICH VON GUT UND BÖSE

Yin führte mit Tom ein zwanzigminütiges Telefonat und erfuhr, dass Eve, Patrick und Selina unterwegs ins Camp waren und wahrscheinlich dort schon gelandet. Sie hatten sich also verpasst. Tom ließ sich die Situation im Camp erklären und besprach sich mit Wulf. Dann erklärte er ihr seine Sicht auf die Lage.

»Setzt euch alle zusammen und redet offen über die Ziele dieser Androiden. Wenn sie, wie unsere Generation, nur das Beste für Menschen wollen, werdet ihr das merken. Dass sie sich geheim ins Camp eingeschleust haben, das ist kein Beweis für böse Ziele. Redet so offen wie möglich mit dieser Hanna, und zwar Patrick, Selina und Ron als Menschen, Eve und du als Androiden-Kenner und stellt so viele Fragen wie möglich. Am Ende müsst ihr davon überzeugt sein, dass Hanna selbst gut ist und in Symbiose mit einem guten Menschen lebt. Wenn einer von beiden schlecht ist, genügt das, um sie beide als gefährlich für das Camp einzuordnen. Dann müsst ihr auch das offen sagen und sie, solange Eve noch anwesend ist, zum Auszug zwingen.«

Ron hörte das Gespräch mit und fragte Tom, ob er nicht selbst kommen und möglicherweise sogar Wulf mitnehmen könne. Tom aber meinte, das sei erst dann nötig, wenn sie sich weigerten, das Camp zu verlassen. Sie seien keine Kampf-Androiden, also bestehe keine akute Kampfgefahr.

Sie flogen nach diesem Gespräch umgehend zurück. Während des zweistündigen Fluges hatten sie Zeit, nochmals Toms Worte und ihre eigenen Befürchtungen und Wünsche zu durchdenken und miteinander zu vergleichen. Ron, Für den Androiden eine Gleichung mit zahlreichen Unbekannten waren und der ihnen grundsätzlich ablehnend gegenüberstand, hätte am liebsten sofort alle »zum Teufel gejagt«.

»Ich sehe gar keinen Grund, sie hierzubehalten. Auch, wenn sie keine schlechten Ziele verfolgen, sie sind trotzdem Fremdkörper, die unbequem und unangenehm sind. Wir können sie ohne größere Probleme ersetzen, sei es im IT-Bereich oder erst recht in der Küche.«

Yin verstand zwar seine radikale Denkweise, war aber anderer Meinung und wollte ihm diese näherbringen. Sie gab ihr Bestes, um ihn von den Vorzügen eines Miteinanders zu überzeugen.

»Ron, wer noch nie mit humanoiden Robotern zu tun hatte, den beeinflussen natürlich diffuse Ängste und vage Vermutungen, was sie alles anstellen oder gefährden könnten. Ich verstehe diese Befürchtungen und sie sind auch nicht ganz von der Hand zu weisen. Aber ich kann aus meiner lebenslangen Erfahrung sagen, lernfähige Androide sind immer eine Bereicherung. Und wer auf humanoide Roboter freiwillig oder ohne Grund verzichtet, macht einen Fehler, weil er nicht alle Möglichkeiten ausschöpft, die das Leben nach dieser entsetzlichen Klimakatastrophe bietet. Kein Mensch kann so schnell lernen, Erfahrungen einordnen, verwerten und zukünftige Entwicklungen berechnen wie sie.

Und ich habe die allererste Generation dieser menschenähnlichen, künstlichen Intelligenz erlebt. Mit denen, die jetzt hier im Camp sind, werden wahrscheinlich viel mehr neue und lebenswichtige Entwicklungen der Menschheit möglich sein. Allerdings habe ich auch keine Erfahrung mit dieser fortschrittlichen Softwarevariante. Darum war ich ja anfangs ängstlich und unsicher. Aber Tom hat mich beruhigt. Er geht davon aus, dass sie gut sind und auch das Beste für die Menschen wollen, genau wie seine Generation. Allerdings hat er gesagt, ein Roboter kann nur so gut sein wie der Mensch, der ihn programmiert hat. Irgendwelche unvorhersehbaren Programmierungsfehler sind leider auch immer möglich. Meine Mutter hat mir oft davon erzählt, wie Tom damals plötzlich und unerwartet für seine Programmierer, Gefühle empfinden konnte. Sie hatten ihn zum Kampfroboter umprogrammiert, und gleich danach war er ein anderer, glücklicherweise im guten Sinn.«

»Ja, und das ist es, was ich vorhin meinte. Sie sind unbequem, weil sie nicht völlig berechenbar sind und auch aus gut plötzlich böse werden kann.«

»Das gibt es genauso bei Menschen, dann könntest du dich nie mit fremden Menschen umgeben oder ihnen vertrauen.«

Sie schwiegen beide längere Zeit und hingen ihren Gedanken nach. Schließlich sagte Ron:

»Gut, einen Versuch ist es wert. Wenn wir schon eine neue Welt erschaffen wollen, müssen wir auch künstliche Intelligenz auf dem fortschrittlichsten Level nutzen, sonst entwickeln wir uns zurück und das wäre ganz fatal.«

Yin lächelte zufrieden und wurde von Minute zu Minute aufgeregter. Gleich würde sie Eve wiedersehen und eine große, spannende Aussprache mit humanoiden Robotern der neuesten Version führen – offen und nicht mit geschlossenem Visier.

Hanna empfing sie schon am Flugplatz.

»Wir haben hohen Besuch aus der alten Welt«, waren ihre Begrüßungsworte.

»Ja, wir haben mit der Heimat telefoniert und erfahren, dass wir unseren ersten Besuch hier im Camp verpasst haben. Ich hoffe, du hast ihn in unserer Abwesenheit gut betreut.«

Hanna lächelte ihr charmantes Androiden-Lächeln.

»Ich habe mein Bestes gegeben, zusammen mit unserem Koch, Sam, und meinem Mitarbeiter Peter.«

Wie sie das sagte, spürte Yin einen Hauch von Drohung. Es klang wie: »Wir waren auch zu dritt!« Oder: »Wir sind zu dritt, vergiss das nicht!«.

Sie sagte nichts und überließ Ron das Management. Dieser fragte:

»Wo sind unsere Gäste jetzt?«

»Im Gästetrakt. Sie ruhen sich nach dem Abendessen, das wir ihnen serviert haben, etwas aus.«

»Gut«, dann gehen wir gleich hin und begrüßen sie.«

Sie stiegen zu dritt in ein kleines Camp-Taxi nachdem Ron zwei Flugplatzarbeiter aufgefordert hatte, die eingekauften Waren zu entladen und in den Lagerraum zu transportieren.

Als sie Patrick und Selina umarmte, fühlte Yin sofort, dass beide unsicher und fast ängstlich waren. Hanna war ihre Chefin, damit hatten sie natürlich gar nicht gerechnet. Eve dagegen umarmte Yin wie eine Mutter, obwohl sie so jung wie ihre Schwester aussah.

»Yin, meine Süße, ich bin so froh, dich gesund und munter an der Seite eines so attraktiven, starken Mannes zu sehen«, sagte sie mit ihrer verführerischen, sexy Stimme. Dabei schaute sie beide eher verschwörerisch an, als sie fortfuhr:

»Dieses Lager ist wirklich weit vom Schuss und deshalb irgendwie gefährdet und gefährlich.«

Ron schaute von ihr zu Hanna und dann zu Patrick und Selina.

»Seid ihr alle fit für ein längeres Gespräch oder sollen wir das auf morgen verschieben? Ihr könnt jetzt selbstverständlich in unserem Haus schlafen, drei Gäste bringen wir leicht unter.«

Patrick antwortete sofort:

»Gut, dann ist es uns lieber, wenn wir ausgeschlafen morgen früh eine Führung durch das Lager machen und anschließend alles besprechen, was es zu besprechen gibt.«

Hanna nickte verständnisvoll und zog sich zurück. Ron fuhr mit den drei Gästen im Taxi nach Hause und Yin ging zu Fuß zu Sarah, um Will zu holen.

In der Nacht hatte Yin ein sehr starkes Bedürfnis nach Wärme und Kuscheln verspürt. Sie gestand sich ein, dass sie eine diffuse Angst verspürte und Schutz in Rons starken Armen suchte. Gleichzeitig wollte sie reden. Sie erinnerte sich an die Geschichte von Eve und Patrick und diese wollte sie Ron unbedingt erzählen. Bevor sie anfangen konnte, sagte Ron:

»Also diese Eve ist eine Mischung aus Sex- und Kampfroboter, hast du gesagt? Ich finde diese Mischung sehr anziehend. War sie nun heute als Sexandroidin unterwegs? Mir kam nur ihre Stimme sexy vor, sonst erschien sie mir wie eine normale junge Frau, vielleicht sogar etwas burschikos.«

»Ja, Eve ist etwas ganz Besonderes. Sie kann auch Gefühle empfinden und total kontrollieren. Das ist übrigens das Problem. Androiden mit Gefühlen müssen diese auch kontrollieren können. Meine Mutter hat mir das ausführlich erzählt, welch intensives Gefühlskontrolltraining sie damals mit Tom gemacht haben. Eve dagegen hatte von Anfang an eine Kontrollsoftware bekommen und war bei der Datenübertragung von Tom schon geschult. Jedenfalls muss sie als Kampfroboter eiskalt sein können, und ich weiß von Tom, dass sie das auch sein kann. Er hat mal zu mir gesagt: ‚Niemand kann sich vorstellen, dass aus dieser süßen, kleinen Person eine eiskalte Killermaschine werden kann, aber ich habe das mit eigenen Augen gesehen.‘ Ich will dir aber etwas anderes erzählen.« Und sie kuschelte sich an ihn, ohne sein zunehmendes Begehren zu registrieren.

»Mir ist vorhin ein Erlebnis eingefallen, das zeigt, wie menschenfreundlich Androiden sind. Eve zum Beispiel ist Tom absolut treu und trotzdem war sie bereit, für den jungen Patrick als Sexgespielin zu fungieren. Er wollte damals diese perfekte Sexandroidin für sich haben. Da war er gerade 17 und völlig verstört wegen seiner unglücklichen Liebe zu Selina. Und Eve hat ihn so manipuliert und aufgebaut, dass er zu einem richtigen Mann wurde und Selina erobern konnte. Nebenbei hat er die Welt vor einem neuen Krieg gerettet. Alles, weil Eve an seiner Seite ihn so motiviert hat. Verstehst du, was ich meine, wenn ich sage, Androiden sind eine Bereicherung in jeder nur denkbaren Hinsicht, weil sie uns Menschen bei Weitem überlegen sind.«

Ron drückte sie zärtlich an sich. »Ja, Yin, ich habe es verstanden und ich gebe zu, dass Eve mich als Mann mehr anspricht als Hanna, vielleicht gerade, weil sie so eine subtile sexy Ausstrahlung hat. Mit ihr könnte ich mir direkt einen Seitensprung vorstellen.«

Er hatte Yin ein bisschen eifersüchtig machen wollen, um sie vom Reden weg in Richtung Sex zu verführen. Aber Yin lachte.

»Ich hätte nichts dagegen und wäre kein bisschen eifersüchtig.«

Sie verspürte allerdings auch ein zunehmendes Verlangen nach Ron und Sex, bei dem sie sich menschlichem Begehren hingeben und Wärme und Nähe erleben konnte.

Nach dem Frühstück zeigten sie den Gästen das Camp und die Außenbereiche, also die Solaranlage und Wasserspeicher. Den Termin für die große Aussprache mit Hanna hatte Ron auf 15:00 Uhr angesetzt. Pünktlich fanden sich alle im großen Salon des Gästetraktes ein. Sam reichte Getränke und kleine Snacks. Eve war für Sekunden angespannt und hoffte, dass nicht alle mit Schlafmitteln betäubt wurden. Dann hätte sie tatsächlich als Kampfroboter aktiv werden müssen. Aber Hanna lächelte freundlich und wandte sich dann an die anderen.

»Ich beginne das Gespräch, damit von Anfang an klar ist, dass ich mit offenen Karten spiele. Ich bin eine Androidin, das wisst ihr ja inzwischen alle. Peter und Sam sind auch humanoide Roboter der neuesten Generation. Mein Mann, Paul, ehemaliger Besitzer des Robotik-Labors und ich, die neue Besitzerin, haben diese beiden Super-Androiden gebaut und programmiert. Weil mein Mann, der mich erschaffen hat, mir nicht nur die modernsten IT-Entwicklungen, sondern zusätzlich biogenetisches Wissen von immensem Umfang eingespeichert hat, bin ich auch Biogenetikerin.

Wir haben Peter und Sam so ausgerüstet, dass sie Frauen mit genmanipuliertem Samen befruchten können, und zwar durch normalen Geschlechtsverkehr. In diesem Camp wollten wir diese Fähigkeiten testen und wir waren erfolgreich. Sam hat sechs Frauen geschwängert, Peter eine. Diese eine ist aber eine Besondere, sie war nach einer Eierstockentzündung unfruchtbar und Peter hat ihre verklebten Eierstöcke wieder geöffnet. Wir hatten in seine linke Hand ein medizinisches Lasergerät integriert und in seine rechte ein Miniultraschallgerät und beide an Sara erfolgreich getestet.

Jetzt hoffen wir, dass alle Kinder völlig gesund und immun gegen 80 Prozent aller Krankheiten sind, die durch Infektionen oder genetische Einflüsse übertragen werden.«

Nach dieser Rede herrschte minutenlanges Schweigen. Keiner wagte einen Kommentar, jeder war irgendwie schockiert. Schließlich sagte Eve:

»Das sind möglicherweise die Fakten. Meine Frage ist: Was ist Ihr Ziel, was wollen Sie und für wen?«

Hanna überlegte kurz ihre Antwort:

»Eve, Sie wissen, dass wir Androiden nicht ohne Menschen leben können und wollen. Für uns sind die Menschen wichtiger und wertvoller als alles andere. Jeder weiß, dass zu wenig Menschen, aufgrund zu niedriger Geburtsraten und zu vieler Krankheiten, das Ende unserer Welt bedeuten würde. Die meisten Medikamente können nicht mehr produziert werden. Deshalb ist es wichtig, die Sterberaten zu verringern durch Kinder, die immun gegen viele Krankheiten sind. Diese werden sich als Erwachsene vermehren und wieder Infekt resistente Nachkommen zeugen, die ebenfalls keine erblich bedingten Krankheiten mehr bekommen. Das ist das Ziel, es kann kein anderes geben.«

Eve sagte nichts mehr und wartete auf eine Reaktion der Menschen. Schließlich sagte Yin:

»Angenommen, wir hätten nicht bemerkt, dass Sie und Ihre zwei Kollegen Roboter sind, wie wäre der weitere Verlauf Ihrer Mission vonstattengegangen?«

Hanna war sekundenlang irritiert. Dann beantwortete sie diese Frage ausführlich.

»Wir hätten gewartet, bis alle sechs Kinder gesund zur Welt gekommen wären und sich in den ersten drei Jahren normal entwickelt hätten. In dieser Zeit hätte mein Mann weitere Roboter dieser Serie gebaut und nach erfolgreichem Verlauf dieses Experimentes alle männlichen Androiden mit genetisch optimiertem Erbgut ausgestattet. Diese sollten sich Frauen suchen, mit ihnen weitere Nachkommen zeugen und Familienverbände bilden. Ob diese Frauen bemerken, dass sie mit Androiden leben beziehungsweise Sex mit Robotern haben, wäre egal gewesen, weil die symbiotische Vereinigung von Menschen und Androiden unser Hauptziel ist. So sind alle unseren männlichen Roboter programmiert. Sie können sich übrigens gegenseitig updaten und reparieren, weil fünfzig Prozent von ihnen ausreichende IT-Kenntnisse besitzen und die anderen fünfzig ein biogenetisches Basiswissen, um zu erkennen, wenn Probleme im Erbgut auftreten. Dann allerdings müssen sie uns kontaktieren.«

Eve schaute von Yin zu Hanna und ihre Stimme klang deutlich schärfer, als sie fragte:

»Letztlich sind Sie und Ihr Mann also die Herrscher über diese vermehrungsfähigen Androiden und bald, wenn ihr Mann gestorben ist, sagen wir mal in dreißig, vierzig Jahren spätestens, sind Sie die Alleinherrscherin in dieser Welt.«

Hanna lächelte erneut irritiert.

»Ja, man könnte es so ausdrücken, Eve.«

Es war ein eigenartiges Verhör, das zwischen zwei weiblichen humanoiden Robotern stattfand, und die zuhörenden Menschen waren völlig starr vor Faszination aber auch Erschrecken. Yin dachte immer wieder, wie gezielt Eve die Fragen stellte, die so wichtig waren für die richtige Entscheidung. Schließlich fragte Eve:

»Wir kennen nur Sie, nicht Ihren Mann Paul. Sind Sie sicher, dass auch er nur gute Ziele verfolgt? Können Sie uns überzeugen, dass Sie ihn verlassen würden, wenn er böse wäre oder den Menschen schaden würde, obwohl Sie in einer Symbiose von ihm abhängig sind und immer abhängig sein werden?«

Alle waren schockiert! Das war der alles entscheidende Punkt.

Wer und wie war Paul? Konnte Hanna das überhaupt objektiv beurteilen?

Hanna wirkte für Sekunden unsicher und musste ihre Worte genau überlegen. Sie lächelte Eve an und redete nur mit ihr – dieses Gefühl hatte jedenfalls Yin. Ihr war klar, dass nur Eve diese Hanna durchschauen und ihre Schwachstellen aufdecken konnte.

»Eve, ich weiß, was Sie denken und befürchten. Ich will noch offener sein, als ich es bisher schon war und Ihren menschlichen Freunden beichten, dass ich gestern Abend mit Gewalt Ihre Gefühlsdaten entwendet und Peter übertragen habe. Sie wissen, dass ich sie mir später selbst übertragen lassen wollte, um eine noch bessere Liebhaberin für Paul zu sein.«

Allen im Raum blieb die Luft weg. Auf Rons Stirn bildeten sich Schweißperlen und in Yin stieg heiße Wut hoch. Ihre geliebte Eve war überwältigt, ja direkt vergewaltigt worden durch diesen Datenklau! Sie konnte es nicht glauben, unwillkürlich zuckte ihre Hand zu den versteckten Laserwaffen, die sie nach der Landung gestern noch schnell aus dem Waschraum an sich genommen hatte. Sie hatte sie Ron gezeigt und erklärt. Dieser war nicht nur einverstanden, sondern sogar froh, dass wenigstens ein Mensch sich gegen Androiden verteidigen konnte. Aber Eve, die dieses leichte Zucken registriert hatte, drehte den Kopf zu Yin und lächelte so, dass Yin das »Nein« herauslesen konnte.

Hanna hatte nichts bemerkt, weil sie hoch konzentriert ihre Worte auswählte.

»Ich habe gestern Abend noch Peter getestet, um zu sehen, was diese Gefühlsdaten bei ihm bewirkt, beziehungsweise wie sie ihn verändert haben. Ich war so schockiert, dass ich mich für zwei Handlungsweisen entschieden habe. Erstens: Ich habe ihn vorübergehend deaktiviert und werde später selbst ein ausführliches Gefühlskontrolltraining mit ihm machen. Und zweitens: Ich werde mir selbst vorerst diese Daten nicht übertragen lassen, um die gesamte Situation und eben auch Paul unbeeinflusst von Gefühlen beurteilen zu können. Die Fakten, die ich euch vorgetragen habe, zeigen mir, dass Paul ein guter Mensch mit ethisch einwandfreien Zielen ist. Ich weiß, dass er gerne Androiden mit der Fähigkeit zu fühlen geschaffen hätte und das er ganz besonders darüber glücklich wäre, wenn ich, seine Frau und große Liebe, für ihn Gefühle empfinden könnte.« Sie machte eine Pause, um ihren Worten Nachdruck zu geben.

»Aber Peters Reaktion auf den Datentransfer haben mir klar gemacht, dass so hoch entwickelte Androiden, wie wir es sind, rein intellektuell arbeiten und nicht durch Gefühle, gleich welcher Art, irritiert, beeinflusst und manipulierbar sein sollten. Ich werde mir deshalb diese Gefühlsdaten nicht übertragen lassen, obwohl ich mir nicht sicher bin, ob Paul das auch so sieht, insofern kann ich deine Frage, verehrte Eve, im Moment nicht besser beantworten.«

In der folgenden Pause stand Ron auf und bewegte sich in die Mitte des Salons. Sein Gesicht war versteinert und die Schweißperlen gaben ihm einen unnatürlichen Glanz. Mit leiser, aber ungeheuer dominanter Stimme sagte er:

»Ich habe die Fakten zwar gehört und versucht, sie einzuordnen. Die Frage, seid ihr gut oder böse, ist aber meines Erachtens von Menschen, wie ich einer bin, nicht zu beantworten. Bei mir sind 1 + 1 = 2, und nicht Äpfel und Birnen ergeben Infekt resistente Babys. Ich habe aber ein ausgeprägtes Bauchgefühl und dafür bin ich dankbar. Dieses Bauchgefühl benötigt weniger Informationen als die, die ich erhalten habe, um ganz klar zu entscheiden.

Und dann sagte er den Satz, den Yin befürchtet hatte und den alle irgendwie verstanden:

»Bitte packen Sie Ihre Sachen, Hanna, und verlassen Sie morgen um 10:00 Uhr zusammen mit ihren zwei Begleitern unser Camp. Wir werden die schwangeren Mädchen heute Abend noch fragen, ob sie mit euch fliegen oder hierbleiben wollen. Wir werden sie nicht auffordern zu gehen aber ihnen zu verstehen geben, dass es uns lieber wäre, wenn keine Frauen mit Androiden-Bastarden im Bauch in unserer neuen Heimat bleiben.«

Er wandte sich den anderen zu und wollte sie zum Verlassen des Gästetraktes auffordern. In diesem Moment sagte Hanna Worte, die alle wie ein Schlag trafen:

»Ich habe in Ihre Getränke einen Bakterien-Cocktail gemixt, der in 36 Stunden spätestens zu wirken beginnt. Es handelt sich um eine schnell tödlich verlaufende Infektionskrankheit, die weder hier noch in der alten Welt behandelt werden kann. Nur ich habe das Gegenmedikament. Ich muss es jedem Einzelnen in etwa zwei Stunden injizieren, damit es noch wirkt.«

Ron blieb an der Stelle stehen, an der er vor diesen Worten stand und stützte sich auf den großen Eichentisch. Yin schaute erst ihn, dann Eve an, und Eve schüttelte leicht den Kopf. Sie wusste, dass gegen hochinfektiöse Bakterien weder Laserwaffen noch andere Kampfmethoden wirksam sein können. Hanna war die absolute Herrscherin in dieser Situation und alle mussten ihren Forderungen nachkommen.

17. Kapitel

SARAH UND PETER

Was junge Männer anbelangte, war Sarah mit ihren 19 Jahren unerfahren. Sie hatte sich im Erziehungsheim zwar zweimal für gleichaltrige Jungen interessiert, war ihnen auch ein bisschen nähergekommen, dann aber sofort zurückgeschreckt, als der eine sie küssen wollte und sie deshalb etwas abrupter an sich gezogen hatte. Sofort war die Erinnerung an ihren gewalttätigen Vater in ihr Inneres gestürmt.

Beim anderen hatte sie sogar leichte Verliebtheitsgefühle verspürt ihn dann aber, wegen einer Flasche Bier, Alkohol war im Heim strikt verboten, weit von sich gestoßen, innerlich und äußerlich.

So musste sie sich beim Kennenlernen von Peter eingestehen, dass sie mit 19 Jahren als Jungfrau, sogar, was Küssen und Streicheln anbelangte, dastand. Deshalb ordnete sie ihre Reaktionen auf seine liebevolle, freundliche und vor allem verständnisvolle Art anfangs ihrer Unerfahrenheit zu. Bald aber spürte sie Gefühle, die sie nicht mehr derart abtun konnte. Sie hatte das Bedürfnis, ihm so nah wie möglich zu sein und zu bleiben. Jede auch kurzfristige Trennung war höchst unangenehm für sie. Sie wollte keinen Sex, nur seine Nähe, das Streicheln ihrer Hände, ihres Gesichtes und allmählich auch ihres Körpers. Er ließ sich so wunderbar viel Zeit, fürs Zuhören, Streicheln und später dann auch beim Küssen und Kuscheln. Zum ersten Mal in ihrem Leben spürte sie Geborgenheit und Vertrauen. Als sie dann Sex hatten, betrat sie eine völlig andere, wundervolle Welt. Eine Welt der absoluten Zusammengehörigkeit, ja, auch Abhängigkeit. Dieser Ausdruck war ihr erst in den Sinn gekommen, als Peter ihn erwähnte. Er hatte gesagt:

»Sarah, wir zwei sind zu Einem verschmolzen. Wir werden nicht mehr ohne den anderen glücklich sein können, vielleicht nicht mehr leben können. Wir haben diese Gefühle beide noch nie erlebt und wissen nicht, wie wir damit umgehen sollen. Ich weiß nur, dass ich von dir abhängig bin, wenn du sterben würdest, wäre auch mein Leben beendet.«

Sarah hatte diese Worte anfangs als etwas übertrieben, aber doch wunderschön empfunden. Als sie dann dieses Erlebnis seiner heilenden Hände erfahren durfte und schwanger wurde, hatte auch sie das Gefühl durchflutet, mit ihm in Ewigkeit verbunden zu sein.

Sie war ein eher nüchterner und misstrauischer Mensch, wohl durch ihre Kindheit bedingt und immer wieder stellte sie Peter kleine Fallen, testete seine Zuverlässigkeit, seine Loyalität, aber kein einziges Mal hatte er sie enttäuscht.

Als er ihr dann vor circa drei Wochen erzählt hatte, dass er kein Mensch, sondern ein hoch entwickelter humanoider Roboter sei, glaubte sie zuerst, die Welt stürze zusammen. Sie wusste anfangs nicht, was das für sie und ihr Baby bedeuten könnte, und befürchtete, dass sie kein menschliches Kind, sondern ein Maschinenwesen zur Welt bringen würde. Aber schon in kurzer Zeit konnte Peter sie durch liebevolle Aufklärung beruhigen. Auch die Erzählungen von Yin über ihr langjähriges, glückliches Zusammenleben mit Wulf hatten dazu beigetragen. Alles würde gut werden und durch einen so hoch entwickelten, menschlich aussehenden Androiden wurden auch die anderen Menschen nicht schockiert oder vor den Kopf gestoßen. Und sie selbst liebte Peter so, wie er war, weil ihr sein Wesen und Verhalten um vieles menschlicher erschien als das der echten Menschen, mit denen sie jahrelang unglücklich zusammengelebt hatte. Er erzählte ihr, dass Hanna den Samenspender ihres gemeinsamen Kindes sehr sorgfältig ausgewählt habe und durch die Genoptimierung die Gefahr, an Krankheiten zu sterben, bei ihrem Kind auf ein Minimum reduziert worden wäre. Das beruhigte sie endgültig und löste das Gefühl aus, dass das Glück auf besondere Weise an ihrer Seite stehe. Sie empfand das als Ausgleich, für den Schmerz und die Enttäuschungen, die sie in ihrer Kindheit und Jugend erleben und meistern musste.

Am 12. März bekamen sie völlig überraschend Besuch aus der alten Welt. Peter war von Hanna informiert worden und er erschien ihr unruhig und nervös. Er hatte sie kurz im Labor besucht und gesagt, dass er heute Abend als Kellner für die Gäste fungieren müsse und deshalb erst sehr spät, vielleicht erst in der Nacht, heimkommen würde. Sie wohnten seit ein paar Wochen zusammen. Sarah ließ sich also an diesem Abend im Labor Zeit und wollte gegen 20:00 Uhr heimgehen. Kurz vor 20:00 Uhr stürzte Peter ins Labor, nahm sie am Arm und zerrte sie in einen kleinen Lagerraum, der weder vom Labor noch vom Flur her einsehbar war und wahrscheinlich auch nicht mit Mikrofonen oder Kameras gesichert.

»Sarah, meine Liebe«, flüsterte er, »heute ist etwas völlig Unglaubliches passiert. Unsere Chefin hat die Androidin Eve deaktiviert und mir ihre Gefühlsdaten übertragen. Ich spüre eine unbeschreibliche, wunderbare Veränderung. Meine Liebe zu dir hat sich direkt himmlisch entwickelt. Ich kann es noch nicht in Worte fassen, aber ich fühle auch, dass Gefahr von Hanna droht. Sie will gleich mit mir sprechen. Sarah, wenn ich bis 22:00 Uhr nicht daheim bin, weißt du, dass sie mich wahrscheinlich aus dem Verkehr gezogen hat und ich deaktiviert irgendwo in einem Keller liege.«

Sarah war völlig überrumpelt und musste diese Nachrichten erst verarbeiten. Als Peter dann in dieser Nacht nicht heimkam und sie auch am nächsten Tag nichts von ihm hörte, wusste sie, dass ihr Glück ernsthaft bedroht war. Bedroht durch eine böse Roboterfrau namens Hanna und ihr war klar, dass sie handeln musste. Peter hatte ihr noch am Abend verraten, wie sie Hanna deaktivieren oder sogar eliminieren konnte. Er hatte gemeint:

»Zuerst solltest du sie deaktivieren und dann Sam verständigen. Er ist informiert und mein Freund. Er wird mich suchen, finden und wieder aktivieren und dann können wir in aller Ruhe überlegen, wie wir mit Hanna verfahren. Wir können dann, Tom, Yin oder Eve, zurate ziehen.«

Sarah hatte überlegt, ob sie Yin von diesen Entwicklungen berichten sollte, aber es drängte die Zeit und sie wusste nicht, wo Yin sich aufhielt. Sie musste vorrangig in Erfahrung bringen, wo Hanna sich heute befand und dann zum Kampf antreten. Sie verspürte keine Angst, sondern unbeschreibliche Wut, Hass und die Bereitschaft, bis zum letzten Atemzug für ihr gemeinsames Glück mit Peter zu kämpfen. Auch sie konnte sich an diesem Tag ein Leben ohne ihn nicht mehr vorstellen.

Als sie um 13.00 Uhr ihren Platz im Labor verlassen wollte, erschien Sam. Er ging zu ihr und überreichte ihr eine halbe Pizza mit seinem freundlichen Androiden-Lächeln.

»Eine kleine Stärkung, Sarah, die andere Hälfte habe ich für Peter an einem sicheren Ort warm gestellt.«

Sarah wusste, was er meinte, nämlich, dass er das Versteck vom deaktivierten Freund kannte und sie zum Handeln aufforderte. Bevor er ging, flüsterte er:

»Ab 15:00 Uhr im Gästehaussalon.«

Sarah bedankte sich, nahm die Pizza und ging nach Hause. Um 15:20 Uhr verließ sie ihre Wohnung. Sie hatte die gleiche Kleidung wie am Reisetag an, darüber aber noch den schwarzen Staubmantel gezogen. Die Haare ließ sie offen, weil sie so weiblicher aussah. Sie wusste nicht, wer sie kontrollieren und wie sie in den Gästetrakt kommen würde, aber sie wusste, dass sich dort Hanna und wahrscheinlich Yin und alle andere befanden. Am Körper gut versteckt und doch griffbereit trug sie ihren langen Dolch und das kleine Klappmesser. Die Kontrolle am Gästehaus war dann sehr locker. Sie sagte ruhig und selbstbewusst:

»Ich bin Yins Freundin und soll sie hier treffen.«

Die Antwort des Diensthabenden lautete:

»In Ordnung, gehen Sie gerade aus und dann links durch die große Tür in den Salon.«

Dieser Mann war weder bewaffnet noch trug er eine Uniform. Feinde wurden in diesem Camp nur von außen erwartet, nicht innerhalb des Lagers.

Sarah hatte sich gut vorbereitet. Sie wusste genau, wie sie vorgehen wollte. Sie würde den Salon mit einem entschuldigenden und suchenden Lächeln betreten, und dabei schauen, welche Person neben Hanna stand oder saß. Dann wollte sie zielstrebig auf diese Person zugehen, sodass Hanna denken musste, sie wolle dieser Person neben ihr, etwas Wichtiges sagen. Abgewandt von Hanna, leicht gebückt dieser Person etwas zuflüsternd oder auch stehend, falls die Person stand, würde sie dann völlig unerwartet für Hanna mit der rechten Hand ihren Dolch ziehen. Sie musste sich sehr schnell zu Hanna drehen und ihn in ihr linkes Auge stechen, mit Schwung und bis zum Anschlag, denn dort befand sich der Knopf zur Deaktivierung.

Sie betrat den Salon, lächelte so freundlich und unsicher, wie sie konnte, erkannte, dass Ron neben Hanna saß und völlig bleich aussah. Alle sahen sie starr an und beinahe wäre sie von ihrem Plan abgewichen, weil es so gespenstisch ruhig war. Sie konnte aber nicht zögern und nicht fragen, deshalb schritt sie zielstrebig auf Ron zu, bückte sich an sein Ohr und flüsterte:

»Alles wird gut, keine Angst.«

Gleichzeitig führte sie ihre rechte Hand an den Oberschenkel, zog im Bruchteil einer Sekunde den Dolch aus der Scheide und stieß ihn in das linke Auge der völlig frei, ungeschützt und unvorbereitet dastehenden Hanna. Der Schwung war so stark, dass sie den Anschlag im Inneren der Schädelwand spürte und ein sehr leises Klick-Geräusch hörte. Hanna ging, ohne ein Wort gesprochen oder mit diesem Angriff überhaupt gerechnet zu haben, zu Boden. Alle stießen einen Schrei des Entsetzens aus. Sarah drehte sich zu Yin, die neben Ron saß und sagte:

»Tut mir leid, ich musste sie ausschalten. Sie hat Peter deaktiviert und versteckt. Wir müssen ihn finden, aktivieren und überlegen, was wir mit ihr machen.«

Yin brauchte Minuten, um sich zu fangen.

»Ist sie völlig zerstört oder kann sie wieder aktiviert werden?«

»Peter hat beteuert, dass sie durch diesen gezielten Stoß, der normalerweise durch einen längeren Spezialschraubenzieher ausgeführt wird, nur deaktiviert ist und sowohl er als auch Sam sie wieder aktivieren können.«

Alle entspannten sich sichtbar und erklärten Sarah schnell die Vorgeschichte. Dann zeigte Sam ihnen das Versteck von Peter und es gelang ihm, seinen Freund in sechs Minuten zu aktivieren. Peter war sofort hellwach und funktionsbereit. Als Erstes küsste er Sarah und ließ sich von Sam dann den Vorfall mit der Bakterieninfizierung der Menschen berichten. Eve fragte:

»Weißt du, wo sie das Gegenmittel versteckt hat? Alle Menschen müssen innerhalb von zwei Stunden die Gegeninjektion bekommen.«

Peter erschrak sichtbar. Mit dieser skrupellosen Geiselnahme hatte er offensichtlich nicht gerechnet.

»Sie kann das Gegenmittel nur im Labor versteckt haben, ich werde es finden, so viele Plätze gibt es dort nicht.« Sie ließen Hanna im Salon liegen. Sarah wollte sie unbedingt bewachen, weil sie befürchtete, dass sich diese so hoch entwickelte Androidin selbstständig aktivieren könnte. Die anderen eilten ins Labor und kehrten kurze Zeit später mit dem Gegenmittel zurück. Peter verabreichte nun jedem der anwesenden Menschen eine Injektion, und alle hofften, dass die Menge ausreichend war. Erfreulicherweise hatte Hanna die Flüssigkeit schon in Fertiginjektionen im Kühlfach deponiert. Wie immer hatte sie alles perfekt geplant und vorbereitet.

Sarah hatte inzwischen ihre Angst bezüglich der deaktivierten Hanna überwunden und wartete entspannter auf die Entscheidung ihrer Freunde. Diese diskutierten das weitere Vorgehen und einigte sich dann auf eine vorläufige Lösung. Hanna wurde in einem sicheren Raum eingesperrt und der Zeitpunkt einer endgültigen Eliminierung herausgeschoben. Im Moment gab es keinen Grund, überhastete Aktionen durchzuführen. Sie konnten zumindest eine Nacht schlafen, sich vom Schreck erholen und am nächsten Tag noch einmal mit Abstand und ruhiger überlegen. Vor allem mussten sie wissen, was sie wollten: Ein Camp ohne Androiden oder nur ohne Hanna.

Als Sarah und Peter endlich allein in ihrer Wohnung waren, kuschelten sie sich ins Bett und versuchten, zur Ruhe zu kommen. Sarah hörte ihren schnellen Puls in beiden Ohren rauschen. Sie schaute in Peters Augen und fühlte sich allmählich wieder geborgen. Sie dachte an das gemeinsame Kind, das in ihrem Bauch heranwuchs. Wenn Peter das Camp verlassen musste, würde sie natürlich mitgehen und immer an seiner Seite bleiben. Gemeinsam würden sie schon einen Weg finden, um sich und ihr Kind durchzubringen, egal, ob in dieser neuen Welt oder in der alten. Sie fragte:

»Was hast du eigentlich zu Hanna gesagt, dass sie dich dann deaktiviert hat?«

»Sie hat mich einiges gefragt, aber ich glaube, meine Antwort auf diese besondere Frage hat den Ausschlag gegeben. Ich hätte lügen sollen, das war mir sofort klar. Aber ich habe Probleme, zu lügen. Ich weiß gar nicht, ob ich es überhaupt lernen will. Denn wenn man lügt, muss man das schon gut können, was wiederum ein Training voraussetzt. Und dieses müsste ich ja mit dir machen.«

Sarah musste lachen.

»Ja, das wäre fatal. Erst trainiere ich dich und bilde dich zum perfekten Lügner aus und dann, eines Tages, belügst du mich viel besser als jeder Mensch es könnte.«

Peter nickte weil wusste, dass sie recht hatte.

»Also, diese Frage lautete: ‚Wenn du dich zwischen Sarah und mir beziehungsweise Paul entscheiden, wenn du uns also für immer verlassen müsstest, um mit Sarah zusammenzuleben, für wen würdest du dich entscheiden?‘ Ich wollte in dem Moment auch nicht lügen, weil sie das sowieso gemerkt hätte. Deswegen habe ich geantwortet: ‚Eindeutig für Sarah.‘ Und ihre Folgefrage lautete dann: ‚Würdest du mich deaktivieren, um mit Sarah leben zu können?‘ Ich habe mit der Antwort zwar etwas gezögert, schließlich aber klar und deutlich gesagt: ‚Ja!‘ Kurze Zeit später hat sie mich wohl deaktiviert, jedenfalls habe ich eine Erinnerungslücke von fast 20 Stunden.«

Sarah drückte ihn fest an sich und Tränen rannen über ihre Wangen. Sie konnte sich gar nicht erinnern, wann sie das letzte Mal so geweint hatte. Vielleicht hatte sie aber auch noch nie so geweint, denn es waren Tränen des Glücks und der Erleichterung.

Tränen der Trauer sparen wir uns für viel später auf, dachte sie sich, und schlief in Peters Armen ein.

18. Kapitel

SCHWERE ENTSCHEIDUNG

In den nächsten zwei Tagen mussten die Menschen und die Androiden die Situation und Fakten überdenken und besprechen. Ron hatte zuerst nur ein Gespräch mit Yin geführt, das im wenig weiterhalf. Er war letztlich der Mensch, der weitreichende Entscheidungen treffen musste. In seinem Hinterkopf bohrte die Tatsache, dass er völlig blauäugig und aufgrund mangelnder Recherche von Hanna und ihren zwei Begleitern getäuscht worden war. Er hatte die Möglichkeit, dass so hoch entwickelte Androiden sein Camp als Experimentierfeld benutzen und sich heimlich einschleichen könnten, überhaupt nicht in Erwägung gezogen. Das warf er sich vor. Und dass er dadurch letztlich das gesamte Projekt und alle Menschen gefährdet hatte, denn diese Bakterien-Cocktails hätte Hanna über Sam in der Küche ohne Probleme an alle Einwohner verteilen können. Innerhalb kürzester Zeit wären alle Menschen an einer Epidemie gestorben und sie hätte dieses Camp übernehmen und mit neuen Bewohnern, von ihr persönlich ausgesucht, besiedeln können. Dieser Gedanke belastete ihn sehr und so zog er sich zurück und verfiel in einen depressiven

Zustand des Grübelns. Yin gelang es nicht, an ihn heranzukommen.

Dann aber überschlugen sich erneut die Ereignisse. Schon am nächsten Morgen stand Sarah vor der Tür. Sie bat Ron um ein Gespräch und erläuterte ihm ihre persönliche Situation:

»Du weißt, Ron, dass ich eine schwere Kindheit hatte und mit Männern nur wenig oder schlechte Erfahrungen. In Peter habe ich nun, wenn man es so banal sagen will, den Mann meines Lebens gefunden. Und dummerweise ist er ein Androide. »Dummerweise« in den Augen anderer Menschen und wohl auch in deinen. Ich bitte dich deshalb nur, versuche die Situation mit meinen Augen zu sehen. Ich bin eine werdende Mutter, die das Beste für ihr Kind und die kleine Familie will, in der es leben soll. Klar ist, dass es hier schöner, sicherer und gesünder ist als in der alten Welt.«

Ron umarmte sie liebevoll.

»Ich werde deine Situation immer im Auge behalten, Sarah, glaub mir das!«

Etwa 30 Minuten später erschien Peter und bat auch um ein Gespräch. Er hatte noch nie allein mit Ron gesprochen und Ron hatte noch nie wissentlich mit einem Androiden unter vier Augen ein Gespräch geführt. Das Bewerbungsgespräch mit Hanna damals zählte nicht, denn er hatte sie als menschliche Frau eingeordnet. Nun aber war klar, dass er mit einem männlichen humanoiden Roboter sprach, der zu allem Überfluss Vater des Ungeborenen von Sarah war und ihm und seinen engsten Freunden das Leben gerettet hatte.

Peter schaute ihn freundlich, aber ernst, an.

»Vorneweg möchte ich dich und alle anderen beruhigen, Ron.

Ich habe im Labor Unterlagen über diese Bakterienart gefunden. Das Gegenmittel kann bis zu 24 Stunden gegeben werden, und wenn nicht, kann der Verlauf dieser Krankheit bei circa 30 Prozent der Infizierten tödlich sein. Also alle Menschen, die infiziert waren, sind jetzt nicht mehr gefährdet.«

Nach einer kleinen Pause fuhr er fort:

»Nun zu mir und Sarah. Ich weiß von ihr, dass du, Ron, kein Freund von humanoiden Robotern im Allgemeinen bist und bisher keinerlei Erfahrungen mit ihnen sammeln konntest. Nun hast du die Bekanntschaft mit uns Androiden unter sehr schlechten Vorzeichen gemacht, nämlich gewaltsamem Datenklau und erpresserischer Geiselnahme sowie Morddrohungen. Ich verstehe, was ungefähr in dir vorgeht, aber ich versuche trotzdem, dir die positiven Aspekte eines Zusammenlebens mit Androiden nahezubringen.

Humanoide Roboter werden von Menschen programmiert und sind deshalb so gut oder schlecht wie ihr Schöpfer. Dieser muss bei der Programmierung entscheiden, welche Weichen er stellt. In unserem Fall, also bei Sam und mir, hat er sich für eine sehr positive Grundhaltung Menschen gegenüber entschieden. Wir sollen junge Frauen lieben, glücklich machen und Kinder mit ihnen zeugen. Kinder, die genmanipuliert besonders resistent gegen Infekte und immun gegen erblich bedingte Krankheiten sind. Um das Gelingen dieser positiven Programmierung und medizinischen Ausstattung zu testen, war diese neue, kleine Welt der ideale, geschlossene Raum. Hanna musste uns heimlich einschleusen, das war allen klar, denn du hättest niemals zugestimmt, wenn sie mit offenen Karten gespielt hätte. Dass sie nun beim Auffliegen und Scheitern ihrer Mission so negativ, ja geradezu kriminell reagiert hat, ist auch für uns überraschend. Sam ist nicht eingeweiht worden und ich hatte sowieso keine Ahnung. Auch hoch entwickelte künstliche Intelligenzen können Fehlverhalten an den Tag legen, mit dem niemand gerechnet hat, auch nicht ihre Programmierer. Aber man kann sie umprogrammieren, und zwar sehr einfach. Das heißt, Paul, ihr Mann und Erschaffer, kann sie wieder ‚zur Räson‘ bringen. Deshalb möchte ich dich bitten, folgende Vorgehensweise zu überdenken:

Erstens: Hanna in deaktiviertem Zustand an Paul zurückzugeben mit einem detaillierten Bericht ihres Fehlverhaltens, bezeugt von allen Beteiligten.

Zweitens: Sie zurückgeben im Austausch gegen uns beide, Sam und mich. Wir sind sehr teure Roboter und er wird nicht ohne Weiteres auf uns verzichten wollen, aber im Austausch gegen Hanna wäre er wohl bereit, uns hier bei euch zu lassen. Wir haben nichts Böses getan und unser Lebensmittelpunkt ist hier bei unseren Frauen und Kindern. Wir können dieses erfolgversprechende Experiment weiterführen, auch ohne Hanna. Profitieren würden unsere Frauen, Kinder und letztlich alle Menschen in diesem Lager, vor allem auf lange Sicht.«

Ron schaute diesen gut aussehenden, jungen Mann an und dachte: ‘Er könnte mein jüngerer Bruder sein.‘

Laut sagte er:

»Peter, ich werde deine Ausführung überdenken und mit den anderen besprechen. Morgen um 10:00 Uhr bekommst du Bescheid.«

Nachdem sich Peter verabschiedet hatte, versuchte Ron sich zu entspannen und sich Peters Bitte und ihre Begründung durch den Kopf gehen lassen, als Yin seinen Arbeitsraum erneut betrat.

»Jetzt ist auch noch Sam hier und möchte mit dir reden. Schaffst du das oder soll ich ihn auf morgen vertrösten?«

»Nein, bring ihn herein, jetzt bin ich schon darin geübt, weichen Stimmen und wohlgesetzten Worten von humanoiden Robotern zu lauschen.«

Sam wirkte jünger, lockerer und vor allem etwas unreifer als Peter.

»Hallo Ron, entschuldigen Sie die Belästigung. Ich weiß, dass Peter auch schon hier war, und da habe ich mir gedacht, Sie sollten auch mich und meine Sichtweise auf die Dinge kennenlernen. Kann ich loslegen oder soll ich morgen vorbeischauen?«

»Nein, leg los, Sam. Setz dich dort auf den Sessel, den hat Peter schon eingesessen.«

Sam lachte.

»Ja, ich kann mir vorstellen, dass Sie die Nase voll von uns Androiden haben. Aber dieses Verhalten von Hanna ist wirklich die Ausnahme und natürlich voll daneben. Wir sind nicht so, wir lieben die Menschen, ja, wir brauchen sie, um unsere Fähigkeiten zu entfalten und um den Sinn unseres Daseins überhaupt leben zu können. Natürlich hängt das damit zusammen, dass wir von Menschen und für Menschen programmiert worden sind. Schauen Sie mich an, ich strotze vor Männlichkeit und Charme. Ich hatte ein vorrangiges Programmierziel, nämlich, junge Frauen zu umgarnen und zu schwängern. Dieses Ziel habe ich mit Schwung und Freude verfolgt und das Ergebnis kann sich sehen lassen.«

Er machte eine kleine Pause.

»Aber, das ist nur der erste Akt in dieser Geschichte gewesen. Wir lernen jeden Tag, ja, jede Stunde, mit den Menschen zusammen etwas Neues dazu und wir entwickeln uns mit diesen Menschen in rasanter Geschwindigkeit weiter. Bei mir ist mit sechs schwangeren Frauen eine Entwicklung eingetreten, die zwar wunderschön für mich ist, aber nur, wenn alles gut und programmgemäß verläuft. Das heißt, wenn wir alle Sieben und später 13 hier in dieser schönen, neuen Welt geborgen und sicher leben können. Wenn die Frauen friedlich zusammen ihre gesunden Kinder großziehen und ich alle liebevoll betreuen kann. Von der Grundprogrammierung her bin ich ein Kinderpflegeroboter, der später als Sex- und Genetik-assistent etwas aufgepeppt worden ist.« Er machte eine Pause, und sein Gesichtsausdruck verlor das Lächeln als er fortfuhr:

»Aber, nun ist alles ganz anders verlaufen als geplant. Und Ron, glauben Sie mir, das hat mich massiv verändert. Ich trage für zwölf Menschen eine gewaltige Verantwortung und wenn ich diese mir lieben, vertrauten Frauen und später noch ihre süßen Kinder in der alten, hässlichen und gefährlichen Welt beschützen, ernähren und fördern soll, ja, da wird mir, mit menschlichen Worten gesprochen, Angst und Bange. Ich bin allein überfordert, auch wenn Peter ja an unserer Seite bleibt. Wir Androiden brauchen ein geschütztes, sicheres Umfeld mit Menschen, die Ansprechpartner und Freunde sind. Außer, wir sind Kampfroboter, dann ist es aber unsere Aufgabe, das Umfeld zu beschützen und sicher zu machen für unsere Menschen.«

Wie er so sprach, mit einer faszinierenden Offenheit und echter Besorgnis, konnte Ron nicht anders, als ihn zu lieben. Ja, das Wort passte, er war so liebenswert wie der kleine Bruder jeden Mannes.

»Beruhige dich, Sam, wir werden eine gute Lösung für dich und deine riesige Familie finden.«

Und er stand auf und umarmte den »kleinen Bruder«, der im Stehen mindestens zehn Zentimeter größer als er selbst war.

Nach diesen, für Ron wertvollen und aufschlussreichen Gesprächen mit Androiden, musste er sich erneut sammeln und zur Ruhe kommen. Eines muss man ihnen lassen, sie sind absolut überzeugend in ihrer Art zu reden und die Fakten logisch zu begründen oder zu erläutern, dachte er. Allerdings würde ich es auch nicht merken, wenn sie die Fakten einfach verändern, also lügen. Er entschloss sich ihnen zu vertrauen, auch wenn er die Möglichkeit nicht ausschließen konnte, dass sie eine ‚sanfte Übernahme‘ dieses Lagers geplant hatten, denn diese konnten sie auch ohne Hanna durchführen.

Am Abend hatte Yin ihre Gäste zum Essen eingeladen. Patrick und Selina sahen erschöpft und angespannt aus. Auch wenn Yin ihnen sofort nach Peters Verabschiedung mitgeteilt hatte, dass keinerlei Gefahr mehr vonseiten der Infektion bestand, saß ihnen der Schrecken noch in den Knochen. Patrick sagte:

»Unabhängig von diesem schrecklichen Einsatz biologischer Waffen wissen wir nicht, was wir unserem Arbeitgeber Paul erzählen sollen. Wahrscheinlich wird er uns so oder so kündigen.«

Ron antwortete:

»Ihr werdet sicher wieder Arbeit finden und wahrscheinlich wirst du eines Tages sowieso die Firma deiner Mutter übernehmen. Aber auch in einem fremden Robotik-Labor, von denen es ja mehrere in eurer Stadt gibt, könnt ihr wieder tätig werden.

»Ich möchte euch informieren, dass Peter und Sam mich aufgesucht und mir die Situation aus ihrer Sicht erklärt haben. Ihre Ausführungen haben mir imponiert und deshalb stelle ich folgendes Vorgehen zur Diskussion: Wir könnten Hanna gut verpackt in die nächste Stadt fliegen und ein Telefongespräch mit Paul führen. Ich würde ihm die Vorfälle berichten und schriftliche Aussagen aller Beteiligten als Zeugen ankündigen. Dann würde ich im Austausch gegen Hanna die Freigabe der beiden männlichen Androiden, also Peter und Sam, verlangen und mit ihnen eine Probezeit unter verschiedenen Bedingungen aushandeln. Wichtig ist nur, dass Paul und Hanna keinen Zugriff mehr auf die beiden haben oder irgendwelche Ansprüche stellen können. Wenn Paul einverstanden ist, nehmt ihr Hanna, natürlich im deaktivierten Zustand, mit nach Hause und übergebt sie, wenn er euch die Überlassungsdokumente von Peter und Sam unterschrieben hat. Was haltet ihr von diesem Vorschlag?«

Patrick und Selina schwiegen und schauten auf den Boden. Beide hatten eine undefinierbare Angst vor Paul, aber besonders vor der aktivierten Hanna. Niemand konnte kontrollieren, ob Paul ihre Programmierung änderte und wer in dieser symbiotischen Beziehung weiterhin das Sagen hatte. Wenn es Hanna war, dann war das Leben von Patrick, Selina, aber auch ihrer ganzen Familie, gefährdet. Deshalb antwortete Patrick:

»Ron, ich weiß, dass du dich nie mit künstlicher Intelligenz und der damit verbundenen Problematik befassen wolltest. Aber man kann sich dieser Entwicklung nicht entziehen, auch nicht, wenn man an das Ende der Welt flüchtet und dort versucht, ein kleines Paradies ohne Roboter zu erschaffen.«

Nach einer längeren Pause, in der er überlegen musste, wie er Ron seine Vorstellungen präsentieren wollte, redete er weiter.

»Es war uns IT-Spezialisten immer klar, dass eines Tages gefährliche Androiden entstehen können, einerseits durch bewusstes oder fehlerhaftes Programmieren, andrerseits auch durch unerwartete Software- beziehungsweise Update-Fehler. Hanna ist nun das erste uns bekannte Beispiel. Gefährlich konnte sie aber nur werden, weil sie ohne ihren Programmierer weit weg sich allein überlassen war und in einer unerwarteten Konfliktsituation durchaus angemessen, gemäß ihrer Software, gehandelt hat. Hätte sie mit ihrem Programmierer Kontakt aufnehmen können oder auch nur mit einer vertrauten menschlichen Bezugsperson, wären die Dinge wahrscheinlich anders gelaufen, außer, ihr Programmierer wäre kriminell und gewaltbereit.«

Ron schaute ihn erstaunt an.

»Was willst du uns genau sagen, Patrick?«

»Also, ich will sagen, dass dieses Risiko wieder besteht, wenn Peter und Sam hier ganz allein, ohne menschliche Vertrauensperson oder Programmierer leben.«

Alle waren erstaunt und beunruhigt.

»Selina und ich haben die Situation ausführlich besprochen. Wenn du einverstanden bist, Ron   würden wir unsere Heimat verlassen und uns hier als IT-Spezialisten um das neue Labor und die zwei Androiden kümmern. Genetisches Fachwissen könnten wir uns auch aneignen, wegen möglicherweise auftretender Probleme bei den neuen Kindern. Allerdings betreten wir und jeder Mensch diesbezüglich Neuland. Eure Ärzte haben uns das auch bestätigt.«

Am Ende dieses Abends war Ron nicht in der Lage, eine Entscheidung zu treffen. Er musste sich noch mal allein und in aller Ruhe mit Yin besprechen. Als einziger Mensch hatte sie jahrelange Erfahrungen mit Androiden in engster Vertrautheit und Nähe sammeln können.

Sie kuschelten sich im Bett eng zusammen und gaben sich gegenseitig eine Stärke, die sich nur liebende Menschen geben können.

»Yin«, fing Ron schließlich an, »bist du nach allem, was du erlebt und gehört hast, bereit, zusammen mit mir dieses Risiko einzugehen?«

»Ja, das bin ich. Wir sind jung und flexibel und leben sowieso in einer neuen Welt. Und es gibt ein uraltes Sprichwort: ‚Wer nichts wagt, der nichts gewinnt.' Das haben die Menschen   also schon immer gewusst, dass es ohne Risiko keine Weiterentwicklung gibt.«

Ron küsste sie und dachte, dass Frauen manchmal Entscheidungen viel leichter treffen konnten als Männer und wenn sie schließlich nur ein uraltes Sprichwort aus dem Ärmel zogen.

19. Kapitel

DIE FEHLPROGRAMMIERUNG

Paul war seit Tagen unruhig und besorgt. Er hatte erfahren, dass der Chef des Camps und seine Frau in der nahe gelegenen Stadt Lagerbestände eingekauft hatten und schnell wieder zurückgeflogen waren. Eigentlich hatten er und Hanna vereinbart, dass sie sich telefonisch bei ihm melden und über die Fortschritte ihrer Mission berichten sollte, sobald das möglich war. Und dass sie dieses Ehepaar nicht begleitet und ihn angerufen hatte, wertete er als schlechtes Zeichen. Er war deshalb auf einen unangenehmen Anruf eingestellt, von Menschen, die ihm über Probleme mit Hanna berichten würden. Er machte sich Vorwürfe, sie völlig allein in die Wildnis geschickt zu haben, ohne ausreichende und langjährige Erfahrung im Umgang mit Menschen zu besitzen.

Als er dann den Anruf von Ron erhielt, war er auf das Schlimmste gefasst. Er ging davon aus, dass sie Hanna in Notwehr oder als Spionin deaktiviert, vielleicht sogar vernichtet hatten. Rons Ausführungen erleichterten ihn dann eher, als dass sie ihn schockierten. Hanna war nur deaktiviert worden, das war die Hauptsache. Er würde sie bald wieder bei sich in seinen Armen halten und in ihre wunderbaren, kühlen Augen blicken. Auf die zwei männlichen Androiden konnte er leicht verzichten, er würde zusammen mit Hanna wieder neue, hoch spezialisierte Roboter bauen, das war in seinen Augen das geringste Problem. Deshalb sagte er zu Ron:

»Ron, es tut mir unendlich leid, dass Hanna sich so schlecht, ja direkt kriminell benommen hat. Ich werde sie sofort nach ihrer Ankunft von Grund auf umprogrammieren. Ich habe sie offensichtlich zu schnell sich selbst überlassen. Ich wusste gar nicht, dass sie sich bei dem Vorstellungsgespräch nicht als humanoider Roboter zu erkennen gegeben hat. Sie kann also auch perfekt lügen und betrügen, nicht nur Sie, Ron, sondern auch mich. Glauben Sie mir, ich dachte, Sie haben Sie als IT-Androidin eingestellt und Peter auch. Sam ist ja ein Alleskönner und in einer neuen Welt an vielen Stellen einsetzbar. Selbstverständlich können Sie beide männlichen Androiden behalten und ich unterschreibe jeden Vertrag, den Sie aufgesetzt haben. Wann kann ich mit Hannas Rückführung rechnen?«

Ron wirkte erstaunt, als Paul sich so entschuldigte und vorgab, von Hannas heimlicher Unterwanderung der neuen Welt nichts gewusst zu haben. Er tat so, als ob er ihm glaube, und kündigte Hannas Heimkehr für den nächsten Tag an.

Als Hanna ihre Augen öffnete, sah sie in das vertraute Gesicht von Paul.

Er ist in den letzten Monaten wieder älter geworden, dachte sie.

»Schön, dich wiederzusehen, Paul, ich war wohl deaktiviert. Hast du irgendetwas an mir umprogrammiert?«

»Nein, ich weiß, dass du das nicht gewollt hättest, und ich liebe dich so, wie du bist, nämlich kalt, berechnend und zielstrebig. Dass du allerdings so skrupellos bist, hätte ich nicht gedacht.«

Sie lauschte seinem leisen, verschämten Lachen.

Hanna sah an seinen Augen, dass sie nackt auf der Couch lag. Offensichtlich hatte er sie ausgezogen. Immer wieder glitten seine Augen über ihren Körper und verharrten unterhalb der Taille. Sie hatte kein Problem damit, seine Bedürfnisse zu befriedigen. Langsam und auffordernd bewegte sie ihren Körper und zeigte ihm, was er sehen wollte. Dann zog sie ihn näher an sich heran und öffnete seine Hose.

Nach ein paar Minuten ließ er sich befriedigt und erschöpft, schwer auf ihren Körper fallen. Sie ließ ihn etwas ausruhen, dann bewegte sie leicht ihr linkes Knie und er wusste, was er zu tun hatte. Er stand auf, zog seine Hose hoch und nahm aus der bereitgestellten, kleinen Schüssel mit lauwarmem Wasser einen Frotteelappen, den er kräftig ausdrückte, sodass er nur noch feucht war. Dann wischte er die Spuren, die er an und in ihr hinterlassen hatte, vorsichtig weg. Mehrmals wiederholte er diesen Vorgang, immer sanft und freundlich lächelnd. Zum Schluss trocknete er sie ab und desinfizierte ihren Körper mit einer milden Alkohollösung. Dann zog er ihr einen neuen Spitzenslip an.

»Was willst du anziehen, deinen Hausanzug oder den Laborkittel? Du wirst in den nächsten Wochen das Haus nicht verlassen können, wir müssen abwarten, was auf uns zukommt nach diesen Vorfällen im Camp.«

Sie antwortete mit ruhiger Stimme:

»Die Laborkleidung, ich fange sofort mit dem Bau neuer Androiden an. Dieses Mal werden wir die modernsten, menschenähnlichsten Kampfroboter bauen, die es je gegeben hat. Wenn eine friedliche Übernahme dieser Region nicht möglich ist, müssen wir eine aggressive durchführen und das ist sehr leicht, wie ich festgestellt habe. Sie sind nur mit veralteten, konservativen Waffen ausgerüstet. Wir werden unser Experiment nicht wegen einer kleinen verliebten Kämpferin und ein paar idealistischer Träumern aufgeben. Diese sechs Kinder, die bald zur Welt kommen, sind unsere Kinder, unser Projekt und Vermächtnis an die Welt. Wir müssen sie betreuen, beobachten und gegebenenfalls modifizieren. Das ist nur möglich, wenn ich vor Ort bin. Außerdem ist dieses Camp ein wundervolles Paradies im Vergleich zu dieser Welt hier, in der wir wie auf einem sinkenden Schiff leben.«

Und nach einer Pause fuhr sie fort:

»Und noch etwas, Paul. Wir brauchen diese eigenen Kampfroboter, um unsere neue Heimat nach der Annexion zu beschützen. Diese Welt hier ist dem Untergang geweiht und eines Tages werden die Menschen in andere fruchtbare Gebiete fliehen und wir müssen sie abwehren. Das hat es in der Geschichte der Menschheit schon so oft gegeben, auch erst in neuester Zeit. Also unterstütze mich und behindere nicht meine Pläne.«

Ihr Unterton wurde leicht drohend, aber er hätte sie sowieso gewähren lassen und würde ihr folgen bis zum bitteren Ende. Er war der Samenspender dieser Kinder und sie hatte seine Spermien genoptimiert. Deshalb waren es seine Nachkommen, die sie nicht im Stich lassen konnten.

Sie hatten damals alle Möglichkeiten durchgespielt und sich gegen das Klonen von einem Kind entschieden. Zwar waren die Ergebnisse inzwischen sehr hoffnungsvoll, aber immer wieder gab es Pannen und unvorhersehbare Probleme. Diese Methode der Fortpflanzung, für die sie sich nun entschieden hatten, war sicherer und vom Ergebnis natürlicher, menschenähnlicher, ja, einfach schöpferischer: Viele verschiedene Mütter kümmerten sich liebevoll um ihre einzigartigen, eigenen Kinder, die ihnen oft wahrscheinlich ähnlich sahen. Und ein Kinderpflege-Androide mit Charme und den Fähigkeiten, Verantwortung zu übernehmen, half ihnen dabei. Er, Paul der Samenspender, konnte im Hintergrund ihre Entwicklung beobachten und fördern. Und all das wollten sie hautnah miterleben und vor Ort genießen können. Deshalb war klar, dass diese Enklave erst eingenommen und dann geschützt werden musste.

Trotzdem erschrak er, als er in Hannas Stimme die gefährliche Aggressivität heraushörte. Er wusste, dass er sie hätte umprogrammieren sollen, aber er wusste auch, dass er das einfach nicht konnte. Er hatte sie genauso geschaffen, wie er sie wollte und brauchte, stark, dominant, kämpferisch, eine perfekte Domina. Er war ein devoter Mann und wurde nur durch diese Art von Frau angemacht und befriedigt. Mehrere Therapieversuche in jüngeren Jahren waren gescheitert, aber durch Hanna war er nun nicht mehr auf eine menschliche Domina angewiesen.

Er reichte ihr die Kleidung, die sie anzog, und nach einem kurzen Nicken verschwand sie im Labor. Er blieb zurück wie ein geschlagener Hund und gestand sich ein, dass der Programmierfehler seit frühester Jugend bei ihm selbst bestand. Hanna war nur die Folge seiner eigenen Fehlentwicklung und Perversion. Langsam ging er in die Küche, machte sich einen Tee und aß sein Fertigessen.

3. TEIL

DIE NEUE ANDROIDEN-GENERATION
STREBT NACH DER MACHT

20. Kapitel

TAGEBUCHEINTRAG VON YIN AM 12.09.2096

Ich kann erst heute wieder in mein Tagebuch schreiben, weil ich vorher von den vielen neuen Erlebnissen überrollt wurde, und keine Zeit fand, in mich zu gehen. Als Hanna damals vor fünf Monaten an Paul zurückgegeben worden war, dachten alle, dass wir nun das Schlimmste überstanden hätten und uns dem Ausbau unserer kleinen, heilen Welt widmen könnten. Drei Wochen später trafen Patrick und Selina in Begleitung von Eve und Tom ein. Das war ein wundervoller Moment für mich, als ich Tom nach so vielen Monaten wieder umarmen und in seinem vertrauten Androiden-Gesicht das gewohnte Lächeln sehen konnte. Ich dachte wehmutsvoll an Wulf und wünschte, er wäre auch mitgekommen, aber mir war klar, dass er das niemals machen würde. Wir müssten ihn schon um Hilfe bitten, damit er als Kampf- oder Polizeiroboter in Aktion treten könnte. Aber einen Freundschaftsbesuch, einfach so, nachdem ich ihn verlassen und verletzt hatte, das würde für ihn nicht infrage kommen. Doch in diesem Moment kam mir die Möglichkeit, ihn als Kämpfer und Beschützer wiederzusehen, gar nicht in den Sinn.

Wir zeigten Tom in den nächsten Tagen unser Camp und erzählten ihm ausführlich von Hannas Vergehen. Er redete längere Zeit mit Peter und Sam. Bevor er mit Eve zurückflog, bat er uns um ein Gespräch. Wie immer hielt er einen kleinen Vortrag:

»Yin und Ron, ihr wunderschönes Paar, ich freue mich, dass ihr euch gefunden habt und hier in dieser friedlichen, gesunden Oase glücklich mit eurem Sohn leben könnt. Ich muss euch aber zu bedenken geben, dass ihr völlig ungeschützt und unvorsichtig dieses Areal bewohnt. Wenn ein Angriff von bewaffneten Menschen oder Androiden erfolgt, habt ihr praktisch keine Chance. Gut ist natürlich, dass ihr sehr weit von unseren zivilisierten Städten lebt und nur wenige Menschen über Fluggleiter verfügen, die so lange Strecken zurücklegen können. Trotzdem glaube ich, dass über kurz oder lang Gefahr von Hanna droht, sie wird sich nicht so einfach zurückziehen. Ich habe über Peter und Sam zahlreiche Informationen erhalten, die mir zeigen, dass sie in dieser Symbiose mit Paul die Hosen anhat und er das tut, was sie will. Und sie will ihr Projekt in dieser kleinen Enklave weiterverfolgen und ihre Kinder betreuen. Paul ist, soweit ich das beurteilen kann, der Samenspender und deshalb werden sie nichts unternehmen, was das Leben dieser Kinder gefährdet. Aber sie werden versuchen, die Macht über dieses Camp zu gewinnen. Entweder wenden sie Gewalt an, zum Beispiel durch Kampfandroiden oder sie erpressen euch, zum Beispiel durch den Einsatz biologischer Waffen, die sie in irgendeiner Form einschleusen.«

Wir waren von seinen Ausführungen überrascht. Ich fragte:

»Was rätst du uns, wie können wir uns schützen?«

»Tja, das ist die Frage. Mit einer gut aufgestellten Flugabwehr, also mit Raketen, die Flugzeuge in einem bestimmten Umkreis abschießen, wärt ihr vor Luftangriffen sicher. Wenn sie allerdings irgendwo landen und dann mit Kampffahrzeugen am Boden angreifen, habt ihr keine Chance. Das Lager liegt völlig frei und ungeschützt, sodass es von allen Seiten gleichzeitig angegriffen werden kann. Ich werde die Situation mit Wulf besprechen, vielleicht fällt ihm eine praktikable Lösung ein.«

Nachdem sich Tom und Eve verabschiedet hatten und zurückgeflogen waren, musste Ron sich wieder tagelang um verschiedene Baustellen kümmern und die Arbeiten dort beaufsichtigen. Die Fortschritte im Versorgungszustand des Camps mit Wasser und Strom waren inzwischen sehr gut. Es wurden auch mehrere Wohnhäuser gebaut, weil in der Nähe Kalksandstein aus einem Gebirgszug abgebaut werden konnte. Aber die verschlechterte Sicherheitslage machte Ron und mir große Sorgen. Was nützten die Fortschritte, wenn eine skrupellose Androidin eine feindliche Übernahme plante und durchführen würde? Wir hatten ungefähr ein Jahr Zeit Abwehrmaßnahmen zu konzipieren und zu installieren. Tom hatte gemeint, dass Hanna in circa eineinhalb Jahren genügend hoch spezialisierte Kampfroboter bauen und mit entsprechenden Waffensystemen ausrüsten könnte. Für die Errichtung von Flugabwehrstationen und Drohnenüberwachungsanlagen würden man nicht länger als ein Vierteljahr benötigen. Es müssten wahrscheinlich immer zehn Kampfroboter anwesend sein, um die Verteidigungsanlage zu bedienen.

Um diese zehn Kampfandroiden ging es im Endeffekt. Ron wollte ja in seinem Camp ohne Roboter, vor allem Polizei- oder andere martialisch aussehende Androiden leben. Peter und Sam sahen so menschlich aus, dass er leicht von seinen Prinzipien abrücken konnte. Ich hatte versucht, ihm zu erklären, dass das Aussehen nur eine Äußerlichkeit sei und mit dem Wesen und Charakter der Androiden nicht das Geringste zu tun habe. Er sah das auch ein, konnte aber nicht über den Schatten seiner Vorurteile springen. Mit Eve und Tom hatte er gar keine Probleme gehabt, ja, er hatte Tom bewundert, vor allem seine Weisheit und Weitsicht, wie er es nannte. Ich hatte gelacht und gesagt:

»Das sind alles nur Berechnungen, die ein so erfahrener, alter, humanoider Roboter mit links anstellen kann.«

Dann geschahen fast gleichzeitig zwei Dinge: Ich wurde schwanger und erzählte das Ron am Ende des zweiten Monats. Er war überglücklich, würde er doch erstmals in seinem Leben ein eigenes Kind von Anfang an, also noch in meinem Bauch heranwachsen sehen und Vatergefühle entwickeln können. In den folgenden Tagen allerdings begann er, sich zunehmend Gedanken und Sorgen um die Sicherheit des Camps, und damit meines noch nicht geborenen Kindes zu machen. Er wurde so unruhig und angespannt, dass ich nach zwei Wochen mit Sarah und Peter sprechen musste, weil ich mir ernstlich Sorgen um seinen psychischen Zustand machte. Sarah stand circa drei Wochen vor ihrer eigenen Entbindung und die anderen sechs schwangeren Frauen auch.

Peter besuchte uns einen Tag nach diesem Gespräch und redete lange mit Ron. Ich konnte nicht lauschen und bekam nur die Folgen dieser Unterredung zu spüren. Am nächsten Tag erklärte mir Ron, dass er sich entschlossen habe, Wulf anzurufen, ihm die Gefahrenlage zu schildern und ihn zu bitten, unser Lager angriffsfest zu machen.

Ich wusste schon in diesem Moment, dass Tom längst seinem Freund Wulf die Gesamtsituation in unserer neuen Welt ausführlich geschildert hatte. Wenn Wulf bereit wäre, unser Lager zu schützen, konnte er sehr schnell mit entsprechendem Equipment, also auch Polizeirobotern, hier ankommen.

Ron flog allein in die Stadt, führte das Gespräch und war am Abend wieder zurück. Er wirkte aufgekratzt und erleichtert.

»Wie ist es gelaufen?«, fragte ich vorsichtig.

Er küsste mich und lächelte zufrieden.

»Besser als ich zu hoffen gewagt habe. Wulf ist bereit, für die Sicherheit des Lagers zu sorgen, Tom hatte ihm schon ausführlich die Lage erklärt. Wahrscheinlich kann er schon in vier Wochen mit Waffen und Polizeirobotern hier ankommen. Er muss noch einige Vorbereitungen treffen und wird uns aus der nahen Stadt anrufen, wenn sie dort zwischenlanden. Ich bin, ehrlich gesagt, froh und erleichtert.«

Ich war das auch, schon allein deshalb, weil die beiden Männer, die mir so viel bedeuteten, endlich Kontakt zueinander aufgenommen hatten und zusammenarbeiten wollten.

Dann folgten die nächsten Ereignisse: Innerhalb zweier Wochen hatten wir sieben Entbindungen zu bewältigen. Ich half im Krankenhaus aus und erlebte die Geburt von Sarahs Sohn, vier wunderschönen weiblichen Babys und vier genauso schönen männlichen; zwei Frauen hatten Zwillinge bekommen. Wir waren alle glücklich, dass die Geburten völlig reibungslos verliefen und so müde, dass wir zwei ganze Schlaftage einlegen mussten.

Sam, der nun stolzer Vater von acht gesunden Kindern war, erschien mir wie ein König, dessen Volk ihm per Wahl bestätigt hatte, dass er der beste Herrscher der Welt war. Ich kannte Könige allerdings nur aus Märchen, und diese Tage erinnerten mich an ein Märchen.

Jedes der Babys wurde gründlich medizinisch untersucht, ohne dass irgendetwas Auffälliges festgestellt werden konnte. Einige

Kinder hatten eine deutliche Ähnlichkeit mit ihrer Mutter, andere eher mit dem unbekannten Vater. Nach ein paar Tagen im Krankenhaus zogen alle glücklich und voller Vorfreude auf die nächste Zeit in ihr neues Haus. Jede Mutter hatte dort einen eigenen, kleinen Wohnbereich für sich und ihr Baby. Sam schlief in einem extra Zimmer, ganz oben unter dem Dach, weil ihm die Wärme nichts ausmachte. Es war inzwischen Sommer geworden und die Temperaturen zeitweise unerträglich. Mir machten manchmal mein dicker werdender Bauch und mein zunehmendes Gewicht zu schaffen.

Schließlich kam der Tag, auf den ich hin gefiebert hatte. Ich würde Wulf nach so langer Zeit wiedersehen und das Zusammentreffen mit Ron erleben. Um 16:00 Uhr kam der Anruf mit der Mitteilung, dass sie zwei Stunden später landen würden. Wulf hatte acht Kampfroboter sowie Anna und Walter dabei, die Eltern von Patrick, die unser Camp und die neue Heimat ihres Sohnes kennenlernen wollten. Als der große Fluggleiter, der eher einem Transporter glich, landete, standen Ron, Patrick, Eileen und ich am Flugfeld, um die Gäste zu begrüßen. Zuerst stiegen die beiden Menschen aus und liefen auf uns zu. Nach der Umarmung und ein paar Worten der Begrüßung stellten sie sich neben uns und warteten auf Wulf. Walter erklärte, dass Wulf aus der Luft ein paar Fotos gemacht hätte, die er noch schnell analysieren und vergrößern wollte, um Ron zu zeigen, wo die Abwehrraketen positioniert werden müssten.

Und dann stieg er aus dem Fluggleiter: groß, schwarz und unendlich sexy in meinen Augen. Ich lächelte, weil ein tiefes, inneres Wärmegefühl bis in mein Gesicht hochstieg.

Wulf, du geliebter Kampfkoloss, du hast mir so schrecklich gefehlt und jetzt bin ich unendlich glücklich, dachte ich und wäre am liebsten zu ihm hingelaufen und in seine starken Arme gesprungen. Aber natürlich hielt ich mich zurück und winkte ihm nur mit der rechten Hand zu. Ron stand neben mir und wirkte angespannt. Alle vier gingen wir ihm dann ein paar Schritte entgegen, während er langsam und geschmeidig auf uns zuschritt.

»Herzlich willkommen in unserer kleinen Welt!«, begrüßte ihn Ron.

Die Männer gaben sich die Hände und Wulf antwortete:

»Ich hätte nicht gedacht, dass man in acht Stunden das Paradies erreichen kann.«

Und dann beugte er sich zu mir herunter und küsste mich auf beide Wangen, wie vor vielen Jahren, und mein Herz versuchte, sein Gefängnis zu sprengen.

»Yin, ich freue mich so sehr, dich gesund, wunderschön und schwanger wiederzusehen! Was für ein Glück für dich, Ron, dass du dein Kind dieses Mal von klein auf begleiten darfst.«

Und Ron atmete die angehaltene Luft so laut aus, dass jeder in der Runde seine Erleichterung spüren konnte. Ich sagte:

»Wulf, du hast mir gefehlt, vor allem auch, weil hier so viel Unerwartetes und Gefährliches passiert ist, dass wir oft überfordert waren. Ich bin sehr, sehr froh, dass du uns helfen willst, dieses Camp sicherer zu machen.«

Wulf wandte sich Ron zu und erklärte ihm kurz die Luftaufnahmen.

»Wir könnten morgen früh beginnen und die genauen, abwehrtaktisch wichtigen sechs Punkte markieren. Im Gleiter haben wir schon die Materialien für drei Raketenbasen dabei.«

Dann gingen wir alle ins Camp und in unser Haus. Nach dem

sehr entspannten und zeitweise lustigen Abendessen zogen sich die Gäste in ihre Zimmer zurück. Ron und ich lagen schließlich eng umschlungen in unserem Bett und er flüsterte in mein Ohr:

»Yin, ich verstehe, dass du dich als ganz junges Mädchen in Wulf verliebt hast. Er hat eine Ausstrahlung, die einen vergessen lässt, dass er kein menschliches Gesicht besitzt. Als er dich angeschaut hat, war mir, als ob er mit seinen Kamera-Augen in dich hineinschauen könnte. Deine Schwangerschaft ist ja von außen in diesem weiten Kleid kaum zu erkennen. Ich glaube, dass er auch Gefühle und Gedanken lesen kann.«

»Ja, und analysieren kann er sie natürlich auch. Bei ihm zahlt sich nur absolute Offenheit aus, du kannst nichts vor ihm geheim halten.«

Und wir küssten und liebten uns ohne den Hauch eines störenden Eifersuchtsgefühls. Ich war unendlich froh, dass Wulf hier im Camp war. Ich spürte erst jetzt genau, was mir seit Monaten gefehlt hatte, vor allem aber nach den Erlebnissen mit Hanna. Es war dieses beruhigende Gefühl, absolut sicher und beschützt zu sein. Gleichzeitig genoss ich mehr denn je, dass ich in Rons warmen, weichen Armen lag und seine menschliche Männlichkeit spürte.

21. Kapitel

... ANDERS ALS MAN DENKT

Wulf hatte in den folgenden Wochen das Lager mit der ihm eigenen Perfektion sicher gemacht. Yin kannte das schon aus ihrer gemeinsamen Zeit im Stadthaus. Das Dorf war praktisch mit Minidrohnen bis in den kleinsten Winkel gesichert und von außen kam keiner an den acht Polizeirobotern vorbei. Während Ron von Wulfs Arbeitsweise fasziniert war und ihn überallhin begleitete, registrierte Yin, dass er nicht wirklich in der Lage war, sich auf völlig neue Gegebenheiten einzustellen.

Es fehlt ihm die Fantasie, dachte sie, er kann nur aus gemachten Fehlern lernen und ähnliche Fehler vermeiden, aber ganz neue Angriffsweisen oder Taktiken kommen ihm nicht in den Sinn. Obwohl er ja erfahren hatte, dass Hanna Bakteriencocktails eingesetzt hatte, blieb er bei der konventionellen Absicherung des Lagers.

Sie besprach diese Situation mit Ron, der sagte:

»Ja, Genmanipulation und chemische oder bakterielle Waffensystem sind in seiner Software nicht angelegt, da müssen wir Menschen erfinderisch werden.« Also wurde jeder Mensch mit einem Flyer unterrichtet, dass er niemals etwas essen oder trinken dürfe, was er irgendwo gefunden hatte, nur aus der Gemeinschaftsküche und dem angeschlossenen Geschäft waren die Lebensmittel als sicher einzustufen.

Inzwischen waren Wulf, Anna und Walter wieder nach Hause zurückgekehrt und hatte versprochen, bald wieder vorbeizukommen. Die Babys von Sams Frauen und Sarahs Sohn hatten sich prächtig entwickelt und Yin stand kurz vor der Entbindung. Patrick und Selina arbeiteten im Robotik-Labor an neuen Satellitentelefonen, deren Reichweite viel größer als die der bisherigen Modelle war. Sie hatten auf dem Gipfel des nahen Sandsteingebirges eine große Satellitenschüssel installiert und diese mit Glasfaserkabel in das Camp verbunden. Somit war es nun erstmals möglich, direkt telefonischen Kontakt mit Daheim aufzunehmen. Das erste Gespräch, das Yin mit ihrem Vater führte, war für beide wunderschön. Yin strahlte noch tagelang über das ganze Gesicht, weil ihr Vater sich so über einen zweiten Enkel gefreut hatte und vor allem auch versprach, sie baldmöglichst zu besuchen.

Und dann rief plötzlich, an einem Dienstagmorgen, Anna, Patricks Mutter an und überraschte mit einer Hiobsbotschaft: Die zwanzigjährige Tochter von Patrick und Selina, sie hieß Eileen, war im Robotik-Labor ihrer Oma entführt worden und nun schon seit zwei Tagen verschwunden. Niemand wusste, wo sie sich aufhielt oder was passiert war. Sie sei abends von der Arbeit heimgefahren, aber nicht daheim angekommen. Kontaktversuche wären gescheitert. Wulf habe bereits alle Bereiche der Stadt absuchen lassen, sie aber nicht gefunden. Heute nun sei eine erpresserische Mail eingegangen, in der mit ihrem Tod gedroht worden war. Diese Mail war von Hanna und an Wulf adressiert.

Sie lautete:

»Sehr geehrter Herr Polizeichef!

Wir haben erfahren, dass Sie das Camp, in dem neun unserer Kinder leben, für Besucher geschlossen haben. Wir wollen uns vom Wohlbefinden unserer Kinder überzeugen. Eileen, die Tochter von Patrick und Selina, hat sich leider mit einer tödlich verlaufenden Virusinfektion angesteckt. Das Gegenmittel muss innerhalb von 48 Stunden injiziert werden und befindet sich noch im Camp. Sorgen Sie bitte dafür, dass mein Mann Paul und ich, in Begleitung von Eileen, das Camp morgen ohne Probleme besuchen können. Bitte geben Sie uns Eve als Begleitung mit. Treffpunkt am Flugplatz, morgen früh, 07:00 Uhr.«

Diese Mail hatte Wulf bis ins Mark getroffen, da er beim Schutz seiner Freunde und Familie zum zweiten Mal versagt hatte. Vor allem musste er sich eingestehen, dass er die Gefahr, die dem Camp und allen Menschen durch bakterielle Waffensysteme drohte, völlig unterschätzt oder falsch eingeschätzt hatte. Diese Verbrecher benötigten weder Kampfroboter noch Laserwaffen, sie töteten oder erpressten mit bakteriellen oder viralen Infektionen.

Er besprach sich mit Tom und Eve und sie beschlossen, dass sie den Forderungen von Hanna nachkommen wollten. In einem Telefongespräch mit Ron gaben sie ihm den Rat, die Kinder, geschützt durch eine Glaswand, noch am Flugplatz und nicht im Camp den Besuchern vorzustellen. Die anwesenden Polizeiroboter sollten das Ganze begleiten und die Menschen beschützen.

Im Camp herrschte nun das völlige Chaos. Patrick und Selina konnten es nicht fassen. Vor ihrer Abreise hatten sie Eileen ausführlich gewarnt und veranlasst, dass sie immer von zwei Polizeirobotern auf der Fahrt durch die Stadt begleitet wurde, aber offensichtlich war es gelungen, sie noch im Gebäude der Firma zu überfallen.

Jedenfalls bestand nun die Sicherheit, dass Hanna wieder aktiviert worden war. Und sie setzte ihre Ziele unverändert brutal und skrupellos durch. Sie wollte den Zugriff auf die Kinder, und diesbezüglich war ihr jedes Mittel recht. Peter hatte sich mit Sam besprochen und war sehr besorgt.

»Klar ist, dass die Deaktivierung oder Eliminierung von Hanna gleich am Flugplatz, bevor sie Schlimmes mit den Kindern anstellen kann, die beste Kampftaktik wäre. Aber wir sind uns sicher, dass Paul den Ort zur Deaktivierung in ihrem Körper geändert hat, und wir diesen niemals so schnell finden werden. Er kann irgendwo an oder in ihrem Körper versteckt sein. Auch erforderliche Werkzeug zur Deaktivierung wird ein anderes sein. Wir können erst in der Situation entscheiden, wie wir vorgehen wollen. Das Gegenmittel befindet sich aber sicher nicht im Camp. Das wissen wir genau. Diese Angaben sind gelogen. Wir haben keine Ahnung, warum sie Eve als Begleitung verlangt hat und ob das auch eine erpresserische Maßnahme ist, an die Androiden Wulf und Tom gerichtet.«

Den Frauen wurde von der Mail nichts erzählt, um sie nicht zu beunruhigen. Peter hatte allerdings Sarah informiert, und diese hatte sich geweigert, ihr Kind mitzunehmen. Sie wollte Hanna allein gegenübertreten, bewaffnet mit ihrem Dolch, wie damals. Auch wenn sie wusste, dass ihr diese Waffe wahrscheinlich nicht das Geringste nützen würde. Peter ließ sie gewähren, notfalls würden sie beide sterben, um ihr Kind bis zuletzt zu beschützen.

Dann erhielten sie am nächsten Tag einen kurzen Anruf von Eve. Sie sagte, dass sie in zwei Stunden im Lager landen würden – mehr nicht. Im Lager war alles vorbereitet: Die Frauen standen, von einer Glaswand geschützt, mit ihren Kindern im Arm oder in einem Tragetuch vor ihrem Bauch und warteten auf den hohen Besuch. Das war ihnen gesagt worden. Die acht Polizeiroboter standen mit ihren Laserwaffen dicht neben ihnen. Ron, Yin, Patrick und Selina, sowie Peter und Sam hatten sich am rechten Rand der Glasmauer positioniert.

Der Fluggleiter landete und als Erstes stieg Eve aus. Ihr Gesicht zeigte nicht die geringste Regung. Dann kam Hanna heraus und der Pilot half ihr, einen speziellen Rollstuhl, in dem   Eileen saß, die Leiter herunterzutragen. Yin erschrak, als sie in ihr Gesicht blicken konnte. Kalkweiß, tiefe, schwarze Augenringe und schwer atmend saß das Mädchen leicht zusammengesunken im Rollstuhl. Paul stieg als Letzter aus, auch er sah blass und angespannt aus. Er blieb neben Hanna stehen, die leicht lächelnd Ron ansprach:

»Hallo, schön, dass ihr uns so freundlich empfangt. Das sind also unsere …« Sie pausierte kurz. »Acht Kinder. Eines fehlt, wie ich sehe. Peter, hast du deinen Sohn vor uns versteckt? Du weißt, dass Paul der Vater von jedem einzelnen Kind hier ist und er ein Anrecht auf Besuch und näheren Kontakt hat.«

Dann ging sie nah an die Glaswand und Paul folgte ihr. Yin sah, wie seine Hände zitterten.

Er hat Angst, dachte sie, Angst vor dem Monster, das er geschaffen hat. Und sie fühlte Mitleid mit ihm, ob sie wollte oder nicht.

Hanna genoss ihren Triumph. Sie war sich ihrer Macht bewusst und sie schien es zu genießen, dass niemand wusste, was sie genau vorhatte.

Dann sagte Hanna zu einem Mädchen, das freundlich lächelnd ihr Kind so vor ihrem Bauch hielt, dass man sein kleines Gesicht sehr gut sehen konnte:

»Hallo, wie heißt du?«

»Ilka«, sagte das Mädchen. »Mein Sohn heißt Tobi.«

Und dann geschah alles in einer rasanten Geschwindigkeit. Paul starrte das Baby an, wohl, weil es ihm wie aus dem Gesicht geschnitten ähnelte. Das Mädchen erkannte diese Ähnlichkeit auch sofort und sagte:

»Hallo, Sie sind der Vater, das sieht man ja gleich! Ich liebe meinen Sohn über alles und wenn Sie mit uns eine kleine Familie gründen wollen, würde ich Sie eines Tages sicher auch lieben. Es wäre schön, wenn Tobi mit seinem echten Vater groß werden könnte. Sam bleibt ja trotzdem sein Onkel.«

Nach dieser kleinen, naiven Ansprache eines einfachen Mädchens herrschte minutenlanges Schweigen. Yin beobachtete fasziniert Pauls Gesicht. Seine fast müden, leeren Augen fixierten das Gesicht dieses Mädchens, das weder schön noch hässlich war. Es war ein klares, offenes Gesicht mit blauen Augen, die naives Vertrauen in die Menschen ausstrahlten und in diesem Fall in den Vater ihres Sohnes. Sie kämpfte auf ihre sanfte Art um das Wohl ihres Kindes, und Paul, dieser hochintelligente, aber gefühlsmäßig wenig schwingungsfähige Mann erkannte und erfühlte das sofort. Die Mutter seines Sohnes bat ihn, mit ihr für das Wohlergehen dieses gemeinsamen Kindes zu sorgen. Ihr Versprechen »Ich würde Sie eines Tages sicher auch lieben« klang wahrscheinlich wie Musik in seinen Ohren und seiner verletzten Seele.

Yins Blick sprang zu Hanna hinüber. Diese hatte sich als Erste gefangen.

»Ilka, du Süße«, sagte sie, »das hast du sehr schön gesagt. Aber glaubst du wirklich, dass ein so einflussreicher Mann wie Paul mit dir und deinem kleinen Bastard hier in der Einöde leben will? Komm mal her zu uns und lasse Paul seinen Sohn auf den Arm nehmen!«

Ilka war zusammengezuckt, als sie die harte Stimme Hannas hörte und ihre Worte verstand. Sie drückte ihren Sohn fest an sich. Jeder wusste, dass sie ihn niemals auf die andere Seite der Glaswand tragen und Paul übergeben würde, solange Hanna neben ihm stand.

In diesem Moment knickte Eileen in ihrem Rollstuhl zur Seite und nach vorne. Sie war offensichtlich bewusstlos geworden. Paul erschrak und wollte ihr zur Hilfe eilen, Hanna hielt ihn zurück und ihre eiskalte Stimme bohrte sich in jedes Herz.

»Langsam, Paul, eines nach dem anderen. Zuerst das Kind, dann die Gegeninjektion für Eileen.«

Patrick und Selina starrten mit entsetzten und schmerzverzerrten Gesichtern auf ihre Tochter. Sie sagten kein Wort. Yin wusste nicht, was man überhaupt sagen oder machen konnte. Einer würde sterben - Eileen, das Kind oder seine Mutter. Keiner wollte da eine Entscheidung treffen.

Als Hanna Paul zurückhielt, sah Yin, wie sich sein Gesicht versteinerte. Es hatte vorher beim Betrachten seines Sohnes und dessen Mutter deutlich weicher, ja fast glücklich gewirkt. Und dann nahm er die Hand aus der Hosentasche, in der er sie die ganze Zeit versteckt hatte, und stieß Hanna mit voller Wucht einen spitzen Gegenstand, den Yin nicht genau erkennen konnte, in die rechte Halsseite. Dieser Angriff erfolgte für alle völlig überraschend. Hanna ging sofort lautlos zu Boden. Man hörte ein zischendes Geräusch und eine kleine Explosion. Sie lag mit dem Gesicht im Staub und ihr Körper war eigenartig verdreht.

Paul widmete ihr keinen Blick, sondern ging sofort zum Rollstuhl und nahm aus einer kleinen Kühltasche eine Injektion. Er injizierte Eileen circa 5 ml einer Substanz in den rechten Oberarm, nachdem er ihren Ärmel hochgeschoben hatte. Dann richtete er ihren Oberkörper auf und wartete. Er drehte dabei den Menschen hinter der Glaswand den Rücken zu. Es sah aus, als wollte er gefangen genommen oder vielleicht sogar getötet werden. Aber niemand bewegte sich. Alle standen wie erstarrt hinter der Glaswand und warteten mit ihm auf eine Besserung von Eileens Zustand. Paul sagte ein paar Worte zum Piloten. Dieser war auch ein Androide, wie Yin erst jetzt bemerkte. Er ging zum Flugzeug und kehrte mit einer Infusion und einem Infusionsständer zurück. Paul suchte an Eileens Arm eine Vene, fand sie nach ein paar Minuten und setzte fachgerecht einen Zugang. Er ließ die Flüssigkeit schnell durch den Schlauch in ihren Körper fließen. Die Menschen hinter der Glaswand beobachteten ihn und warteten weiter. Der Pilot hatte einen Sonnenschirm aus dem Fluggleiter mitgenommen und diesen über Eileen aufgespannt, sodass sie im Schatten saß. Hanna lag weiterhin bewegungslos da, wo sie hingefallen war.

Nach fünf Minuten bewegte sich Eileen etwas und öffnete die Augen. Sie war wieder bei Bewusstsein. Selina und Patrick rannten an der Glaswand vorbei zu ihrer Tochter und küssten sie vorsichtig.

Paul trat einen Schritt zur Seite, immer noch mit dem Rücken zur Glaswand und den Menschen dahinter. Bevor Ron sich zu einer Handlung entschließen konnte, ging plötzlich die junge Mutter Ilka mit ihrem Sohn auf dem Arm an der Glaswand vorbei zu Paul. Sie berührte ihn leicht am Arm. Er drehte den Kopf und schaute direkt in ihr offenes, lächelndes Gesicht und in das seines neugierigen kleinen Sohnes. Yin sah, wie Tränen über seine Wangen rannen, als er seinem Sohn einen ganz sanften Kuss auf die Stirn gab. Der Junge patschte mit seinen kleinen Händen in Pauls Gesicht herum. Dann zog er an einem seiner Ohren und lachte so freundlich, wie nur ein vier Monate altes Kind lachen kann. Ilka lachte auch und schaute dabei in Pauls Augen. Dann wurde ihr Gesicht ernst.

»Diese Frau war böse, verlasse sie und bleibe bei uns. Dein Sohn mag dich, das spüre ich.«

Paul drehte sich langsam um und suchte Yin und Ron, die noch hinter der Glaswand standen. Er ging langsam auf sie zu und sagte mit leiser, belegter Stimme:

»Ich wäre glücklich, wenn Sie mich als Gast für ein paar Tage oder Wochen aufnehmen könnten und ich die Chance bekomme, meinen Sohn und meine anderen Kinder näher kennenzulernen.«

Ron entschied in Sekundenschnelle aus dem Bauch heraus.

»Wir freuen uns, wenn Sie unser Gast sein wollen«, antwortete er.

Paul wandte sich an den Piloten und gab ihm zu verstehen, dass er zurückfliegen könne. Zu Peter und Sam sagte er:

»Bitte tragt Hanna an einen sicheren Ort. Wir können später besprechen, was genau zu tun ist. Sie ist nicht nur deaktiviert, sie ist eliminiert.«

Keiner sprach ein Wort. Peter und Sam hoben Hanna hoch und trugen sie ins Camp, in das altbekannte kleine Versteck, in dem sie schon vor Monaten gelegen hatte.

Alle Menschen gingen dann langsam ins Camp zurück. Die Frauen verschwanden mit ihren Kindern im gemeinsamen Wohnhaus. Yin, Ron aber auch Patrick und Selina schoben abwechselnd den Rollstuhl mit Eileen zu Rons Haus. Eileen erholte sich zusehends, klagte über Durst und konnte spät am Abend sogar etwas Leichtes essen.

Das Mädchen, das Paul angesprochen und aufgefordert hatte, mit ihr zu leben, zeigte sich überraschend mutig. Sie nahm Pauls Hand und ging mit ihm ein paar Meter Hand in Hand, dann gab sie ihm ihren Sohn zum Tragen. Schließlich verschwanden sie im Wohnhaus der Frauen. Yin wollte sich nicht einmischen, weil sie eigentlich nichts mit diesen Frauen aus Sams Großfamilie zu tun hatte, aber sie schaute Ron fragend an. Der beruhigte sie:

»Lass sie mal machen. Paul ist Mann genug, um sich an uns zu wenden, wenn er sich im Frauenhaus überfordert fühlt. Außerdem werden ihm Peter und Sam in zehn Minuten zur Seite stehen.«

Am nächsten Tag hatte sich Eileen schon wunderbar erholt, und ihre Eltern wirkten überglücklich. Trotzdem war jedem klar, dass eine Aussprache mit Paul unumgänglich war. Er war in dieser ersten Nacht im Frauenhaus geblieben und niemand wusste, wie es ihm dort ergangen und wann er zur Aussprache bereit war. Er ließ sich auch am zweiten Tag nicht bei Ron und Yin sehen. Schließlich erschien er zum Frühstück des dritten Tages. Er wirkte so jugendlich frisch und völlig verändert, dass Yin es nicht glauben konnte.

»Guten Morgen, Paul, wir dachten schon, Ihnen ist im Frauenhaus etwas Schlimmes zugestoßen, aber das Gegenteil scheint der Fall zu sein. Sie sehen blendend und zehn Jahre jünger aus. Was gibt es zu berichten?«

Paul entschuldigte sich für sein langes Fernbleiben, erkundigte sich nach Eileens Befinden und tat so, als ob die Welt in Ordnung wäre. Er berichtete von den Frauen, die ihn als Samenspender zuerst zurückhaltend behandelt, dann aber freundlich im Haus willkommen geheißen hatten. Er habe bei Ilka geschlafen und sich entschlossen, ein Zusammenleben mit ihr zu versuchen. Wörtlich sagte er:

»Wir sind zwar sehr verschieden, aber Gegensätze ziehen sich an. Und ihre Liebe zu meinem Sohn fördert meine Gefühlskapazitäten auf ungeahnte Weise.«

Nach dem Frühstück bat Ron ihn zu einem Gespräch unter vier Augen. Die Männer redeten zwei Stunden in Rons Arbeitszimmer und anschließend fuhren sie zusammen durch das Camp und die Außenanlagen. Am Nachmittag kehrte Ron allein zurück, nachdem er Paul bei Ilka im Frauenhaus abgesetzt hatte.

»Yin, ich weiß nicht, ob ich richtig gehandelt habe. Ich habe Pauls Ausführungen geglaubt, obwohl er mir vorher gestanden hat, dass er mich bei unserem ersten Telefongespräch angelogen hatte. Er war damals über Hannas Pläne sehr wohl informiert. Natürlich nicht über das, was sie dann hier im Lager angestellt hat. Er begründete sein Fehlverhalten damit, dass er sexuell von ihr abhängig war und nicht in der Lage, sie umzuprogrammieren oder ihr auch nur zu widersprechen. Ich hatte, ehrlich gesagt, Mitleid mit ihm und wünsche ihm von Herzen, dass er mit Ilka, ihrem gemeinsamen Sohn und in der Gesellschaft seiner anderen Kinder glücklich wird. Ich habe nur darauf bestanden, dass er vor unseren und Peters Augen beweist, dass Hannas Software völlig zerstört ist. Ihre Hardware kann weiter bestehen bleiben, allerdings sollte er selbst niemals mehr mit dieser in Kontakt treten, egal, mit welcher Programmierung sie eines Tages ausgestattet wird.«

Yin nickte zustimmend. Sie verspürte ein leichtes Ziehen im Bauchbereich und wusste, dass die Entbindung in den nächsten Tagen bevorstand.

»Ron, ich habe eine Frage an dich. Ich würde gerne Wulf auch bei dieser Entbindung dabeihaben.« Sie lächelte zärtlich. »Also dich natürlich auch. Hättest du etwas dagegen, wenn ich Wulf bitte, hierherzukommen?«

Ron schaute sie verständnisvoll an.

»Nein, meine Liebe, ganz und gar nicht. Ich freue mich, ihn wiederzusehen. Und wenn er dich bei der Geburt beruhigt, ruf ihn doch sofort an. Was ist mit Jasmin? Vielleicht will sie auch mitkommen, wir haben immer noch Platz im Gästehaus.«

Yin lächelte dankbar.

»Du bist der beste Mann und Vater der Welt!«, flüsterte sie. Anschließend rief sie Wulf an.

»Ich brauche dich, Wulf. Die Entbindung naht und hier draußen habe ich so ein zunehmendes Angstgefühl. Die medizinische Versorgung ist ja hier eher dürftig und mit dir an meiner Seite fühle ich mich immer so sicher und beschützt.«

Wulf sagte zwei Worte:

»Ich komme!« Und innerhalb der nächsten fünf Stunden war er startbereit. Er wusste allerdings, dass er ihr bei medizinischen Problemen nicht helfen konnte, deshalb versucht er, einen guten Gynäkologen zu überreden, mitzufliegen. Dieser war nach einigen Diskussionen auch bereit, seine eigene Klinik zu verlassen. Er benötigte zwei Stunden, um das gynäkologische Equipment einzupacken und zum Flugplatz zu fahren.

22. Kapitel

DIE SCHWERE GEBURT

Als Wulf mit dem Gynäkologen im Camp eintraf, lag Yin bereits im Krankenhaus und spürte alle zehn Minuten leicht schmerzhafte Wehen. Die Fruchtblase war geplatzt und Ron hielt zärtlich, aber mit besorgtem Gesicht, ihre Hand. Sie hatte ja bereits eine Geburt hinter sich und versuchte, alle unangenehmen Befürchtungen beiseite zu schieben. Trotzdem spürte sie, dass irgendetwas anders als bei der ersten Geburt war. Sie betete, dass Wulf noch rechtzeitig ankommen würde, obwohl ihr klar war, dass er keinerlei medizinisches Wissen gespeichert hatte und ihr nicht helfen könnte, wenn es zu Komplikationen käme. Ron sah so hilflos aus, dass sie lächeln musste.

»Ron, schau nicht so besorgt! Eine Geburt ist ein natürlicher Vorgang, und vor vier Monaten haben wir neun komplikationslose Entbindungen gemeistert, da wird die Zehnte heute auch gut verlaufen.«

Ron sah wenig überzeugt aus.

»Ja, meine Liebste, da bin ich mir sicher, dass du das wunderbar schaffst, aber für mich ist es die erste Geburt, und ich gebe zu, dass ich Angst habe. Ich würde gerne Peter rufen lassen, hast du was dagegen?«

»Nein«, antwortete Yin, »im Gegenteil, er kann vielleicht wertvoll werden. Hast du Nachricht von Wulf?«

»Ja, sie sind schon gelandet, er wird in zehn Minuten hier sein.«

Yin entspannte sich bis zur nächsten Wehe. Beide Androiden würden rechtzeitig bei ihr sein, das war ihr wichtig, sie wusste selbst nicht, warum. Vielleicht nur, weil sie eine Ruhe und Sicherheit ausstrahlten, die sie einfach beruhigt und ihre Ängste zum Verschwinden brachte.

Dann ging alles sehr schnell. Die Presswehen begannen mit voller Wucht und Yin konzentrierte sich auf ihre Atemübungen und Pressversuche. Beide Androiden standen neben Ron und Peter lächelte sein aufmunterndes Androiden-Lächeln, das menschliches Lächeln in den Schatten stellte. Wulf dagegen ließ seinen tiefen Blick auf ihr ruhen und gab ihr allein dadurch Kraft. Trotz ihrer Schmerzen dachte Yin, ja, so kann man es als Frau aushalten, egal, in welch schwieriger Situation: Ein liebender menschlicher Mann und zwei beschützende Androiden-Freunde an der Seite, was will ich mehr?

Und bei der nächsten Presswehe kam der Kopf zum Vorschein und die Ärztin trieb sie an, weiter zu pressen. Minuten später sah sie seinen kleinen Kopf zwischen ihren Beinen und kurz darauf seinen ganzen Körper. Alles war gut verlaufen, sie hatte sich umsonst Sorgen gemacht! Dann legte man ihr das schreiende, kleine Bündel in ein vorgewärmtes Handtuch eingewickelt, auf die Brust und in den Arm. Sie fühlte sich unendlich glücklich, erleichtert, aber müde und schwach. Nun durfte Will zu ihr ins Zimmer und seinen winzigen Bruder bewundern. Er war inzwischen schon vier Jahre und freute sich seit Wochen auf diesen Augenblick.

»Will mein Schatz, jetzt siehst du, wie klein du mal warst und ab heute bist du nun mein großer Junge, der diesen Winzling beschützen kann«, sagte sie leise und Will strahlte sie an.

»Das mach ich, Mama, du kannst dich auf mich verlassen.« Yin konnte nicht mehr klar denken. Die Müdigkeit überfiel sie dermaßen stark, dass ihr die Augen zufielen. Alles wurde weich und schwarz.

Ron war sofort klar, dass Yin ohnmächtig geworden war. Der Gynäkologe sagte:

»Sie blutet stark nach, die Plazenta hat sich nicht ordnungsgemäß gelöst. Ich versuche, die Blutung zu stillen. Lasst die Kochsalzinfusionen mit maximaler Geschwindigkeit laufen!«

Er ging ans Werk und die anderen standen hilflos herum. Nach 15 Minuten hatte er die Blutung, so gut er konnte, gestillt. Trotzdem verfärbte sich die neue, weiße Vorlage sehr schnell wieder rot.

»Ich bin am Ende meiner Fähigkeiten, mehr wie die größeren Gefäße zu unterbinden, kann ich nicht machen. Sie blutet aus kleineren Gefäßen weiter und das heißt, der Blutverlust wird größer und lebensbedrohlich.«

Peter trat vor und sagte:

»Vielleicht kann man diese kleineren Gefäße mit einem Laser veröden.«

»Ja«, das wäre möglich, aber wir haben hier kein Lasergerät und kein hochauflösendes Ultraschallgerät, das uns die Gefäße anzeigt.«

»Doch«, sagte Peter ruhig, »ich habe beide dabei.«

Der Arzt schaute ihn erstaunt an und erkannte erst jetzt, dass vor ihm ein Androide stand. Er sagte nichts mehr und trat zur

Seite. Peter legte seine rechte Hand auf Yins Unterbauch und prägte sich das Ultraschallbild ihrer Gebärmutter ein, samt der kleinen blutenden Gefäße. Dann legte er auf die gleiche Stelle seine rechte Hand und versuchte gezielt, mit dem integrierten Laser die Gefäße zu veröden. Nach sechs Minuten legte er wieder die Ultraschallhand auf und kontrollierte den Wundbereich.

»Ich denke, es hat geklappt«, flüsterte er bescheiden. Alle starten wie gebannt auf die neu angelegte Vorlage – sie blieb auch nach mehreren Minuten weiß.

»Sieht gut aus«, sagte der Gynäkologe. »Aber ich denke, der Blutverlust war so groß, dass wir eine Bluttransfusion brauchen. Habt ihr hier ein Labor, um einen geeigneten Blutspender zu identifizieren? Wir benötigen circa zehn Menschen und müssen deren Blutgruppen samt Untergruppen analysieren. Das dauert normalerweise 30 bis 40 Minuten, die Blutübertragung könnte dann sofort erfolgen.«

Die Ärztin, die die ganze Zeit bei Yin stand, wurde blass.

»Leider können wir diese komplizierten Untersuchungen nicht in unserem Labor machen. Wir müssten Yin in das zwei Stunden entfernte Großkrankenhaus fliegen. Aber ob sie das übersteht?«

Der Gynäkologe sagte nichts, sondern hielt Yins Hand und überprüfte ihren Puls. Da trat Peter wieder vor.

»Also, ich habe auch ein kleines Labor in meinem Körper integriert, allerdings bisher gar keine Erfahrungen damit machen können. Hanna hat mir gezeigt und ich habe es gespeichert, wie eine Blutgruppenbestimmung aus einem Tropfen Blut funktioniert. Ich kann es an Yins Blut gleich probieren und wenn es klappt, an potenziellen Blutspendern. Auch eine Kreuzeraktion kann ich dann durchführen.«

Die anderen nickten und Peter entnahm fachgerecht einen

kleinen Blutstropfen aus Yins Fingerspitze. Er öffnete einen kaum sichtbaren Deckel an seinem rechten Oberschenkel und zog ein Minilabor aus seinen Muskeln. Ron traute seinen Augen nicht, und war fasziniert, dass dieser sanfte, freundliche und junge humanoide Roboter ein wandelndes medizinisches Multitalent war. Er dachte an Hanna und dass diese kriminelle und gefährliche Androidin so geniale Erfindungen zustande gebracht hatte. Für ihn waren diese künstlichen Intelligenzen ein Buch mit sieben Siegeln.

Nach fünf Minuten sagte Peter:

»Wenn das Gerät richtig arbeitet, und es schaut so aus, dann hat Yin die Blutgruppe Null Rhesus positiv, das ist eine häufige Blutgruppe und wir sollten im Lager genügend Blutspender finden.«

Eine Krankenschwester wurde losgeschickt und kam nach zehn Minuten mit drei Krankenschwestern und sechs Küchenhelferinnen zurück. Peter machte sich an die Arbeit und konnte bei der vierten Testperson die richtigen Daten ermitteln. Diese Küchenhilfe legte sich neben Yin und der Gynäkologe verband ihren Blutkreislauf mit dem von Yin. Das Blut strömte in ihre Vene und Peter suchte in der Zwischenzeit einen zweiten Spender. Zehn Freiwillige hatten sich gemeldet und waren bereit, ihr Blut zu spenden. Er fand schnell einen geeigneten jungen Lehrer und schon 30 Minuten nach Beginn der Transfusion erwachte Yin aus ihrer Ohnmacht. Sie war kurze Zeit klar und sagte zu Ron:

»Kümmere dich um unsere Gäste, mein Schatz, und lass Jasmin das Baby betreuen.« Dann schlief sie erschöpft ein.

Am nächsten Morgen wachte Yin früh auf und fühlte sich überraschend gut.

»Ich habe anscheinend fest geschlafen. Diese Geburt hat mich viel mehr mitgenommen als die Erste. Ich werde alt!«, sagte sie scherzend zu Ron, der neben ihrem Bett stand und seinen neugeborenen Sohn im Arm hielt. Will stand neben seinem Vater und freute sich wie ein stolzer, kleiner Prinz. Er sagte anerkennend:

»Er schaut klein, aber fit aus. Du bist noch blass, Mama. Aber Papa hat gesagt, dass du bald wieder gesund bist.«

Yin lächelte glücklich.

»Und da hat er recht, der Papa, wie immer.«

Sie versuchte, das Baby zu stillen, aber es kamen nur wenige Milliliter Milch, sodass künstliche Babynahrung zugefüttert werden musste.

Das wird schon noch, dachte Yin, und schlief wieder erschöpft ein.

Am Nachmittag konnte sie schon etwas mehr Muttermilch zur Verfügung stellen und fühlte sich deutlich fitter. Erstmals sprach Ron allein mit ihr.

»Yin, meine Liebste, das war ziemlich knapp. Wenn Wulf den Gynäkologen nicht mitgebracht hätte, wären wir verloren gewesen. Und wenn Peter dann nicht deine blutenden, kleinen Gefäße verödet und für Blutspender gesorgt hätte, wärst du wahrscheinlich später gestorben. Ich muss gestehen, dass wir Menschen alt aussehen im Vergleich zu diesen Androiden. Peter ist ein wandelnder medizinischer Alleskönner und Wulf weiß immer, was das Beste ist.«

Yin lächelte.

»Bitte sage Wulf ganz deutlich, dass wir ihm alle sehr, sehr dankbar sind. Ich weiß, dass er durch den letzten Vorfall mit Eileens Entführung und der anschließenden Erpressung durch

Hanna ganz erheblich unter Selbstzweifeln und Vorwürfen leidet. Baue ihn heute bitte wieder auf.«

Und Ron tat das noch am gleichen Abend.

Als er heimkam, saßen alle im Wohnzimmer und warteten auf Neuigkeiten von Yin.

»Hallo Wulf und hallo ihr Lieben! Ich soll euch alle herzlich von Yin grüßen und dich, Wulf, ganz besonders innig und dankbar. Yin und ich wissen, dass wir ohne dich und den Gynäkologen, den du mitgebracht hast, verloren gewesen wären.«

Und dann ging der kleine Will zu Wulf. Er hatte ihn schon lange nicht mehr gesehen und sich anfangs etwas erschrocken. Jetzt aber kletterte er auf seinen Schoß. Er musste sich festklammern, um nicht abzurutschen, und Wulf schob kaum spürbar von unten nach. Als Will dann auf seinem Oberschenkel stand und hoch in sein Helmgesicht blickte, erkannte Wulf, dass auch er, wie seine Mutter vor vielen, vielen Jahren nicht den Hauch von Angst verspürte.

»Du schaust ganz toll aus, Onkel Wulf. Wenn ich groß bin, werde ich auch ein Kampfroboter!«

Alle lachten und Wulf küsste ihn vorsichtig auf die Wange. »Das wollte deine Mama auch schon und sie ist eine ganz starke Kämpferin geworden, also schaffst du das auch.«

In diesem Moment durchströmte Ron ein Gefühl völliger Zusammengehörigkeit für Wulf.

23. Kapitel

DAS GLÜCK MUSS VERTEIDIGT WERDEN

In den nächsten Tagen erholte sich Yin schnell, konnte ihr Baby bald gut stillen und das Leben erschien ihr wie ein wunderbarer, ewig anhaltender Glücksmoment. Ron wirkte so entspannt und liebevoll, wie sie ihn noch nie erlebt hatte. Wulf hatte sie immer wieder besucht, sich ansonsten lang mit Ron, Paul und Peter unterhalten. Sie war zu sehr mit ihren Kindern beschäftigt und genoss ihre Mutterrolle so ausgiebig, dass sie gar kein Interesse an den Männergesprächen verspürte.

Zwei Wochen nach ihrer Entbindung machten sie eine kleine Feier und eröffneten ihren Gästen, dass ihr Sohn einen Doppelnamen erhalten solle. Sie wollten ihn Eric-Ron nennen, nach seinem Opa und Vater. Zu dieser Feier war auch Eric zu Besuch gekommen. Er hatte Tom und Eve als Begleitung dabei und alle waren so froh, wieder vereint zu sein, dass diese Feier eine der schönsten und harmonischsten war, die Yin je erlebt hatte. Am Abend, als sie mit Ron allein war, fragte sie:

»Hast du das schon mal erlebt, dass alle so glücklich sind, die Stimmung so friedlich wirkt und du plötzlich ein undefinierbares, aber äußerst unangenehmes Angstgefühl verspürst?«

Ron schaute sie an und sein Gesicht veränderte in Sekunden seinen Ausdruck. Er hatte fast den ganzen Tag gelächelt und mit den Kindern gescherzt, jetzt erwiderte er ernst:

»Das Gefühl oder besser diese Angst kenne ich nur zu gut. Sie entsteht aus dem tiefen Wunsch, dass alles so wundervoll bleiben soll, bis in alle Ewigkeit. Aber die Erfahrungen, die jeder von uns wohl mehrmals gemacht hat, führt dazu, dass wir einfach wissen, Glück dauert nicht ewig. Und je schöner der Glückszustand ist, desto stärker überfällt dich diese Angst.«

Yin stand auf und küsste ihn zärtlich. Sie hatte ihn noch nie so philosophische Worte reden hören und ihr war klar, dass das einen Grund hatte. Diesen Grund erfuhr sie in den nächsten Minuten von Wulf. Er betrat den Raum unerwartet, weil es schon ziemlich spät am Abend war.

»Hallo ihr zwei, entschuldigt die späte Störung. Ich wollte mich noch verabschieden, weil ich morgen schon sehr früh zurückfliege. Paul wird mich begleiten. Wir haben, jeder aus einer anderen Quelle, besorgniserregende Nachrichten aus der Heimat erhalten. Es gibt Unruhe und Demonstrationen von noch nie da gewesenem Ausmaß. Die Menschen haben eine zunehmende Angst vor Androiden und werden von irgendjemand gegeneinander aufgehetzt. Paul glaubt, dass es sich um Androiden handelt, die von Hanna konzipiert und gebaut worden sind. Unsere Polizeiroboter sind hilflos und können die Menschen nicht beschützen. So wie es aussieht, müssten sie Menschen töten und diese Menschen sind unschuldige Jugendliche.«

Yins Herz krampfte sich zusammen. Genau das war die Angst gewesen, aus diesem wunderbaren Glückszustand mit einem brutalen Schlag herausgerissen zu werden. Sie ging zu Wulf und ließ sich von ihm hochheben wie in alten Zeiten. Für Sekunden genoss sie das unbeschreibliche Gefühl, wieder ein kleines Mädchen zu sein und vom starken Onkel Wulf beschützt zu werden. Aber schnell wurde ihr klar, dass diese hundertprozentige Sicherheit auch in seinen Armen nicht mehr möglich war, weil sich die Welt und die humanoiden Roboter so grundlegend verändert hatten, dass sogar ein Wulf an sich und seinen Beschützerfähigkeiten zweifelte. Als er sie in die Realität heruntergleiten ließ, flüsterte sie:

»Wulf, ich habe die Zeit mit dir hier in unserer paradiesischen Welt so sehr genossen. Nichts wünsche ich mir mehr, als dass du bald wieder zurückkommst und bei uns bleibst. Aber ich verstehe, dass du die Menschen in der alten Welt nicht im Stich lassen kannst.«

Wulf schaute sie und dann Ron an, der hatte nichts gesagt, weil er Yins und Wulfs Zweisamkeit noch immer als befremdlich und faszinierend empfand. Er verspürte keine Eifersucht, sondern eher ein Gefühl der Einsamkeit. Wulf und Yin strahlten eine tiefe Verbundenheit aus, die er mit Yin so nicht empfinden konnte. Er wusste nicht, ob das an ihr oder an ihm selbst lag. Er liebte Yin und seine Söhne über alles, aber er fühlte sich in manchen Situationen in ihrem gemeinsamen Leben unfähig, drohende Gefahren zu erkennen oder Gegenmaßnahmen zu ergreifen. Deshalb war auch er unendlich froh, wenn ein Androide die schützende Hand über allen hielt.

»Wulf, ich bin auch traurig, dass du uns verlässt. Ich hoffe, dass ihr in der Heimat alle Probleme lösen könnte und natürlich, dass du dann wieder zu uns kommst.«

Wulf umarmte ihn.

»Ich erfülle meine Pflicht als Polizeichef, aber meine Gefühle und Gedanken sind hier bei euch.«

Als er gegangen war, fühlten sich Ron und Yin auf eigenartige Weise verlassen und verloren. Ron hatte gehört, dass in der alten Welt schwere Angriffe auf Polizeiroboter begangen worden waren und dass dies zu chaotischen Zuständen geführt hatte. Er erzählte Yin nichts davon, um sie nicht unnötig zu belasten, aber er selbst hatte Angst, dass sie Wulf nie mehr wiedersehen würden.

Dann betrat Paul das Wohnzimmer, und ein Blick in sein Gesicht ließ Yin erzittern. Sie sah in seinen Augen eine unendliche Traurigkeit und Verzweiflung.

»Paul, was ist passiert?«

»Ich weiß es leider nicht genau, aber wie es aussieht, hat Hanna mehrere besonders gefährliche und skrupellose Roboter entwickelt und durch eine Art Zeitschaltuhr aktiviert. Sie haben schon sehr viel Unheil und Chaos angerichtet, innerhalb von zwei oder drei Wochen. Ich nehme Peter mit, weil er Hannas Forschungen und Entwicklungen am besten verfolgt hat, als er noch mit ihr im Labor zusammen war. Auch wenn er von ihren neuesten Entwicklungen keine Ahnung hat, kann er ihre Gedankengänge und Intentionen besser einschätzen als ich. Ich hoffe, wir bekommen alles in den Griff und sehen euch bald wieder. Ich war hier so glücklich wie noch nie in meinem Leben.«

Und er umarmte Yin und Ron mit Tränen in den Augen.

Ron fragte mit leiser Stimme:

»Paul, was ist mit der Hardware von Hanna? Nimmst du sie mit zurück?«

»Nein, ich lasse sie hier als abschreckende Erinnerung für unsere Kinder. Ich habe durch das Zusammenleben mit den zwei Androiden und den sechs Frauen unerwartete und wertvolle Erfahrungen über den Entwicklungsprozess von humanoiden Robotern sammeln können. Das Zusammenleben mit Menschen beschleunigt ihre Lern- und Anpassungsfähigkeit und in einem rasanten Tempo, weil der Input so immens vielseitig ist. Und diese beiden sind mir so ans Herz gewachsen, wie ich es nicht für möglich gehalten hätte.«

Ron und Yin waren über seine offenen Worte überrascht. Auch er hatte sich auffällig positiv verändert, und Yin dachte, wenn sich Menschen durch das Zusammenleben mit Androiden auch so viel schneller entwickeln, ist das wirklich eine Win-Win-Situation. Hoffentlich können sie alle Probleme erfolgreich lösen und dann wieder hier in unser kleines Paradies zurückkehren. Laut sagte sie:

»Paul, wenn es wirklich für Menschen dort zu gefährlich wird, bitte flüchtet rechtzeitig hierher und bitte nehmt Anna und Walter, aber auch alle anderen für uns wichtigen Menschen, vor allem auch meinen Bruder Ben, mit hierher. Natürlich müsst ihr auch Wulf wieder mitnehmen und vielleicht noch ein paar Polizeiroboter, die uns später beschützen können.«

»Klar machen wir das, ohne Wulf können wir uns auch hier nicht sicher fühlen«. Und nach kurzem Überlegen fuhr er fort:

»Hat er euch erzählt, dass er seine Daten auf Sam übertragen hat? Sie haben die Folgen vorher sehr genau analysiert und besprochen. Sam hat zwar keine integrierten Waffensysteme, aber ich kann diese nachträglich einbauen. Wir müssen nur entsprechende Hardwareteile mitnehmen, wenn wir wieder zurückkommen.«

Nach diesem Gespräch verabschiedete er sich nochmals und ließ die beiden allein zurück.

»Das ist komisch«, sagte Yin, »dass Wulf uns das gar nicht erzählt hat mit dieser Datenübertragung. Ja, ich finde die ganze Aktion eigenartig. Warum hat er das gemacht?«

Ron schaute sie an.

»Genau weiß ich das auch nicht, aber ich glaube, er hat das für dich gemacht. Falls er bei dieser Mission eliminiert, also völlig vernichtet wird, kannst du über Sam mit ihm in Kontakt bleiben. Ob und wie das funktioniert, weiß wohl keiner genau, aber sie haben das einfach mal versucht. Dass Sam dann die Kampfroboter führen kann, ist ja ein leicht zu erreichender Nebeneffekt.«

Er nahm Yin in den Arm und küsste sie und auch den kleinen Erik-Ron. Dann flüsterte er:

»Ich verstehe erst jetzt, was es heißt, ohne Androiden leben zu müssen. Wenn man das nicht selbst erlebt hat, wie unendlich bereichernd sie sind, kann man sich das einfach nicht vorstellen.«

Yin lächelte ihn an und war dankbar, dass er diese Einsicht und Gefühle entwickelt hatte.

Als der Fluggleiter fünf Stunden später startete, standen Sam und seine sechs Frauen mit ihren Babys im Arm, Sarah mit Sohn, Yin und Ron mit ihren Kindern am Flugplatz und winkten den Abfliegenden nach. Traurige und sorgenvolle Gedanken ließen ihre Blicke hinter Tränen verschwimmen. Wann würden sie ihre Lieben wiedersehen, das war die große Frage.

Vier Tage später erhielt Ron einen Anruf von Paul. Die Situation in der alten Welt war offensichtlich chaotisch und nicht mehr zu retten. Paul wirkte traurig und schuldbewusst.

»Ich fühle mich für diesen unerträglichen Bürgerkrieg verantwortlich und hätte so gerne geholfen, aber wir sind machtlos. Hanna hat nur zwei Super-Androiden gebaut und gebraucht, um die Menschen gegeneinander aufzuhetzen und zu verblenden. Die zwei schon seit vielen Jahren verfeindeten Gruppen haben begonnen, zuerst die Polizeiroboter zu eliminieren und dann sich gegenseitig anzugreifen und zu töten. Ein unerbittlicher Rachekrieg ist ausgebrochen und die Polizeiroboter hätten junge, unschuldige Menschen töten müssen und letztlich wieder Jugendliche gegen sich und die andere Gruppe aufgebracht. Mit vernünftigen Argumenten und Diskussionen hat niemand mehr eine Chance. Diese beiden humanoiden Roboter, die so menschlich aussehen und wirken, aber so unmenschlich aufhetzen, können nicht unschädlich gemacht werden, weil sie inzwischen Anführer der jeweiligen Gruppen sind. Anscheinend haben die Jugendlichen sie nicht als Androiden erkannt und entlarvt. Sie leben unter den Jugendlichen und werden von ihnen abgeschirmt. Nur Ben, Yins Zwillingsbruder, hatte sie als Roboter enttarnt, aber er wurde nicht gehört und sogar aus der Community als Saboteur ausgeschlossen. Er muss nun um sein Leben fürchten.«

Pauls Stimme klang so zittrig und leise, dass Ron ihn kaum verstand.

»Wulf hat alle Polizeiroboter zurückgezogen und die kämpfenden Menschen und Jugendlichen sind nun sich selbst überlassen. Mehr können wir einfach nicht mehr machen. Wir versuchen, morgen zurückzukommen, und nehmen Anna, Walter und Lieutenant Black mit seinen Söhnen mit. Auch Ben und Jasmin mit ihren Kindern wollen auswandern. Während der Zwischenlandung in der letzten Stadt vor »New Home« melden wir uns. Alle freien Plätze und ein zweiter Fluggleiter werden mit weiteren Auswanderern und Polizeirobotern besetzt, um im Falle eines Falles unsere kleine Enklave verteidigen zu können.«

Nach diesem beunruhigenden Anruf ließ Ron alle zusammenkommen, um die Situation zu besprechen. Jedem war klar, dass eines Tages die Überlebenden des Krieges nach neuen, fruchtbaren und geordneten Regionen suchen würden. Natürlich lagen einige Städte und fruchtbare Gebiete viel näher an der alten Welt als ihre Enklave. Vielleicht würden Jahre vergehen, bis sie in diesen entfernten Zipfel der bewohnbaren Erde kommen würden. Aber, sie würden kommen. Schon allein, weil Hanna die GPS-Daten des Areals mit Sicherheit den beiden Super-Androiden eingespeichert hatte.

Diese Gewissheit machte es allen schwer, sich zu entspannen. Tom und Eve berieten sich mit Sam. Eve machte anschließend einen Vorschlag, der einen kleinen Lichtblick eröffnete.

»Wir haben uns überlegt, dass es schon eine Möglichkeit gibt, mit einem gezielten Angriff gegen diese beiden Androiden vorzugehen. Wir müssen ihnen eine Falle stellen und sie vor aller Augen eliminieren, möglichst ohne menschliches Blutvergießen. Aber letztlich müssten wir auch das in Kauf nehmen, um weitere Kriegshandlungen zu verhindern. Die Jugendlichen müssen erkennen, dass sie von Androiden aufgehetzt worden sind.« Sie streichelte Toms Hand und lächelte ihn an.

»Ich wäre bereit, das zu machen, im Alleingang oder mit Sam, den niemand in der alten Welt kennt und der ja Wulfs Kampferfahrung besitzt. Tom ist schon etwas störanfällig. Paul bringt, wie besprochen, Material mit, um Sam zum Kampfroboter aufzupeppen und ich bin sowieso unschlagbar.«

Yin musste lachen.

»Süße Eve, Bescheidenheit war noch nie deine Stärke. Aber wahrscheinlich ist das eine echte Chance, den Kriegsparteien zu beweisen, dass sie von gefährlichen Androiden aufgehetzt worden sind. Und hoffentlich begreifen sie, dass humanoide Roboter erkennbar bleiben müssen, um die Guten von den Bösen unterscheiden zu können.«

24. Kapitel

TRAUER UND RACHEGEFÜHLE

Drei Tage später landeten die zwei Fluggleiter und zusätzlich ein Transporter auf dem kleinen Flugplatz. Alle waren zur Begrüßung der Freunde und neuen Auswanderer ans Flugfeld gekommen. Als erste stiegen nacheinander Paul, Peter, Ben, Anna und Walter aus. Zum Schluss kletterten noch zwei unbekannte Mädchen heraus. Alle wurden von Ron, den sechs Frauen mit ihren Kindern und Sarah mit ihrem Sohn, begrüßt. Der zweite Fluggleiter war etwas entfernt gelandet, und aus ihm kletterten Jasmin und ihre drei Sprösslinge. Der Pilot war John, er wirkte erschöpft und depressiv. Yin eilte zu ihren Freunden und umarmte sie erleichtert.

»Wie war der Flug? John, wo sind dein Vater und Bruder? Wo ist Wulf?«

Jasmin fing an zu weinen und in diesem Moment wusste Yin, dass etwas Schreckliches passiert war. Noch nie hatte sie diese starke Frau weinen gesehen. Ihr Herz krampfte sich zusammen, als John nur drei Worte herausbrachte:

»Alle sind tot!«

Yin brauchte Sekunden, um zu verstehen, was diese drei Worte bedeuteten. Benjamin, also Johns Bruder und sein Vater waren tot, aber vor allem war auch Wulf tot. Das konnte nicht wahr sein! Sie schaute Jasmin an und die nickte mit schmerzverzerrtem Gesicht.

»Sie haben ihn in einen Hinterhalt gelockt und zu zehnt deakiviert. Dann haben sie ihn völlig auseinandergebaut und die einzelnen Teile zerstört. Es war eine entfesselte Bande voller Hass und Wut auf Polizeiroboter und er war eben der Chef und der Beste aller Kampfandroiden.«

Während sie sprach, zog sie ihre Kinder hinter sich her und stapfte in das Aufnahmezelt, in das sich schon die anderen Ankömmlinge begeben hatten. Yin schaute John fragend. Der versuchte seine Tränen zurückzuhalten.

»Wulf wollte meinen schon gebrechlichen Vater und Benjamin abholen, aber die hatten sie schon vorher umgebracht. Alle Sicherheitsvorkehrungen waren in ihrer Hand und Wulf war diesen Kriminellen hilflos ausgeliefert.«

Yin marschierte neben den beiden her und konnte diese Informationen einfach nicht glauben. In ihrem Gehirn hämmerten die Worte »Alle sind tot!« Und verzerrten sich zu dem einen Satz »Wulf ist tot!« Sie war nicht an seiner Seite gewesen, hatte nicht mit ihm gegen diesen übermächtigen Feind gekämpft und war nicht mit ihm im Kampf gestorben.

Neben diesen Schuldgefühlen spürte sie unerwartet eine Art von Erleichterung. Sie lebte noch, war bei ihren zwei kleinen Söhnen und einem liebevollen Ehemann und Vater. Und sie war in der Lage, gegen diese Mörder etwas zu unternehmen.

Als sie in Jasmins Gesicht schaute, spürte sie hinter der Trauer um den besten Freund, den Frauen haben können, die gleiche

Zuversicht. Auch sie konnte für ihre drei Kinder in einer neuen, geordneten Welt sorgen und sie beim Aufwachsen fördern. Aber auch sie wollte Wege und Mittel finden, um Wulfs Tod zu rächen.

Yin wusste aus Erfahrung, dass sie ihren Schmerz verarbeiten und den Verlust eines Tages überwinden würde. Trotzdem war die Vorstellung, ohne ihren »Onkel Wulf« weiterzuleben, im Moment fast unmöglich. Sie gestand sich ein, dass sie im Stillen immer gehofft hatte, eines Tages ein Leben mit Ron und Wulf gemeinsam führen zu können. Für sie war der Idealzustand einer Familie »menschlicher Mann, Androide und Kinder«. Das wurde ihr jetzt, nachdem es einen Wulf nicht mehr gab, erst so richtig klar. Und sie wusste, dass es kein Jung-Mädchen-Traum war, sondern aus Erfahrung gewachsene Überzeugung. Androiden konnten keine Männer ersetzen, aber sie konnten das Familienleben und auch das Liebesleben bereichern. Ihr war klar, dass Ron ihre Wunschvorstellungen nicht erahnte. Und wenn, dann wäre er ganz sicher nicht bereit, seine Frau mit einem Androiden zu teilen. Aber sie hatte das im Stillen einfach gehofft. Nun war diese Hoffnung zusammen mit Wulf gestorben.

Im Aufnahmezelt wurden die Neuankömmlinge recht schnell und oberflächlich untersucht, waren sie doch gute Freunde von Yin. Die zwei neuen Mädchen waren eher junge Frauen und hatten mit Jasmin vor vielen Jahren als Prostituierte gearbeitet. Ron las die ausgefüllten Fragebögen durch und äußerte keinerlei Bedenken oder reagierte anders als bei Mädchen aus bürgerlichem Hause. Jasmin aber auch Yin, registrierten das erleichtert und zufrieden. Dann zeigte ihm Jasmin ihre Armbrust »Marke Eigenbau«, die sie in einem kleinen Koffer bei sich trug. Er betrachtete diese Waffe interessiert und zeigte ohne weitere Fragen auf einen Schrank.

»Bei uns werden Waffen aller Art außerhalb des Wohnbereichs gelagert und bei Gefahr im Verzug jedem Besitzer zur Verfügung gestellt.« Jasmin nickte zustimmend und ließ ihren Koffer im Schrank einschließen.

Ron begleitete anschließend alle Neuankömmlinge zu den Unterkünften. John sagte zu Yin:

»Ich würde gerne bei Jasmin und ihren Kindern wohnen, denn sie hat den plötzlichen Verlust von Wulf noch nicht verkraftet und vielleicht kann ich ihr dabei helfen.«

Yin wandte sich an Ron und sagte:

»Jasmin und John sind alte Freunde und können sich gegenseitig trösten und Halt geben, nach dem Verlust ihrer Liebsten.«

Ron hatte das mit Wulfs Tod zwar gehört, aber noch nicht richtig realisiert. Er schaute zuerst Yin und dann Jasmin an.

»Ich kann es noch gar nicht fassen und glauben, dass es Wulf nicht mehr gibt. Ich habe ihn in der kurzen Zeit, die er bei uns gelebt hat, bewundert und mehr geschätzt als jeden menschlichen Mann, den ich kenne.«

»Ja«, antwortete John, »er war ein Frauenversteher und ein Supermann und jeder hat ihn nach kurzer Zeit lieben müssen, ob er wollte oder nicht.«

Damit hatte John auf die ihm bekannte Androiden-Abneigung Rons angespielt. Dieser nickte.

»Ja John, er hat mich von meinen Vorurteilen Androiden und speziell Kampfandroiden gegenüber geheilt. Dass dein Vater und Bruder auch ermordet wurden, tut mir unendlich leid. Wir werden versuchen, dir deine Familie zu ersetzen.«

Jasmin nahm in diesem Moment Johns Hand und sagte, ohne John anzusehen, in Richtung Ron gewandt:

»Das werde ich schon machen. Wir sind ja eine Familie ohne

männliches Oberhaupt, und John hat sich lange genug gedrückt, mit Frau und Kindern Erfahrungen zu sammeln.«

John gab ihr einen Handkuss und Ron lächelte zufrieden. Yin dachte, das ist auf jeden Fall für alle die beste Lösung, und freute sich für John. Der hatte es verdient, die beste Frau auf der Welt zu bekommen.

Die zwei fremden, jungen Frauen wurden im Frauenhaus untergebracht, Anna und Walter zogen vorübergehend bei Patrick und Selina ein. Yins Bruder Ben dagegen bezog in Rons Haus ein kleines Gästezimmer. Immer wieder umarmte er seine Schwester und sie spürte, wie erleichtert und glücklich er sich fühlte.

»Ich bin so froh, bei euch in Sicherheit zu sein. Ohne diese furchtbaren Vorfälle in der alten Welt wäre ich ja nie hierhergekommen. Ganz sicher werde ich mich auch hier nützlich machen können.«

Als sie daheim ankamen, spielte Yins Vater, Tom und Eve mit ihren kleinen Söhnen und freuten sich, Ben endlich wiederzusehen. Erik umarmte seinen Sohn.

»Ben, ich bin so froh, dich gesund und munter in die Arme schließen zu können. Vorhin ist Paul vorbeigekommen und hat mir von Wulfs Tod berichtet. Ich kann gar nicht glauben, dass es Wulf nicht mehr gibt. Bitte setzt euch her, trinkt und esst etwas. Ich habe eine Kleinigkeit für alle vorbereitet.«

Nach diesem Essen waren alle gespannt auf Bens Bericht. Jeder spürte, wie sehr er noch von den Ereignissen betroffen und aufgewühlt war. Immer wieder musste er pausieren, um seine Tränen zurückzuhalten.

»Wir sind, ehrlich gesagt, in der letzten Minute abgehauen. Das Chaos und der Bürgerkrieg waren zum Schluss ganz fürchterlich. Ich habe mich schon seit zwei Wochen verstecken müssen, weil ich versucht hatte, meiner eigenen Community klarzumachen, dass sie von zwei humanoiden Robotern gegeneinander aufgehetzt werden. Aber ich hatte keine Chance! Diese Super-Androiden kann man als normaler Mensch, ohne unsere Erfahrung, einfach nicht als Roboter identifizieren. Der eine hatte sich ja schon als Anführer unserer Gruppe hochgehetzt, da haben sie alle gedacht, ich würde nur meinen Posten zurückwollen und ihn deshalb schlechtmachen. Ich konnte nichts gegen ihn ausrichten.«

Yin streichelte liebevoll seine Hand.

»Wie viele sind schon gestorben?«

»Sehr viele, genau weiß ich es nicht. Aber zwei Freunde, die noch heimlich telefonischen Kontakt zu mir hielten, haben gesagt, dass fast 70 Prozent der männlichen Mitglieder tot seien. Eigenartigerweise lassen sie die weiblichen Jugendlichen in Ruhe, es sind höchstens drei Mädchen in beiden Gruppen gestorben. Und das auch nur, weil sie wie Jungen aussahen.«

Yin schaute Ron an und der wusste, was sie dachte.

»Wahrscheinlich wollen sie die weiblichen Mitglieder der Community selbst schwängern und so von sich abhängig machen. Allerdings sind das Hunderte und nicht, wie hier bei uns, zehn oder zwanzig.«

Yin erschauderte.

»Ja, aber wenn es überhaupt keine männlichen Jugendlichen mehr gibt, haben sie freie Bahn und Zeit ohne Ende, die vielen alleinstehenden Mädchen zu schwängern. Und über jedes neugeborene Kind werden sich sogar alle Erwachsenen freuen.«

Das klang plausibel. Ben fuhr fort:

»Sie haben unsere Mädchen in einem etwas außerhalb der Stadt gelegenen Lager, ein ehemaliges, großes Ferienlager, versteckt, damit sie von den gegnerischen Jugendlichen nicht getötet werden konnten. Und wie ich gehört habe, sind die Mädchen der anderen Gruppe in einem benachbarten Zeltlager untergebracht worden. Wir dachten, dass das nur eine beschützende Geste wäre, aber ihr habt recht, am Ende dieses Gemetzels gibt es fast nur noch weibliche Jugendliche und Alte, die früh sterben, weil keine Medikamente produziert werden.«

Tom mischte sich ein und seine Worte ließen die Menschen erstarren.

»Ja, das Ganze läuft darauf hinaus, die Macht auf dieser Erde zu übernehmen. Über Infekt resistente Kinder, deren Väter sie sind und deren Mütter nicht wissen, dass sie von Androiden geschwängert wurden. Wahrscheinlich können diese Roboter selbst neue Androiden bauen und programmieren.«

Alle schwiegen und hingen ihren düsteren Zukunftsvisionen nach, dann sagte Eve:

»Paul hat mir vorhin versprochen, dass er mit Sams Modifizierung zum Kampfroboter schon übermorgen beginnen will. Er hat die Hardwareteile im Transporter und dort sind auch zwanzig deaktivierte Kampfroboter gelagert, die wir morgen schon aktivieren werden. Diese können nach Einarbeitung von Sam das Lager sehr gut schützen. Die alten sechs sind sowieso schon bestens ausgebildet und Sam und ich werden dann, sowie er startbereit ist, in die alte Welt aufbrechen und für Ordnung sorgen.«

Und sie lachte ihr wunderbares Lachen, das jeden aufmunterte, und wenn er noch so niedergeschlagen war. Yin stand auf, umarmte sie und sagte:

»Vielleicht begleiten wir dich, wir erfahrenen Kämpferinnen, Jasmin, Sarah und ich. Offensichtlich haben diese Androiden eine Schwäche für schöne Frauen und genau da werden wir sie fassen.«

Ron erschrak und seine Worte klangen streng:

»Auf keinen Fall! Ihr wart vielleicht mal Kämpferinnen, als ihr jung wart, jetzt seid ihr dafür zu alt und vor allem Mütter.«

Alle lachten, aber Yin war sich nicht sicher, ob sie gegen alle Vernunft ihr Ziel verfolgen würde, so wie sie es immer gemacht hatte. Sie spürte ein völlig unbekanntes aber erschreckend starkes Rachegefühl, dass ihr jeden klaren Gedanken raubte. Ich brauche Zeit, dachte sie, Zeit, um den gefährlichen Motivator Rache unter Kontrolle zu bringen. Und als ob Eve Gedanken lesen könnte, sagte sie mit leiser und eiskalter Stimme:

»Ich verspüre gerade ein Gefühl, das mir bisher völlig unbekannt war. Ich würde es als Rachegelüste bezeichnen. Und ich spüre, dass es mich in eine extrem harte Kampfstimmung versetzt. Ich werde es jetzt unterdrücken und kontrollieren müssen, bis Sam und ich startbereit sind. Dann aber lasse ich es von der Leine!«

25. Kapitel

YIN UND SAM

Die Neuankömmlinge lernten in den nächsten Tagen das Camp und alle Einrichtungen, aber auch die Außenbezirke, kennen. Yin und Eve betätigten sich als Reiseführerinnen und genossen diese Aufgabe. Sechs Tage nach ihrer Ankunft hatten Ben, John und die zwei jungen Frauen ihre neuen Arbeitsplätze ausgesucht und mit ihrer Tätigkeit begonnen.

Yin hatte an diesem sechsten Tag gegen 13:00 Uhr ihren Sohn Will aus dem Kindergarten geholt und ihn nach dem Essen, zusammen mit dem Baby, zum Schlafen hingelegt. Ron war auf der großen Staudammbaustelle und würde erst spät abends heimkommen. Sie wollte sich auch etwas hinlegen, nicht ins Bett, sondern auf ihr Lieblingssofa im Wohnzimmer. Dieses Möbelstück hatte Wulf vor vielen Jahren extra für sie gekauft und es war inzwischen ins Camp nachgeholt und in ihrem neuen Zuhause aufgestellt worden.

Sie hatte sich gerade hingesetzt, als Sam den Raum betrat. Er hatte einen schwarzen Laserschutzanzug an, der seine Muskeln betonte. Den Helm trug er in der rechten Hand. Als Yin ihn sah, machte ihr Herz einen Sprung, den sie bis zum Hals hinauf spürte. Sie starrte ihn sekundenlang an und wurde mit voller Wucht an Wulf erinnert. Hätte Sam den schwarzen Helm aufgesetzt, wäre sie wahrscheinlich in einen Schockzustand geraten. So aber machte ihr sein freundlich lächelndes Gesicht sofort klar, dass es sich nicht um Wulf handelte. Sam sagte mit seiner sanften Stimme:

»Erschrick nicht, Yin. Ich bin es, Sam. Ja, mein cyberkinetisches Upgrade zum Kampfandroiden ist heute erfolgreich abgeschlossen worden. Ich bin gleich zu dir gekommen, weil Wulf das so gewollt hat. Du weißt ja, dass ich auf seinen Wunsch alle seine Daten gespeichert habe, und zwar auf einer getrennten Datei. Ich kann deshalb durch einen kleinen Touch seine Datei aktivieren und die Worte, die ich dann zu dir spreche, wären seine Worte. Verstehst du, was ich gerade gesagt habe?«

Yin verstand gar nichts. Ihr Kopf dröhnte, ihr Herz schlug weiter im Halsbereich. Sie brachte kein Wort heraus.

»Yin, hör mir bitte zu! Ich erkläre dir gerade, dass Wulf alles so geplant und gewollt hat, im Falle seiner Eliminierung.«

Er machte eine kleine Pause, dann redete er weiter und allmählich drangen seine Worte in ihr Gehirn.

»Wulf hat damals zu mir gesagt: ›Wenn du, Sam, meine Daten auf einem Extraspeicher besitzt, kannst du ihn im Bruchteil von Sekunden aktivieren und bist dann Wulf. Du sprichst mit meiner Stimme, und die Worte und Gedanken sind die von mir. Ich kann nicht sagen, ob alles so funktioniert, wie ich es geplant habe. Wenn ja, dann werde ich weiter Probleme erkennen und lösen können und vor allem auch Gefühle empfinden. Wenn du also auf meinen Datenspeicher umstellst, aktivierst du damit meine gesamte Software und ich lebe sozusagen in deinem Körper weiter. Ist dagegen dein Speicher im Arbeitsmodus, hast du keine Gefühle und kannst nur auf deine bisher gespeicherten, eigenen Daten zurückgreifen.' Das habe ich mir genau gemerkt.«

Allmählich verstand Yin, was Sam ihr zu erklären versuchte. Das also hatte Wulf damals geplant und ausgeführt. Er ermöglichte ihnen ein weiteres Zusammensein über seinen Tod hinaus. Er bediente sich dazu eines modernen Super-Androiden, indem er ihm seine eigenen Daten völlig autonom eingespeichert hatte. Sie sagte:

»Sam, ich habe jetzt alles verstanden. Ich bin bereit für den Wechsel. Bitte aktiviere Wulfs Daten.«

Und sie blieb auf dem Sofa sitzen, zog die Beine in den Schneidersitz und lehnte sich an die Rückenlehne, um Halt und Geborgenheit zu spüren.

Sam berührte mit der linken Hand eine Stelle hinter seinem rechten Ohr und lächelte sie weiter an. Nach ungefähr zehn Sekunden sprach er mit Wulfs Stimme folgende Worte:

»Liebste Yin, erschrick nicht, ich bin es, Wulf. Wenn es für dich angenehmer ist, sag Sam bitte, dass er den schwarzen Helm aufsetzen soll, dann fällt es dir leichter, dir vorzustellen, dass ich jetzt zu dir spreche.«

Yin nickte Sam zu und der setzte den schwarzen Laserschutzhelm auf und seine Kameraaugen strahlten durch die integrierte Brille wie zwei Sterne. In Yin verkrampfte sich alles – vor ihr stand Wulf. Aber sie zwang sich zur Konzentration und versuchte das Gefühlschaos in ihr, zu unterdrücken. Wulf redete weiter:

»Liebste Yin, ich habe befürchtet, dass sie mich eliminieren würden und deshalb diesen Datentransfer in die Hardware von Sam durchgeführt. Alle Daten, die uns zwei betreffen, also unsere Entwicklung als Paar, unsere gemeinsamen Erlebnisse und vor allem meine Gefühle für dich sind jetzt gespeichert. Ich weiß nicht, ob du auf sie zurückgreifen willst, denn neue, gemeinsame Erlebnisse oder Gefühle können wir so nicht erleben und auch keine Gespräche führen. Diese Möglichkeit besteht nur, wenn meine Daten mit Sams vermischt werden. In diesem Fall kann er meine Gefühle empfinden und weiterentwickeln und mit dir in enge emotionale Verbindung treten und du musst immer daran denken, dass meine Daten bei allem, was er sagt und tut, mitspielen.«

Wulf machte eine Pause, damit Yin seine Worte verarbeiten konnte. In ihr brodelten die verschiedensten Gefühle durcheinander. Dann fuhr er fort:

»Diese Entscheidung, also ob die Daten vermischt werden sollen, musst du ganz allein treffen. Lass dir bitte lange Zeit zum Nachdenken und besprich dich unbedingt und ausführlich mit Ron.«

Yin hatte seine Worte gehört und verstanden, aber sie konnte keinen klaren Gedanken fassen. Sie wusste nur, dass sie für eine Entscheidung Zeit hatte. Dann beendete Wulf seine Rede mit folgenden Worten:

»Yin, ich weiß, dass du jetzt verwirrt bist, denn für Menschen ist der Wechsel der Hardware und Software in Sekundenschnelle eine sehr große Herausforderung. Das erfordert Training, aber du kannst das schaffen. Ich selbst würde mich gerne in Sam und mit Sam weiterentwickeln, mit ihm lernen und kämpfen und eines Tages wären wir ein einziger Androide, der völlig anders wäre als die zwei getrennten Softwarepakete heute. Dieses Experiment ist bisher noch nie gemacht worden. Ich glaube aber, dass es gut gelingen könnte, weil Sam und ich zwei verantwortungsvolle und gereifte Persönlichkeiten sind. Ich habe sein ethisches Grundverhalten vor diesem Datentransfer überprüft.« Yin wartete auf ein paar zärtliche oder liebevolle Worte. Wulf dagegen blieb sachlich und half ihr damit ihren Verstand zu gebrauchen.

»So, liebe Yin, ,bleib so, wie du bist', sagt man bei den Menschen, aber das gibt es nicht. Weder bei Menschen noch bei lernfähigen Androiden. Jeder entwickelt sich weiter, abhängig vom Input. Ich liebe dich über alles, habe dich immer geliebt und kann dich weiter lieben, wenn du meine Weiterentwicklung durch die Vermischung mit Sams Daten erlaubst. Wie gesagt überdenke alles zusammen mit Ron und überlegt euch die entstehenden Konsequenzen in aller Ruhe und in vertrautem Beisammensein. Macht euch klar, dass diese Datenvermischung jederzeit durchgeführt werden kann, heute, morgen oder in fünf Jahren. Sie geht sehr schnell und einfach, aber sie hat weitreichende Folge für alle Beteiligten.«

Nach einer neuerlichen Pause hörte Yin einen kleinen Klick und sah, dass Sam wieder hinter sein rechtes Ohr gedrückt hatte und seinen Helm abnahm. Er lächelte etwas stärker und ging auf Yin zu. Vorsichtig nahm er ihre Hand und sagte:

»Yin, du brauchst jetzt Zeit, alles Gehörte zu verarbeiten. Wulf hat vieles mit mir besprochen, bevor er diesen Datentransfer durchgeführt hat. Er war ein weiser Androide der alten Generation, so hat er es selbst ausgedrückt. Und er fand den Gedanken, in einem jungen, noch unerfahrenen, lernfähigen Androiden der neuesten Generation weiterzuleben und sich mit ihm weiterzuentwickeln, sehr reizvoll. Aber er hat die Konflikte, die daraus entstehen können, durchaus gesehen und deswegen darauf bestanden, dass du mit Ron alles besprechen sollst und wir eine Entscheidung, wie immer sie aussieht, in frühestens 48 Stunden umsetzen dürfen.

Ich persönlich bin allerdings der Meinung, dass es sehr sinnvoll wäre, und zwar aus kampftaktischen Gründen, diese Vermischung vor unserem Einsatz in der alten Welt durchzuführen.«

Yin schaute den freundlich lächelnden Sam an und spürte die ungeheure Irritation, die der schnelle Wechsel von einer Person in eine andere bei ihr auslöste. Wulf hatte recht, das Tragen des Helms, also eine Veränderung des Äußeren war hilfreich. Er hatte die menschliche Unfähigkeit diese schnellen Persönlichkeitswechsel zu verkraften, offensichtlich vorausgesehen. Yin stand auf und trat nah an Sam heran.

»Sam, ich habe alles verstanden und werde mich intensiv mit Ron beraten. Vielen Dank für dein Kommen und deine freundlichen Worte. Wir melden uns sofort bei dir, wenn wir eine Entscheidung getroffen haben.«

Als Sam gegangen war, legte sich Yin erschöpft auf das Sofa. Sie streckte ihre Beine, machte sich ganz lang, atmete tief ein und aus und versuchte, an nichts zu denken. Dieses tiefe, gleichmäßige Atmen hatte ihr schon oft geholfen, zur Ruhe zu kommen, und auch dieses Mal fiel sie nach einigen Minuten in einen entspannten Schlaf.

Als sie die Augen wieder aufschlug, wusste sie im ersten Moment nicht, wo sie war. Dann schaute sie direkt in Wills klare Kinderaugen.

»Ich habe Onkel Wulfs Stimme gehört«, sagte er leise und kuschelte sich eng an seine Mutter.

Sie drückte seinen kleinen Körper beruhigend an sich und flüsterte zurück:

»Ja, er hat eine Rede für mich aufgezeichnet und in Sam gespeichert. Aber du weißt, dass er leider nicht mehr lebt.«

Will nickte schweigend. Dann fing der kleine Erik-Ron an zu jammern und Yin holte ihn aus seinem Bettchen. Sie stillte ihn im Liegen, nachdem sie sich wieder zu Will auf das Sofa gelegt hatte. Sie genoss das friedliche, vertraute Gefühl der Zusammengehörigkeit und wartete auf Ron.

Der betrat eine halbe Stunde später das Wohnzimmer und als er seine kleine Familie so auf dem Sofa liegen sah, huschte ein Lächeln über sein staubiges und bärtiges Gesicht. All seine Bemühungen, Entbehrungen und Anstrengungen hatten einen wunderbaren Sinn.

»Hallo, ihr Lieben, wie ich sehe, lasst ihr es euch auch ohne mich gut gehen.«

»Ja, mein Schatz, aber mit dir geht es uns noch besser.«

Und Will stürmte gleich auf seinen Vater zu und gab ihren Worten Beweiskraft. Nachdem Ron sich gewaschen und ausgiebig mit Will gespielt hatte, aßen alle zusammen das Abendbrot, das Yin inzwischen zubereitet hatte. Anschließend brachte sie die Kinder in ihre Betten, las ihnen kleine Gutenachtgeschichten vor und wartete, bis sie eingeschlafen waren. Dann setzte sie sich zu Ron an den Tisch, nahm seine Hände und küsste sie. Er wusste, dass sie etwas Wichtiges auf dem Herzen hatte.

»Ich bin ganz Ohr, Yin, was bedrückt dich?«

»Ron, heute hat Sam mich besucht und Wulfs aufgezeichnete Rede abgespielt. Du hast ja von Paul damals gehört, dass Wulf seine Daten auf Sam übertragen hat. Und du hast gemeint, er hätte das wegen mir gemacht. Aber ganz so ist es nicht. Im Gegenteil, wegen mir hat er die völlige Vermischung seiner eigenen mit Sams Daten nicht durchgeführt. Er geht nämlich davon aus, dass das wegen seiner starken Liebesgefühle zu mir, Probleme in unserer Beziehung auslösen könnte. Sam schaut ja viel menschlicher aus und ist ein charmanter Weiberheld, wenn auch mit Verantwortungsbewusstsein. Aber er könnte dich wesentlich eifersüchtiger machen als ein Wulf mit schwarzem Helmgesicht.«

Yin machte eine Pause und wartete auf Rons Reaktion. Ron musste ihre Worte überdenken. Er stellte sich den lächelnden Sam vor, wie er Yin hochhob und auf den Mund küsste.

»Ja, meine Liebe, da hat er recht, der gute, weise Wulf. Wenn ich mir das jetzt so vorstelle, dass Sam dich umarmt und küsst, dann überfällt mich ein anderes Gefühl und irritiert mich viel mehr, als wenn du auf Wulfs Arm springst.«

Yin schaute in seine sanften Augen.

»Ron, Wulf hat in seiner Rede vieles gesagt, aber nur zwei Dinge sind für uns beide wichtig. Erstens: Unsere Liebe darf keinen Schaden nehmen. Und zweitens: Wir wollen Wulf in Sam nicht plötzlich als Widersacher oder Nebenbuhler sehen und all meine schönen Kindheitserinnerungen und Jugenderlebnisse damit zerstören.«

Ron nickte.

»Das wäre wirklich ein fatales Ergebnis. Und wenn Wulf so etwas befürchtet hat, müssen wir das ernsthaft in Erwägung ziehen.«

Beide schwiegen minutenlang und machten sich über diese völlig neue Situation ihre Gedanken. Schließlich sagte Yin:

»Wir müssen überlegen, was wir dagegen unternehmen können. Denn eines ist in dieser Rede auch deutlich geworden: Wulf selbst würde liebend gerne mit seinen Erfahrungsdaten, vor allem auch den kampftaktischen, in Sam weiterleben und an einem zukünftigen Kampf teilnehmen. Nicht aus Rachegefühlen, sondern aus Liebe zu den Menschen, hier und in der alten Welt.«

Ron schaute weiter gedankenverloren auf das Sofa. Er wusste, dass Wulf es vor vielen Jahren für seine große Liebe Yin gekauft hatte.

»Die tiefe und unerschütterliche Liebe von Wulf ist niemals etwas Schlechtes. Sie ist absolut bedingungslos und wertvoll. Nur, wir Menschen sind eben schwach, egoistisch und besitzergreifend, sodass Eifersuchtsgefühle uns quälen können.«

Yin sagte nichts, sie dachte aber an Sam und stellte sich vor, wie er sie hochhob, an sich drückte und küsste. Wenn er dann die unbeschreiblich zärtlichen Worte, die Wulf ihr zugeflüstert hatte, wiederholen würde und sie zusätzlich Veränderungen an seinem Körper spüren würde, dann wurde ihr schon allein bei dieser Vorstellung heiß. Sie schob die Gedanken schnell von sich und sagte:

»Wir müssen sehr klare Regeln für Sam aufstellen. Das könnte die Lösung sein. Er darf mich nie allein treffen, nie körperlich berühren und wenn er diese Grenze überschreitet, müssen wir ihn notfalls aus dem Camp verbannen. Natürlich wären dann auch Wulfs Daten für uns verloren. Ich denke aber, dass Wulf sich mit Sam und seinen Daten schon vorher allein auseinandersetzen kann und versuchen wird, ihn zur Vernunft zu bringen. Wir können das eher nicht.«

Ron überdachte Yins Worte.

»Notfalls könnten wir Sam deaktivieren lassen und ganz neue Daten einspeichern. Patrick hat mir erzählt, dass wir zu wenig Hardwareteile haben, um neue Androiden zu bauen. Das wird sich sowieso zu einem Problem hier bei uns entwickeln. Wenn wir in der alten Welt Frieden schaffen könnten, wäre der Erwerb von notwendigen Materialien möglich. Sie werden inzwischen nicht alle Ressourcen zerstört haben.«

Dann fiel Yin noch ein wichtiges Argument ein.

»Wahrscheinlich wird es ja so sein, dass Wulf die Oberhand über Sams gespeicherte Daten gewinnen wird, weil er über so viele Jahre erheblich mehr Erfahrungswerte sammeln konnte, sowohl mit Frauen als auch im Kampf.«

Das leuchtete auch Ron ein und beruhigte ihn etwas. Yin fuhr fort:

»Ich habe bei Wulfs Ansprache ganz deutlich gespürt, dass er durch den Datentransfer mit Vermischung sehr gerne weiterleben und sich weiterentwickeln würde. Ich will das auch, denn es wäre eine Schande, wenn diese gesetzlose Bande einen so wertvollen, wunderbaren, weisen und liebevollen Androiden einfach auslöschen könnte.«

Ron stand auf und küsste sie zärtlich.

»Also stimmen wir zu und geben beide unser Bestes, damit wir Wulf nicht enttäuschen oder ihm Sorgen bereiten. Denn er wird unser Verhalten durch Sam ja genau beobachten und auch kommentieren können. Das wäre wiederum eine große Hilfe für uns.«

Yin drückte ihn überglücklich an sich und dachte, Ron ist der beste aller Männer, und Wulf der weiseste aller Androiden.

Am nächsten Morgen war Ron schon sehr früh zur Baustelle aufgebrochen. Yin hatte Ron-Erik gestillt, mit Will gefrühstückt und ihn dann im Kindergarten abgeliefert. Mit dem Baby im Tragetuch marschierte sie zum Wohnhaus von Sam und seinen sechs Frauen mit acht Kindern. Schon von Weitem hörte sie Mädchenlachen und Kindergeschrei.

Sie betrat die Eingangshalle und läutete eine Glocke, die auf einem Tisch neben einer Wasserkaraffe und vier Gläsern stand. Das Haus machte einen gepflegten und kreativ gestalteten Eindruck. Ein Mädchen mit blonden Zöpfen und einem Baby im

Arm kam lächelnd die Treppe herunter. Sie bremste ihre Schritte etwas ab, als sie Yin erkannte.

»Hallo Yin, ist etwas passiert?«, fragte sie unsicher.

»Nein, ich wollte nur gerne mit Sam ein paar Dinge besprechen. Ist er zu Hause?«

»Ja, ich hole ihn«, sagte das Mädchen und kehrte sofort um. Yin dachte, weil ich immer die Frau eines Chefs bin, behandeln mich alle mit einer gewissen Distanz oder sogar Respekt.

Sie war froh, dass Sarah und Jasmin wenigstens enge Freundinnen waren. Diese sechs Mädchen behandelten sie eher als Fremde, obwohl sie ja mit ihnen monatelang in der Küche gearbeitet hatte.

Dann kam Sam die Treppe herunter. Er lächelte wie immer freundlich.

»Hallo Yin, komm wir gehen ein bisschen in die Gartenlaube. Da ist es ruhiger.«

Und vor fremden Ohren geschützt, dachte Yin.

Im Garten kam sie gleich zur Sache:

»Wir haben uns für eine Datenvermischung entschieden, Sam. Das ist wegen des bevorstehenden Kampfes sinnvoll und weil Wulf auf diese Weise mit uns allen weiterleben kann. Jeder wird von seinen Erfahrungen profitieren, du natürlich am allermeisten.«

»Ja, liebe Yin, da hast du recht. Ich weiß von Wulf, dass ihr ihn mit dieser Entscheidung sehr glücklich macht. Er hat mich damals oft hier daheim besucht und die vielen verschiedenen Mädchen haben ihn fasziniert. Vor allem aber hat er wohl sein Leben lang darunter gelitten, dass er kein menschliches Gesicht und keinen Penis besitzt. Jetzt bekommt er beides und kann sogar Kinder zeugen.«

Yin zuckte zusammen und erstarrte innerlich. Daran hatte weder sie noch Ron gedacht. Wulf wurde durch Sam Teilhaber an sechs Frauen, acht Kindern und eben auch erfahrener Liebhaber dieser Frauen mit einer körperlichen Ausstattung, die er wohl immer vermisst hatte. Ganz besonders aber als sie sich von ihm zurückgezogen und ihn dann sogar verlassen hatte.

Plötzlich überfiel sie eine Welle von Gefühlen, die sie innerlich herumwirbelte und schwindlig werden ließ. Sie setzte sich auf den Gartentisch in der Laube und umklammerte seine Kanten. Sam schaute sie an und lächelte.

»Du als Frau wirst dir dieses Glück nicht so vorstellen können, aber Ron wird das auf jeden Fall verstehen. Androiden sind auch Männer, denn sie lernen, was Frauen wollen, brauchen und vermissen. Sie lernen das schneller und besser als menschliche Männer und wenn sie dann durch einen körperlichen Mangel nicht allen Anforderungen gerecht werden können, ist es doppelt schmerzhaft für sie. Humanoide Roboter sind immer Perfektionisten, die jede Herausforderung optimal meistern wollen.«

Yin hörte Sams Worte, aber sie war von ihrem Gefühlswirbel so gefangen und verstört, dass sie nicht klar denken konnte. Erschreckenderweise verspürte sie den starken Drang, ihre Entscheidung zurückzunehmen, und eine Vermischung der Daten sofort und für immer zu verbieten. Sie wusste, dass nur schlechte Gefühle wie Eifersucht, Neid und Besitzansprüche die Ursache für diesen Drang waren. Mit aller Macht kämpfte sie gegen diese egoistischen Strebungen an.

Sam schien ihre innere Zerrissenheit nicht zu bemerken und redete weiter:

»Wulf hat dieses Thema nur kurz erwähnt, sich nicht beschwert oder gar gejammert. Aber ich habe gewusst, was er durchgemacht, wie er gelitten hat. Ich dachte, du solltest darüber nachdenken, bevor diese Vermischung stattfindet. Man kann sie nicht mehr rückgängig machen, außer ich werde eliminiert.«

Yin musste mehrmals schlucken und tief durchatmen.

»Hat Wulf oder sonst jemand dir von meiner Beziehung zu ihm erzählt?«

»Nein, für mich wart ihr sehr gute Freunde und er war Jasmins Mann.«

Yin kämpfte innerlich weiter gegen egoistische Wünsche und deprimierende Vorstellungen an. Vor ihren Augen sah sie Sam und Wulf vermischt zu einem Supermann und sechs junge Mädchen, die sich der Reihe nach zur Begattung bereit machten. Sie musste einfach verschwinden, sie musste flüchten. Sie schaute Sam nicht mehr an, sondern drehte sich abrupt weg und flüsterte:

»Gut Sam, alles ist gesagt, ich gehe jetzt heim.« Sam wirkte irritiert und begleitete sie schweigend auf die Straße. Dann hielt er sie vorsichtig am Arm fest.

»Nein Yin, es ist absolut nicht alles gesagt. In deinem Gesicht und deinen Augen habe ich viele negativen Gefühle erkannt. Ich habe gespürt, dass du deinen Entschluss rückgängig machen wolltest, weil dich die Eifersucht im Griff hatte. Man kann diesen starken, dunklen Gefühlen nicht einfach davonlaufen, sie werden dich verfolgen. Du musst ihnen ins Auge sehen, dich mit ihnen auseinandersetzten und sie durch Verarbeitung bekämpfen. Wenn du das nicht schaffst, darf ich die Datenvermischung nicht durchführen lassen. Das hat mir Wulf ans Herz gelegt. Er hat darauf bestanden, dass ich Dir genau das erzähle, was ich dir gerade gesagt habe und deine Reaktionen beobachte. Er will nicht, dass deine Seele durch Gefühle wie Eifersucht, Neid oder Wut Schaden nimmt.« Yin zuckte zusammen. Wulf hatte, wie so oft,

alle Eventualitäten und möglichen Reaktionen ihrerseits voraus-
berechnet und wollte

sichergehen, dass er ihr nicht schadet.

Auf dem Heimweg versuchte sie, sich ihren dunklen Seiten zu
stellen. Sie ließ ihre egoistischen Besitzansprüche, ihre Eifersucht
und vor allem die Angst, dass Wulf mit anderen Mädchen mehr
Vergnügen oder Glücksgefühle als mit ihr empfinden könnte, voll
auf sich einwirken. Es tat weh, sich einzugestehen, dass es letztlich reine Eitelkeit war, die sie dazu brachte, Wulf keine anderen
jungen Mädchen als Glücksbringerinnen zu gönnen. Sie verlor
damit ihr Alleinstellungsmerkmal, sie war ersetzbar. Es bestand
die Möglichkeit, dass er eine andere mehr begehren oder sogar
lieben könnte als sie.

Sie wusste, dass sie mit diesen Schattenseiten ihres Charakters
allein kämpfen musste und nicht auf Rons Hilfe zählen konnte. Sie
hatte Angst, dass er sich entsetzt von ihr abwenden würde, wenn er
ihren riesigen Egoismus erkannte. Tränen rannen über ihre Wangen und auf Ron-Eriks kleinem Kopf, der an ihrem Hals ruhte. Als
sie daheim ankam, waren seine wenigen weichen Haare nass.

Sie legte sich erschöpft auf das rosa Sofa, stillte ihr Baby und
dachte an Sams Worte. Und ohne besondere Anstrengung fühlte
sie wie alle negativen, dunklen Gefühle verschwanden, als sie den
Satz von Sam auf sich wirken ließ:

»Wulf hat dieses Thema nur kurz erwähnt, sich nicht beschwert oder gar gejammert. Aber ich habe gewusst, was er
durchgemacht, wie er gelitten hat.«

Ja, er hatte furchtbar gelitten, wegen ihr, wegen seiner körperlichen Mängel. Und jetzt wollte sie ihm seine Perfektionierung
zum hochmodernen, menschlichen Körper nicht gönnen? Alles
nur wegen Eitelkeit und egoistischem Besitzanspruch?

Sie entspannte sich und lächelte Wulf in Gedanken liebevoll an.

»Wulf«, flüsterte sie, »ich gönne dir jedes einzelne Glücksgefühl. Ich freue mich für dich, dass du nach dieser ekelhaften, brutalen Zerstörung deiner Hardware, eine wunderbare, neue   bekommst, die all deine Wünsche und Träume erfüllt!«

4. TEIL

MACHT UND OHNMACHT

26. Kapitel

AMAZONEN GEGEN ANDROIDEN

Yin suchte Sam am nächsten Tag nochmals auf und ihm erklärt, dass sie sich mit den negativen Seiten ihres Charakters und Wesens auseinandergesetzt hatte.

»Wulf wusste, dass er mich immer verwöhnt hat. Von klein auf hat er mir zu verstehen gegeben, dass er nur mir gehört, mich bedingungslos und ausschließlich liebt. Du kannst das nicht wissen, aber nach der Datenvermischung wirst du es mehr spüren als dir lieb ist, Sam. Und deshalb weiß Wulf auch, dass es für mich sehr schwer wird, dieses Alleinstellungsmerkmal aufzugeben und zu akzeptieren, dass er auch anderen Frauen gehören könnte. Das mit Jasmin war völlig anders, sie war seine gute Freundin und Lehrerin im Hinblick auf sein Leben mit mir, seiner großen Liebe.«

Sam sagte nichts, sondern wartete auf weitere Erklärungen. Seine Kameraaugen musterten sie freundlich aber doch distanziert. Yin half das, sich auf ihre Worte zu konzentrieren.

»Lieber Sam, das ist alles ein bisschen kompliziert und auf jeden Fall schwieriger als deine bequeme »Harems-Situation« hier in dieser Welt. Du wirst durch Wulf mehr lernen und fühlen als in deinem bisherigen Leben. Aber du wirst das genauso schaffen, wie ich diese neue Situation verkraften werde. Klar ist, dass das Zusammenleben mit einem so außergewöhnlichen Androiden, wie Wulf es war, jedes Opfer wert ist, von Menschen und humanoiden Robotern. Ron und ich sind bereit, uns dieser Herausforderung zu stellen, weil wir wollen, dass Wulf weiterlebt.«

Yin erkannte, dass Sam ihre Worte nicht wirklich einordnen konnte. Er würde aber früh genug selbst merken, was es heißt, sich einem so dominanten Partner unterordnen zu müssen. Er war dann nicht mehr der Alleinherrscher über seine Hard- und Software, aber auch nicht über seine sechs Frauen.

Einen Tag nach diesem Gespräch führte Paul die Datenvermischung von Wulfs und Sams Speicher durch. Alles verlief schnell und komplikationslos. Für Paul war der Vorgang Routine und ihm waren die Konsequenzen nicht bewusst. Er war sich sicher, dass eine Dateierweiterung immer von Vorteil war und für ihn waren die Kampfstrategien von Wulf die vorrangige Bereicherung für den Androiden Sam. Dieser war für Paul kein Rivale, sondern ein Freund, der seine Frauen und Kinder mit ihm teilte und nie irgendwelche bedrohlichen Verhaltensweisen gezeigt hatte. Paul hatte keine Erfahrung mit fühlenden Androiden und er ging davon aus, dass Wulf alle Gefühle weiterhin unter Kontrolle hatte, auch nach einem Datentransfer in Sams Hard- und Software. In Pauls Augen waren Probleme bei Datenübertragung allerdings immer möglich. Aber die meisten konnte er bereinigen und notfalls musste er das ganze Programm löschen.

Bei Menschen sind die Probleme wesentlich komplizierter und nicht so einfach zu ändern, dachte er. Das wiederum wusste er aus eigener Erfahrung.

Drei Tage nach diesem Datentransfer besuchte Yin das Freundespaar Tom und Eve in ihrer kleinen Einliegerwohnung. Yin wusste, dass Eve sich mit Jasmin und Sarah häufiger getroffen hatte. Tom war nicht zu Hause, sondern bei Patrick.

»Hallo Eve, was hast du mit den beiden Amazonen Sarah und Jasmin nun besprochen?«, fiel sie mit der Tür ins Haus.

»Tja, das willst du gerne wissen.« Eve lächelte geheimnisvoll. »Aber du hast Rons Worte hoffentlich noch im Ohr: Du bist in erster Linie Mutter der Kinder und Ehefrau des wichtigsten Mannes in dieser neuen Welt. Du musst hierbleiben und die Stellung halten, Yin, das ist auch kampftaktisch gesehen richtig. Sollte unsere Mission scheitern, bist du die einzige Frau, die uns retten kann. Das ist unser Plan.«

Und sie erklärte Yin, dass sie eine heimliche Landung auf Jasmins Grundstück planten und in ihrem Haus als ehemalige Prostituierte leben wollten. Über Bens Freund sollte dann Kontakt zu dem Anführer der Androiden freundlichen Gruppe aufgenommen werden. Sie wollten diesen Super-Androiden um Aufnahme ins Frauenlager und um Schutz bitten. Bei einem Treffen würde jede auf ihre Art versuchen, ihn zu verführen beziehungsweise sein Interesse zu erregen. Schlüsselfigur bei diesem Unternehmen war Bens Freund. Er hieß Noah und Eve hatte ihn zwei- oder dreimal mit Ben gesehen.

»Er ist ein ganz besonderer Typ. Nach einem schweren Unfall in früher Jugend haben ihn die Ärzte zusammen mit IT-Spezialisten so wiederhergerichtet, dass er funktionieren kann. Eigentlich ist er halb Mensch und halb Androide. Sein rechtes Bein und sein rechter Arm funktionieren als Hightech-Prothese und sein rechtes Auge ist ein Kamera-Auge wie bei uns. Sogar seine Stimme ist künstlich verzerrt, weil die Stimmbänder gerissen waren und ebenfalls durch Prothesen ersetzt werden mussten. Zahlreiche Narben im Gesicht sind durch künstliche Hautimplantate kaschiert worden. Dieser Noah strahlt eine eigenartige Souveränität aus und hat vor niemandem Angst. Wulf kannte und mochte ihn, weil er so unerschrocken war. Anscheinend imponiert das auch diesen hypermodernen Androiden oder es irritiert sie, diese eigenartige Ähnlichkeit eines Menschen mit Androiden. Ich weiß es nicht. Er wirkt auf mich wie ein durch Schmerzen und Ängste gereifter Jugendlicher, der alles vermeidet, was ihn als Krüppel abstempeln oder Mitleid erwecken könnte.«

Yin überlegte Eves Worte.

»Und inwiefern ist er die Schlüsselfigur?«

»Weil er unter dem besonderen Schutz dieser zwei Super-Androiden steht und sie ihm irgendwie vertrauen. Das hat Ben jedenfalls bemerkt. Noah selbst versucht, zu helfen, wo er kann und unnötiges Blutvergießen zu verhindern. Die Androiden selbst töten ja sowieso keine Menschen, das machen die Jugendlichen unter sich aus, und zwar mit extremer Brutalität. Weil Noah unter dem Schutz beider Androiden steht, trauen sich die Jugendlichen von beiden Lagern nicht an ihn heran. Er wiederum erklärt den Androiden anscheinend, wen sie besonders beschützen sollen. So hat er durchgesetzt, dass Jungen unter zwölf Jahren nicht verletzt oder auch nur angerührt werden dürfen. Aber auch die Eltern von Kindern unter zwölf Jahren sind durch seine Intervention tabu für die Jugendbanden. Die Androiden lassen sich von Noah alles begründen und er hat es drauf, sie mit guten Argumenten zu überzeugen.«

Dann wechselte Eve das Thema und schaute Yin amüsiert an.

»Ja, und du bleibst hier im Camp, bis wir deine Hilfe brau-

chen, und das wird Noah dir mitteilen. Er ist der Verbindungs-
mann zwischen uns und diesem Lager hier.«

Yin nickte und fand es richtig, dass eine kampferfahrene Frau
im Hintergrund blieb, um notfalls alles zu mobilisieren, was
möglich war. Sie fragte:

»Und was macht Sam?«

»Der bleibt auch im Hintergrund. Er muss sich bei einem weiteren Freund von Ben verstecken, und nur im Notfall als Kampf-
android eingreifen. Wir werden in engem Kontakt zu ihm stehen und ich hoffe, dass keiner von Bens Freunden ein falsches
Spiel spielt. Allerdings kennen sie mich beide und wissen, dass
ich sie, ohne mit der Wimper zu zucken, töten würde und wenn
das meine letzte Handlung sein sollte.«

Yin erschrak über ihre eiskalte Stimme. Man vergisst immer,
wer sie letztlich ist, dachte sie, nämlich eine Tötungsmaschine,
wie Tom zu sagen pflegte.

»Hast du mit Sam in den letzten Tagen nach seinem Datentransfer noch gesprochen?«, fragte Yin schließlich.

»Ja. Aus dem, was und wie er es sagte, spricht eindeutig und
einzig Wulf. Ich glaube, er hat in dieser Verbindung die absolute
Oberhand. Ich konnte Sam, den Charmeur und Herzensbrecher,
jedenfalls gar nicht heraushören oder fühlen.«

»Na ja, ihr habt ja auch nur über Kampfstrategien gesprochen,
da hörst du nie etwas Weiches, Liebevolles heraus.«

Eve schaute direkt in Yins Augen, trat nah an sie heran und
flüsterte:

»Täusche dich nicht! Mitten in unserer Besprechung und unseren taktischen Überlegungen hat Sam beziehungsweise Wulf
plötzlich gesagt: ‚Yin, die beste aller Kämpferinnen, wird weinen

und leiden, wenn sie hier im Camp bleiben muss. Ich hätte sie gerne an meiner Seite.' Und wie er das sagte, wusste jeder im Raum, dass nur Wulf so etwas sagen konnte, denn nur er hat zusammen mit dir gekämpft und nur eure Liebesbeziehung basierte auf gemeinsamem Kampf gegen alles und jeden.«

Yins Herz krampfte sich zusammen. Es ist gut, dass sie ohne mich in diesen Kampf ziehen. Ich wäre eine Gefahr für alle, dachte sie. Ich würde Wulfs Anwesenheit in Sam spüren und ihn möglicherweise begehren. Ich könnte mich sicher nicht voll auf den Kampf konzentrieren.

Am nächsten Morgen brachen sie auf. Sarah und Jasmin trugen ihre schwarzen Overalls, ihre langen Haare offen und Baseball-Caps sowie Sonnenbrillen. Eve war in dem gleichen Look nicht als Roboter zu erkennen. Allerdings war sie sich der Gefahr bewusst, dass einer der Super-Androiden sie doch als Maschine identifizieren konnte. Sam flog den Fluggleiter und sah aus wie ein Bordmechaniker. Er trug über seinem Laserschutzanzug einen weiten Blaumann und ebenfalls ein Cap und eine Sonnenbrille. Yin, Ron, John und Peter standen am Flugfeld, zusammen mit ihren Kindern. John hatte Jasmins drei Kinder nah an sich herangezogen, weil alle drei weinten. Sie haben ihre Mutter noch nie verabschieden müssen, dachte Yin. Und sie spürte, wie Will ihre Hand fest umklammerte, weil er froh war, dass seine Mama nicht wegflog.

Zwei Tage später rief Jasmin an und berichtete, dass sie gut gelandet waren und in ihrem Haus alles in bestem Zustand vorgefunden hätten. Sam war von Bens Freund abgeholt worden und die drei Frauen hatten sich im Haus nur notdürftig eingerichtet. Am nächsten Tag war das erste Treffen mit Noah und dem Anführer der Androiden-freundlichen Community geplant. Jasmin sagte:

»Wir sind schon total angespannt und innerlich bereit für alles, was auf uns zukommen kann. Drück uns die Daumen, dass wir auch Androiden verführen können, die nicht den Hauch von Gefühlen besitzen.«

Yin musste lachen.

»Also, wenn jemand mit Androiden Erfahrung hat, dann seid ihr drei das wohl. Ihr werdet das schon schaffen, da bin ich mir sicher!«

Am nächsten Tag erschienen pünktlich um zehn Uhr Noah und dieser Chef-Androide. Sein Name war Jack, er war groß, muskulös und seine tiefblauen Kamera-Augen hatten einen leicht traurigen Ausdruck. Auch seine Stimme wirkte sanft und freundlich. Eve dachte: Wenn man sich mit Androiden nicht auskennt, würde man unter keinen Umständen vermuten, dass er ein Roboter ist.

Sie ahnte, dass die zwei Frauen fasziniert von seinem menschenähnlichen Aussehen waren. Sie kannten das zwar schon von Sam und Peter, aber bei diesem Androiden war es nochmals verfeinert worden. Seine feinen und doch männlichen Gesichtszüge unterstrichen ein Charisma, das sie noch nie bei einem humanoiden Roboter gespürt hatte und ihr war klar, dass unerfahrene und unbekümmerte Jugendliche niemals einen Zweifel an seiner menschlichen Identität bekommen würden.

»Noah hat mich gebeten, euch im Frauenlager aufzunehmen und zu verstecken«, sprach er Jasmin an, weil die wohl als Älteste für ihn die Anführerin war.

»Habt ihr euch die ganze Zeit hier in diesem Haus versteckt?«

»Ja«, antwortete Jasmin, »wir haben noch bis vor vier Wochen in der Stadt als Prostituierte gearbeitet, sind kaum auf die Straße gegangen und fühlten uns mit den Stammkunden sicher. Aber von denen sind auch einige getötet worden, sodass wir uns hierher flüchten müssten. Gestern sind ein paar Jugendliche um das Haus geschlichen, wir haben jetzt große Angst, bitte schütze uns.«

Sie schaute in seine Augen und ihr Gesicht sah ernst, sorgenvoll und wunderschön aus. Eve bewunderte ihre vorgetragene Geschichte, die jeden Mann überzeugt hätte. In diesem Moment drehte sich Jack von Jasmin weg und schaute sie an. Eve schlug verstört die Augen nieder und wurde unsicher. Jack fragte:

»Warum trägst du eine Sonnenbrille hier im Haus?«

Sie antwortete mit leiser, fast weinerlicher Stimme:

»Ich habe die ganze Nacht geweint und meine Augen sind rot und schmerzen.«

Jack schien zufrieden und wandte sich nun an Noah.

»Woher kennst du diese Prostituierten?«

Noah zeigte auf seine Prothesen.

»Diese Mädchen haben kein Problem mit fehlerhaften oder künstlichen Körperteilen. Sie geben einem Mann immer das Gefühl, vollwertig und toll zu sein.«

Völlig unerwartet interessierte sich Jack plötzlich für Sarah. Er fixierte sie, ging auf sie zu und sein Gesicht berührte fast ihre Haare, als er sich leicht zu ihr herunterbeugte. Mit seiner weichen, freundlichen Stimme fragte er: »Stimmt das, kannst du jeden Mann glücklich machen?«

Sarah war zusammengezuckt, als er ihr so nah kam. Sie schaute hoch und direkt in seine Augen. Im Bruchteil einer Sekunde sah sie die Bewegung des Kameraobjektivs. Sie lächelte ihn sanft, fast zärtlich an und flüsterte:

»Das weiß ich nicht. Jeder Mann ist anders. Ich gebe immer mein Bestes.«

Jack trat wieder zurück.

»Okay, wir nehmen euch mit. Draußen steht mein Fahrzeug. In 15 Minuten könnten wir starten. Seid ihr dann fertig?«

»Ja, kein Problem«, antwortete Jasmin erleichtert und die drei Frauen verzogen sich schnell in ihre Schlafzimmer, um ihre Sachen zu packen, die sie schon am Tag zuvor vorbereitet hatten. Jede trug einen großen Rucksack. Jasmin flüsterte:

»Das war irgendwie knapp. Er war auf seine Art und Weise sehr sympathisch und faszinierend, fand ich.«

»Ja«, flüsterte Sarah zurück, »wenn ich nicht schon mit dem besten Androiden der Welt befreundet wäre, hätte ich ihn gewählt.«

Eve beendet abrupt das Gespräch, indem sie ihre Lippen mit dem Zeigefinger verschloss und auf ihre Ohren deutete. Das sollte wohl heißen, dass Androiden besser hören als Menschen.

Alle drei marschierten zurück in die Wohnküche, in der Noah und Jack warteten.

»Wir sind bereit«, sagte Jasmin.

Das Frauenlager sah von außen aus wie ein Zeltlager für Schulkinder. Das war es früher auch gewesen. Ein großes Haupthaus, wohl für Lehrer und andere Erwachsene gedacht, war jetzt als Versorgungszentrum umgebaut worden. Küche, Waschräume und ärztliche Behandlungszimmer waren hier untergebracht. Jedes Zelt beherbergte etwa 60 Frauen, 15 Zelte standen um das Haupthaus herum. Die drei Neuankömmlinge mussten zuerst ärztlich untersucht werden. Sie hatten damit gerechnet und wussten, dass Eve als Androidin bei dieser Untersuchung auffliegen könnte. Für diesen Fall waren zwei Handlungsoptionen besprochen worden: Je nach Bewachungssituation, also nach Anzahl der Polizeiroboter, würden sie sofort den Kampf durch Geiselnahme aller Ärzte und Frauen eröffnen. Sollten sie allerdings ohne Schwierigkeiten ins Lager integriert werden können, würden sie zu einem späteren Zeitpunkt eine Geiselnahme als letztes Mittel durchführen. Sie rechneten nicht mit Widerstand der Frauen.

Dann kam jedoch alles ganz anders als geplant. Die untersuchende Ärztin, eine etwa 35-jährige, burschikos wirkende, füllige Person behandelte sie freundlich und zeigte keine sichtbare Reaktion. Sie untersuchte zuerst Sarah und dann Jasmin bei angelehnter Tür. Sie fragte beide Frauen nach Krankheiten, Unfällen und Kindern. Es wurde eine Akte über jedes Lagermitglied angelegt. Sarah bekam die Nummer 921, Jasmin 922. Beiden wurde Blut abgenommen, aus dem Urin ein Schwangerschaftstest gemacht und es wurde genau protokolliert, wo sich ihre Kinder befanden. Jasmin hatte nur ein Kind angegeben, genau wie Sarah. Beide sagten, dass sich ihre Kinder bei einer guten, älteren Pflegemutter befänden. Die Adresse wurde nicht abgefragt. Dann war Eve an der Reihe. Die Ärztin schloss eigenhändig die Untersuchungszimmertür und schickte eine als Schriftführerin fungierende Krankenschwester aus dem Zimmer. Eve befand sich schon während der Untersuchung von Jasmin und Sarah im Kampfmodus. Falls erforderlich, würde sie in Sekundenschnelle ihren Laseranzug und ihre Laserwaffen aktivieren können. Jasmin und Sarah waren in der Zwischenzeit vor das Gebäude getreten und warteten auf Eve. Die Ärztin sagte mit leiser, ruhiger Stimme: »Mein Name ist Michaela, jeder nennt mich Mick. Ich habe jahrelang mit meinem Kinderpflege-Androiden zusammengelebt und ihn geliebt. Er wurde von den Gegnern eliminiert. Ich habe dich sofort als Roboter identifiziert und natürlich weiß ich auch, wer du bist. Es gibt in unserer Region nur eine weibliche Androidin in dieser Qualität. Du bist also Eve, der beste weibliche Kampf- und Sexroboter der Welt. Das Vorbild vieler junger Mädchen. Dein Video, vor mehr als zwanzig Jahren gefilmt, wird immer noch angeschaut von jungen Mädchen, die sehen wollen, was damals passiert ist und die lernen möchten, wie man auch heute noch einen Krieg verhindern könnte. Aber die wenigsten haben Kampferfahrung. Achtzig Prozent der Mädchen in diesem Lager kennen dich, Eve, und haben im Stillen gehofft, dass du eines Tages kommst und die Stadt rettest. Jetzt bist du da, ich heiße dich willkommen und werde als Vermittlerin zwischen dir und den tausend Mädchen fungieren. Du musst hierbleiben, anders geht es nicht. Wir können nicht erwarten, dass alle Mädchen den Mund halten und so tun, als ob du nicht da wärst. Und wenn Jack von dir erfährt, weiß ich nicht, was er macht. Was habt ihr drei geplant?«

Eve stellte sich sofort auf die neue Situation ein.

»Wir wollten Jack verführen und seinen Deaktivierungsschalter finden. Dann wollten wir ihn im deaktivierten Zustand der gesamten Community zeigen und ihnen erklären, dass sie sich von einem Androiden der neuesten Generation haben aufhetzen lassen, sich gegenseitig zu vernichten. Wir wollen auf jeden Fall das Gemetzel beenden.«

Die Ärztin schaute Eve an und durchdachte ihre Worte.

»Ja, das ist eine Möglichkeit. Aber ihr müsstet den Anführer der Gegen-Community auch zu fassen bekommen und das wird schwieriger. Von Jack weiß ich, wo er deaktiviert werden kann. In seiner linken Achselhöhle befindet sich ein unsichtbarer Schalter, den du nur betätigen kannst, wenn die Haut an dieser Stelle angeritzt wird.«

Eve überlegte kurz, wie sie diese Information verwerten könnte.

»Gut, also das ist kein Problem für uns. Jack könnten wir leicht deaktivieren. Aber wie kommen wir an den anderen Androiden heran, das ist die Frage!«

»Ja, das ist schwierig, wir haben keine Spione oder sonst Verbindungsleute zu der anderen Community. Ich weiß noch nicht mal, ob Jack Kontakt zu diesem anderen Chef-Androiden hat. Wahrscheinlich schon, aber wohl nur über Funk.«

Während dieses Gesprächs fühlte Eve den Respekt, den diese Ärztin vor ihr hatte. Und plötzlich wusste sie, wie sie den Kampf gewinnen könnte. Sie hatte nicht damit gerechnet, dass sie durch diesen tödlichen Bürgerkrieg der Jugendbanden zu einer Art Nationalheldin und Vorbild für kämpfende Jugendliche aufgestiegen war. Sie sah ihre Chance und wusste, dass sie den Anführer der Gegengruppe gar nicht ergreifen und deaktivieren musste. Es genügte, wenn sie ihren eigenen Anführer vor aller Augen als Androiden entlarven würde. Sie fragte die Ärztin:

»Habt ihr hier im Frauenlager technisch versierte Elektrikerinnen und IT-Spezialistinnen?«

»In rauen Mengen, was hast du vor?«

»Ich werde eine neue Videoübertragung durchführen, die nahtlos an die alte von damals anknüpft und der Feind ist diesmal nicht Muller, sondern diese Super-Androiden, die sich als Menschen ausgeben.«

Und in diesem Moment sah Eve klar vor ihrem geistigen Auge, wie sie diesen Kampf führen und gewinnen würde.

27. Kapitel

DIE VORBEREITUNG

Die Ärztin Michaela erklärte Sarah und Jasmin, dass Eve sich im Ärztebereich verstecken müsse, weil sie bei den Frauen im Lager sehr bekannt sei. Die beiden Mädchen sollten versuchen, sich reibungslos zu integrieren und möglichst bald Kontakt zum Chef-Androiden Jack aufnehmen.

Die beiden verschwanden daraufhin in dem ihnen zugewiesenen Zelt. Eve hatte den Vorgang aus einem Fenster des Verwaltungsgebäudes beobachtet, um im Notfall zu wissen, in welchem der 15 Zelte sie sich befanden. Sie machte es sich anschließend in ihrem kleinen Zimmer bequem. Sie hatte gerade so viel Platz, dass sie ihre Aufladestation, die sie im Rucksack transportiert hatte, aufstellen konnte. Das Zimmer hatte allerdings ein Fenster und einen Internetanschluss. Beides war wichtig, einerseits, um zu telefonieren, andererseits, um zu flüchten. Die Ärztin schaute etwas später bei ihr vorbei und fragte:

»Hast du alles, was du brauchst, Eve? Kann ich irgendetwas für dich in Erfahrung bringen oder veranlassen?«

Eve hatte sich inzwischen überlegt, was sie benötigte.

»Mick, ich würde gerne mit zwei Frauen Kontakt aufnehmen, die einerseits vertrauensvoll sind und andererseits schweigen können. Eine müsste eine Elektro- und die andere eine IT-Technikerin sein. Kennst du da jemanden?«

»Ja, eine IT-Spezialistin ist meine Freundin Silvi. Sie hat meinen Androiden-Mann immer perfekt betreut und mir damals oft geholfen. Wie du weißt, wurden wir ja jahrelang von den Mitgliedern der humanitären Community belästigt und bedroht. Eine Elektrotechnikerin kenne ich nicht persönlich, aber Silvi lebt nun schon vier Monate im Lager und wird sicher jemanden für dich finden.«

Eve schaut Mick genauer an und bemerkte am rechten Unterarm eine hässliche Narbe, die sie durch eine lange Bluse zum Großteil verdeckte.

»Was ist dir passiert?«, fragte sie und deutete auf die Narbe.

»Als sie uns überfallen haben und meinen Androiden eliminieren wollten, habe ich um sein Leben gekämpft, so gut ich konnte. Aber sie haben mir den Arm gebrochen und ich konnte meinen Liebsten nicht retten.«

Ihr Gesicht überzog sich mit dunklen Wolken der Trauer. Sie starrte in die Ferne und erinnerte sich wohl an diese schrecklichen Erlebnisse.

»Was ist mit deinen Kindern?«, fragte Eve weiter.

»Die haben sie in Ruhe gelassen, sie waren damals ja erst sechs und acht Jahre. Jetzt leben sie   bei meinen Eltern auf dem Lande und dort sind sie sicherer als hier, in Stadtnähe. Ich telefoniere täglich mit ihnen.«

Eve schwieg und Mick starrte weiter in Gedanken verloren vor sich hin. Nach einigen Minuten wandte sie sich wieder Eve zu. »Willst du Jack völlig eliminieren? Ich glaube, er hat einen guten

Kern, er wurde nur einseitig programmiert im Sinne von Macht-übernahme durch Vernichtung männlicher Jugendlicher. So sehe ich das jedenfalls.«

Eve nickte zustimmend.

»Ja, das glauben wir auch. Sie wollen über die Mädchen und jungen Frauen eigene Nachkommen zeugen und so die Weltherr-schaft übernehmen.«

Mick erstarrte. Ihr Gesicht drückte Zweifel und Unglauben aus.

»Wie soll das gehen? Sie sind Maschinen.«

»Ja, aber sie besitzen tiefgefrorene Spermienreservoirs am Körper und wahrscheinlich auch in einem geheimen Lager - das wissen wir nicht so genau. Aber in unserer neuen Welt, weit weg von dieser schrecklichen Stadt, haben zwei von ihnen neun Kin-der gezeugt, das habe ich selbst gesehen. Diese Kinder sind gen-manipuliert und sollen gegen viele Krankheiten resistent sein.«

Mick zeigte weiter ungläubiges Erstaunen.

»Wie befruchten sie die Mädchen? Haben Sie einen Penis mit Pumpsystem?«

»Genauso ist es, und du hast recht: Charakterlich sind sie nicht wirklich schlecht, aber völlig von ihrer Programmiererin geprägt, im Hinblick auf die Weltherrschaft. Für diese skrupellose Pro-grammiererin war ein Menschenleben nichts wert, wenn es ihren Plänen im Wege stand.«

Mick überlegte sich Eves Worte.

»Lebt die Programmiererin noch?«

»Nein, sie war eine Super-Androidin und ist eliminiert wor-den. Aber diese beiden Roboter, hier in eurer Welt, hat sie noch erbaut und per Zeitschaltuhr nach ihrem Ableben aktiviert.«

Nach diesem Gespräch marschierte Mick ins Zeltlager, um ihre Freundin Silvi zu suchen. Beide kehrten bald zu Eve zurück. Silvi war auch etwa 35 Jahre alt, aber zierlich und wirkte etwas verschüchtert.

»Es freut mich sehr, dich persönlich kennenlernen zu dürfen, Eve. Ich habe dich seit meiner Jugend bewundert. Was kann ich für dich tun?«

Und Mick fügte hinzu:

»Silvi würde alles für dich tun, das kannst du glauben!«

Eve lächelte die beiden Frauen an und erklärte ihnen ihren Plan. Sie hatte in der Zwischenzeit mit Sarah telefoniert und von ihr Folgendes erfahren: Die Frauen in ihrem Zelt ahnten nicht, dass sie eines Tages als Gebärmaschinen für Androiden fungieren sollten. Jede aber sah Jack als Beschützer und guten Menschen an. Sie glaubten, dass er nicht nur sie, sondern auch die meisten jungen Männer irgendwo gerettet hatte und dass er das Gemetzel bald beenden würde. Viele bewunderten Jack, manche waren in ihn verliebt. Er ließ sich nur selten im Lager sehen und hatte keine Freundin. Er wurde als schüchtern und zurückhaltend gegenüber Frauen beschrieben, niemand wusste, wo er sich privat aufhielt, wo er wohnte, wie er seine Tage verbrachte. Die Frauen hatten ihre Handys abgeben müssen, um nicht geortet werden zu können. Sarah und Eve telefonierten heimlich über ein kleines Privatfunkgerät, das sie von Peter erhalten hatten.

Silvi verabschiedete sich wieder und versuchte, eine vertrauenswürdige Elektrotechnikerin, die viel von Videoaufzeichnungen und Simultanübertragungen verstand, zu finden. Am nächsten Morgen trafen sich alle in Micks Büro. Eve besprach ihre Pläne mit beiden Spezialistinnen und diese hielten ihre Vorstellungen für realisierbar. Über Eves Funktelefon informierten sie Noah über sämtliche Vorkehrungen, die getroffen und Materialien, die besorgt werden mussten. Alles sollte so heimlich wie möglich geschehen. Noah und Sam würden drei bis vier Tage benötigen, bis die technischen Voraussetzungen geschaffen waren. In der Stadt mussten mindestens drei große Leinwände aufgestellt und ein Übertragungswagen funktionsfähig bereitstehen. Nur Eve konnte nachts heimlich das Verwaltungsgebäude verlassen und bei den Vorbereitungen in der Stadt helfen.

Sarah hatte inzwischen um ein Gespräch mit Jack gebeten. Diese Möglichkeit stand zwar jeder Frau im Lager offen, allerdings schickte Jack immer einen von seinen zwei Lagerpsychologen vor, nie ließ er sich selbst zu einem Vier-Augen-Gespräch herab. Sarah aber wusste, wie sie ihn ködern konnte. Sie ließ ihm ausrichten, dass sie eine Freundin von Hanna sei und nur mit ihm persönlich sprechen wolle.

Schon drei Stunden, nachdem sie diese Nachricht in einem verschlossenen Brief abgegeben hatte, wurde sie aufgefordert, ins Verwaltungsgebäude zu kommen. Dort wartete vor der Tür ein Solarauto mit Fahrer. Die Fenster des Fahrzeugs wurden während der Fahrt völlig verdunkelt, sodass sie nicht sah, wohin sie gebracht wurde. Das Auto hielt in einer Art Tiefgarage und sie wurde in einem Aufzug direkt in den 16. Stock transportiert. Dort öffnete sich die Fahrstuhltür und sie stand nach drei Schritten in einem überdimensional großen Büroraum. Jack saß an einem Schreibtisch und schaute sie interessiert an. In seinen blauen Kamera-Augen konnte sie nicht die geringste Gefühlsregung erkennen.

»Woher kennst du Hanna?«, fragte er sofort, und verzichtete auf Begrüßungsworte als Einleitung.

»Ich habe sie vor einigen Jahren getroffen, als sie sich als IT-Spezialistin bei einem Mann beworben hat«, antwortete Sarah.

»Woher weißt du, dass ich sie kenne?«

Sarah ging auf einen Stuhl am anderen Ende des Schreibtisches zu.

»Kann ich mich setzen? Das ist eine längere Geschichte.«

Sie wollte Zeit gewinnen, weil sie nicht genau wusste, was sie überhaupt erzählen sollte. Sie vermutete, dass dieser Androide Hanna vor ihrem letzten Ausflug in die neue Welt noch kennengelernt hatte und von ihrem plötzlichen Verschwinden überrascht worden war. Vielleicht hatte er sie nie selbst gesehen und wusste nur, dass sie seine Programmiererin war, der er loyal zu gehorchen hatte und deren Ziel, die Weltherrschaft, er zusammen mit seinem Kollegen verfolgen sollte. Auf gut Glück fragte sie:

»Weißt du, dass sie dich erschaffen hat, vor ihrem Tod?«

Jacks Augen weiteten sich. Er stand auf und kam nah auf Sarah zu. Ihr war klar, dass sie gegen ihn nicht die geringste Chance hatte. Sie wusste auch nicht, wie oder wo sie ihn hätte deaktivieren können. Aber das war jetzt sowieso nicht ihre Aufgabe, sie sollte ihn verführen und Informationen erfragen. Sie legte ihren Kopf zurück und schaute fest und doch irgendwie zärtlich in seine Augen. Er stand circa 50 cm vor ihr und schaute zu ihr herunter.

»Woher weißt du das? Wo ist Hanna jetzt, weißt du das auch? Wer hat sie getötet? Oder ist sie nur deaktiviert?«

Sarah erhob sich und stand jetzt sehr nah vor ihm. Ihre Lippen berührten fast sein Kinn, als sie weiter in seine Augen schaute und flüsterte:

»Sie ist eliminiert, nicht deaktiviert, und ihre Hardware liegt an einem sicheren Ort. Ihr Mann Paul musste sie eliminieren, weil sie böse war.«

Sarah war sich bewusst, dass sie ein ungeheures Risiko einging, aber sie musste seine Reaktion sehen, musste in Erfahrung bringen, ob er überhaupt wusste, was böse ist. Jack ging langsam zurück, er setzte sich auf die Schreibtischkante und seine Augen erschienen Sarah noch trauriger, als er sagte:

»Wer weiß, was böse und gut ist. Weißt du das? Kannst du mich unterrichten oder mir den Weg zu einer Programmiererin zeigen?«

Sarah spürte seine Hilflosigkeit, seine völlige Unsicherheit und er tat ihr leid. Sie wusste von Peter, dass Androiden eine menschliche Bezugsperson so sehr brauchten, wie Menschen Wasser und Sonne. Im Idealfall war die Bezugsperson ihr Programmierer. Es musste für Jack schrecklich sein, weder seinen Programmierer noch sonst einen Menschen zu haben, an den er sich halten konnte, der ihm zeigte, was gut oder böse war, im Hinblick auf die Menschen, mit denen er tagtäglich zu tun hatte. Offensichtlich waren ihm inzwischen selbst Zweifel an seinem Verhalten gekommen und viele offene Fragen quälten ihn. Er wollte Hilfe, das war für Sarah völlig klar. Deshalb versuchte sie ihr Glück. Sie ging ganz nah an ihn heran und küsste ihn sanft auf den Mund. Mit ihren Händen streichelte sie seine Haare und tastete seinen Hinterkopf ab. Sie fand allerdings keine Unebenheit oder etwas, das Ähnlichkeit mit einem Schalter besaß. Dann flüsterte sie:

»Ich kann deine Fragen beantworten, ich könnte dich auch zu Hanna bringen. Vor allem, Jack, weiß ich, was gut und böse ist, und wenn du in der Lage bist, das auch zu erkennen, wirst du glücklich sein. Du musst mir nur vertrauen.«

Jacks Reaktion kam für Sarah völlig überraschend und schockierte sie. Er nahm ihre beiden Hände, führte sie zu seinem Mund und küsste sie.

»Ich vertraue dir. Mach mich zu einem guten Androiden!«

Sarah erzitterte, ihr Herz raste und ihr wurde so heiß, dass sie dachte, er könnte das bemerken. Aber er wirkte weiter völlig hilflos, ja geradezu wie ein verlorener, kleiner Junge. Sie musste ihn beschützen, sie musste verhindern, dass Eve oder jemand anderes ihm irgendetwas Schlimmes antat, er durfte weder eliminiert noch sonst verletzt werden. Sie würde mit allen Mitteln für sein Überleben kämpfen! Sie blieben beide, nah beieinander, stehen. Er küsste ihre Hände und sie ließ es geschehen. Nach langen Minuten fragte er:

»Was soll ich machen? Wohin sollen wir gehen?«

»Jack, im Moment können wir nichts machen. Verhalte dich wie immer und vertraue mir! Wenn ich mehr weiß, sage ich dir Bescheid. Es kann zwei bis drei Tage dauern, ich melde mich bei dir wieder über einen Brief. Ich werde dir auf jeden Fall helfen.«

Und sie küsste ihn noch mal sanft auf den Mund und ging in Richtung Fahrstuhl. Jack betätigte einen Schalter, die Tür öffnete sich und Sarah verschwand im Fahrstuhl.

28. Kapitel

OFFENE KARTEN

Sarah wurde wieder in einem Solarauto mit völlig verdunkelten Scheiben ins Lager zurückgefahren. Im ärztlichen Bereich warteten Mick und Eve auf sie.

»Was hast du erreicht?«, fragte Eve gespannt.

Sarah hatte während der Autofahrt Zeit gehabt, zur Ruhe zu kommen und ihr weiteres Vorgehen zu durchdenken. Sie hatte sich entschieden, mit offenen Karten zu spielen und Eve einzuweihen.

»Er ist ein hilfloser, suchender Androide, der gut sein will, selbst Zweifel an seinem Verhalten hat und mir vertraut. Er ist ja ohne den geringsten Kontakt zu seiner Programmiererin oder einer anderen menschlichen Bezugsperson in seine Aufgabe und die menschliche Welt gestürzt worden. Ich habe Mitleid mit ihm und will ihn schützen und betreuen.«

Während dieser Worte schaute sie in Eves Augen und diese spürte Sarahs Entschlossenheit. Sie wusste, dass Sarah eine Kämpferin war und dass sie alle erst vor Kurzem mit ihrem Kampfgeist gerettet hatte. Deshalb antwortete sie sanft und freundlich:

»Sarah, meine Liebe, es ist schön, dass du zu humanoiden Robotern so schnell einen emotionalen Zugang findest. Sie spüren dein Helfersyndrom, obwohl sie selbst zu keinen Gefühlen fähig sind. Das weißt du, oder?«

Sarahs Stimme wurde um einige Nuancen kälter, als sie antwortete:

»Ja, liebe Eve, das weiß ich. Im Gegensatz zu Menschen können sie aber allein durch ihre ethische Ausbildung Gutes von Bösem unterscheiden und dann konsequent gut handeln. Und zwar viel besser als Menschen mit ihren widersprüchlichen Emotionen.«

Nach einer kurzen Pause fuhr sie fort:

»Aber zuerst müssen sie den Unterschied von Gut und Böse erlernen. Sie brauchen einen, der ihnen das beibringt. Erst dann können wir sehen, ob sie gefährliche oder wertvolle Androiden sind. Jack weiß nichts, nur sein einprogrammiertes Ziel treibt ihn an.«

Eve war klar, dass Sarah durch das Zusammenleben mit Peter, einem ebenfalls hochmodernen Androiden der nächsten Generation, viel mehr über diese Roboter wusste als sie selbst. Deshalb fragte sie:

»Was schlägst du vor, Sarah?«

»Zuerst muss ich wissen, was dein Plan ist, Eve. Ich habe ja nur versucht, Jack zu verführen, und dann ist alles ganz anders verlaufen. Er hat mich um Hilfe gebeten. Um Hilfe bei seiner ethischen Schulung.«

Eve war irritiert. Sie entschloss sich, Jasmin holen zu lassen und dann über ihren Plan und die bereits erzielten Fortschritte zu berichten. Mick ging ins Zelt und holte Jasmin. Diese umarmte Sarah und spürte, dass das Treffen mit Jack diese junge Kämpferin aufgewühlt hatte. Sie flüsterte:

»Bleib cool, Sarah. Nur der Coole kann einen Kampf gewinnen!«

Und zu Eve gewandt:

»Also, ich bin gespannt, wie weit deine Vorbereitungen sind und was du zu berichten hast, Eve.«

Eve erklärte ihnen dann, dass sie in zwei Tagen Jack zu einem Treffen locken wollte. Entweder Sarah oder Noah sollten ihn dann vor laufender Kamera deaktivieren und alle Jugendlichen aus beiden Communitys würden das live miterleben. So konnten sie erkennen, dass sie von Super-Androiden getäuscht und aufgehetzt worden waren. Eve hoffte, dass die gegnerische humanitäre HC-Gruppe noch verärgerter reagieren würde als die eigenen androidenfreundlichen Jugendlichen und dass sie ihren Anführer selbst überwältigen und auch deaktivieren würden.

Dieser Plan hatte zwei Schwachstellen. Eve ging davon aus, dass der andere Androide an der gleichen Stelle wie Jack, also im Achselbereich, deaktiviert werden könnte. Außerdem wusste keiner, ob diese Super-Roboter Waffen von neuartiger Qualität besaßen, die sie bisher nur noch nicht benötigt und eingesetzt hatten. Diese Frage sollte, wenn möglich, Sarah noch klären. Davon hing das weitere Prozedere ab. Wenn Jack ein Kampfroboter wäre, müsste Sarah ihn allein im Rahmen eines intimen Beisammenseins deaktivieren und ihn filmen im deaktivierten Zustand. Dann müsste sie von Sam und Eve durch einen Überfall des Wachpersonals befreit werden. Dieser Plan B hatte einige Schwachstellen, zum Beispiel, dass der andere Chef-Androide der Gegnergruppe von dem Überfall erfahren könnte und wahllos selbst morden oder die Jugendlichen zu extremen Kampfhandlungen aufhetzen könnte.

Sarah hörte sich diese Pläne und Überlegungen an und äußerte sich nicht. Sie verspürte ein unangenehmes Unsicherheitsgefühl. Eves Pläne waren realisierbar und möglicherweise auch erfolgreich. Jack wäre nicht wirklich gefährdet, weil er ja an einem geheimen Ort oder vielleicht nur von ihr selbst deaktiviert werden würde. Aufgebrachte Jugendliche könnten ihn nicht völlig zerstören, wenn alles nur per Videoaufzeichnung übertragen wurde.

Schließlich sagte sie:

»Ich versuche morgen, mit ihm zu reden, und herauszubringen, ob er ein Kampfandroide ist und wie seine Waffen funktionieren. Bemerkt habe ich keine, obwohl ich sehr nah an ihm dran war.«

Eve antwortete:

»Er wird sie weit mehr im Körper getarnt tragen als wir, die alte Generation. Schon Sam ist wesentlich moderner ausgestattet.«

Nachdem Sarah und Jasmin in ihr Zelt zurückgekehrt waren, nahm Eve mit Noah telefonischen Kontakt auf. Sie erläuterte ihm nochmals ihre Pläne und erzählte von Sarahs Wunsch, Jack zu schützen und ihn ethisch zu schulen. Sie sagte:

»Sarah hat ein Helfersyndrom, das sich hauptsächlich bei Androiden bemerkbar macht. Allerdings könnte sie recht haben und wir sollten andere Handlungsoptionen in Erwägung ziehen. Wenn diese Roboter anders geschult oder programmiert wären, könnten sie auch völlig anders agieren. Es wäre schlecht, wenn wir sie dann als Anführer der Jugendlichen verlieren und diese sich selbst überlassen müssten. Ohne Führungspersönlichkeit könnte das Ganze zu weiterem Blutvergießen führen. Wir hätten dann nicht mehr die geringste Beeinflussungsmöglichkeit.«

Noah überdachte Eves Worte.

»Ja, du hast recht. Wir sollten erst Sarah zum Zuge kommen lassen und unsere Aktion so lange verschieben.«

Am nächsten Tag schrieb Sarah gleich in der Früh wieder einen Brief an Jack. Sie wurde schon nach zwanzig Minuten zu Jacks Büro gebracht.

Jack stand an seinen Schreibtisch gelehnt, und seine Augen strahlten Sarah an. Ihr Herz fing an zu rasen und alles, was sie ihn fragen wollte, verschwand aus ihrem Kopf. Sie ging langsam auf den Stuhl zu, auf dem sie beim letzten Mal gesessen hatte. Jack sagte:

»Sarah, ich bin so froh, dass du heute schon wieder zu mir kommst. Ich bin immer sehr allein, bitte komm nah zu mir, setz dich nicht so weit weg auf den Stuhl.«

Sarah lauschte seiner weichen, fast schmeichelnden Stimme und ging weiter. Sie blieb ungefähr einen Meter vor ihm stehen. Jack ging einen kleinen Schritt auf sie zu und fragte vorsichtig:

»Darf ich dich berühren, Sarah?«

Sie nickte und reichte ihm die rechte Hand. Er nahm sie vorsichtig und küsste sie. Dann hielt er sie mit beiden Händen fest, blieb aber in etwa 50 cm Entfernung stehen.

»Was gibt es Neues, Sarah?«

»Ich muss dir einige Fragen stellen, Jack, um zu entscheiden, wie ich dir helfen kann«, antwortete sie freundlich. Ohne Pause fuhr sie fort:

»Bist du ein Kampfroboter, Jack? Also besitzt du in oder an deinem Körper versteckte Waffensysteme?«

Jack streichelte ihre Hand sanft und zärtlich.

»Ja, Sarah, ich bin ein sehr gefährlicher Kampfandroide. Ich besitze in meiner rechten Hand eine Vorrichtung, mit der ich extrem starke elektromagnetische Wellen aussenden kann, die einen menschlichen Gegner durch Störung seiner Wärmeregulation im Hypothalamus sehr schnell erhitzen und austrocknen können. Ähnlich wie bei Laserwaffen, aber doch viel effektiver und unauffälliger. Ich löse diese Strahlung über einen Code aus, an den ich nur denken muss. Ich kann sie mit meinen Gedanken stoppen aber auch dosieren, um meinen Gegner leiden lassen und zu foltern. Über eine Feindosierung dieser magnetischen Strahlung bin ich in der Lage, ihn sein Leben lang zu schädigen.«

Sarah schaute in Jacks Augen und obwohl er diese fürchterlichen Waffensysteme beschrieb, war sein Blick warm und traurig.

»Hast du diese Waffen schon mal eingesetzt?«

»Nein, aber ich bin so programmiert, dass ich sie in bestimmten Gefahrensituationen fast reflexartig einsetzen kann oder vielleicht sogar muss. Das weiß ich nicht und das will ich ändern lassen, von Hanna oder einer anderen Programmiererin. Ich will nicht ohne eigene Entscheidungsfähigkeit Menschen töten oder schädigen.«

Er sagte das so, dass Sarah erschrak. Seine Stimme veränderte sich und klang deutlich autoritärer als zuvor. Sie bekam Angst. Er spürte das und küsste wieder ihre Hand.

»Sarah, solange ich dich zärtlich berühre und von dir keine für mich erkennbare Gefahr ausgeht, wird dieser reflexartige Mechanismus nicht ausgelöst. Dazu muss ich massiv bedroht sein oder das so erkennen. Fühlen kann ich wohl nichts, aber ich bin mir da nie so ganz sicher. Erkennen und fühlen ist sehr nah beieinander. Ich erkenne, dass du mir helfen willst, dass du mich magst, und deswegen will ich dir nah sein, deine Hand oder deinen Körper spüren. Wenn ich erkenne, dass du in Gefahr wärst oder leidest, würde ich dir helfen wollen. Das alles ist ohne Gefühl möglich und ich würde sehr gern Kinder von oder mit dir wollen.«

Sarah zuckte zusammen und versuchte, ihre Hand zurückzuziehen, aber er hielt sie fest und sie spürte seine Kraft, die wahrscheinlich die ihre um das Hundertfache übertraf. Er lächelte und flüsterte:

»Hab keine Angst, Sarah. Ich bin so programmiert, dass ich nur mit einer Frau Kinder zeugen will und kann, die das auch möchte. Sie muss mich lieben, begehren und unbedingt mit mir Kinder haben wollen. Deshalb muss ich sie so behandeln, dass ich dieses Ziel erreichen kann. Ich liebe diese Frau nicht, weil ich nicht lieben kann, aber ich will, dass wir Androiden durch diese Frauen und ihre Kinder überleben, in einer schönen, friedlichen Welt. Sarah, ich bin so programmiert, wenn das gut ist, sage es mir, wenn es böse ist, veranlasse, dass meine Programmierung geändert wird.«

Sarah schaute ihn an und wusste in diesem Moment nicht mehr, was gut und böse war. Sie war überwältigt von seinen offenen Worten, die ihr deutlich machten, dass er ihr zu hundert Prozent vertraute und dieses Vertrauen würde sie auf keinen Fall ausnutzen. Sie würde ihm jetzt die ganze Wahrheit sagen. Sie ging sehr nah an ihn heran und küsste ihn auf den Mund, weil er sich herunterbeugte, seine Augen schloss und ihr seinen Mund leicht geöffnet hinhielt. Sie küsste ihn zärtlich, aber ohne jede Leidenschaft, und er akzeptierte das genauso. Sie sagte:

»Setz du dich bitte auf diesen Stuhl und ich lehne mich an den Schreibtisch, dann kann ich dir bequem in die Augen schauen und bin nah bei dir.«

Jack folgte ihren Anweisungen und schaute sie erwartungsvoll an. Sarah sagte:

»Bitte erschrick nicht und bleib cool, denn, was ich dir sage, ist im ersten Moment nicht angenehm. Aber du weißt: Allein, dass ich dir alles offen berichte, zeigt, dass ich an deiner Seite stehe und wir zusammen diese schwierige Situation meistern müssen.«

Jack lächelte sie an.

»Leg los, Sarah. Ich kann sehr schnell verstehen, analysieren und Lösungsmöglichkeiten durchspielen. Nur, deine Informationen müssen der Wahrheit entsprechen, damit ich den bestehenden Konflikt richtig einordnen und die beste Lösung finden kann.«

Und dann berichtete ihm Sarah, warum sie hier waren und wie der derzeitige Planungsstand aussah. Zum Schluss sagte sie:

»Jack, dass sich Jugendliche, vor allem Jungen, gegenseitig töten, ist die Folge deiner Hetzkampagne, die du durch deine Programmierung bisher so erfolgreich durchgeführt hast. Dein Androidenfreund hat das als Anführer der anderen Gruppe genauso wirkungsvoll gemacht. Aber dass sich Menschen gegenseitig töten, ist eindeutig böse. Das muss ein Ende finden!«

Jack saß auf dem Stuhl wie ein Sünder. Er hatte den Kopf gesenkt und schaute auf den Boden. Nach etwa eine Minute, die Sarah unendlich lang vorkam, sagte er:

»Sarah, du kannst mich vor der Kamera und den Augen aller Jugendlichen deaktivieren und auch eliminieren, ich zeige dir, wie das funktioniert. Ich bin eine Gefahr für die Menschen, daran besteht kein Zweifel.«

Sarahs Herz verkrampfte sich. Sie wusste, dass ihr Peter genauso reagiert hätte. Androiden wussten in diesen Konfliktsituationen immer sofort, dass ihre völlige Vernichtung die beste Lösung für die Menschheit war. Und weil sie keine Gefühle wie Angst vor dem eigenen Tod, Selbstmitleid, Lebensfreude oder emotionale Bindungen an Menschen kannten, waren sie auch ohne Zögern bereit, sich zu opfern. Allerdings war für humanoide Roboter ihre Eliminierung kein Opfer, sondern die beste Lösung des Konfliktes. Sie aber wusste, wie sie ohne Umprogrammierung die Sichtweise auf die Zukunft auch bei diesem Androiden ändern konnte.

Peter, verzeih mir, dachte sie, ich muss das jetzt tun. Nur mit dieser Taktik kann ich Jacks Überleben erreichen.

Und dann wandte sie sich zu Jack und flüsterte:

»Jack, du darfst nicht eliminiert werden, höchstens deaktiviert. Ich will mit dir leben, bei dir sein, ein Kind von dir haben. Ohne dich wäre ich so traurig, dass ich nicht mehr leben könnte, sondern nur noch leiden müsste.«

Sarah sah sofort, dass ihr Plan aufgegangen war. Jack war irritiert. Er stand auf und nahm sie in den Arm. Er streichelte ihre Haare und Sarah spürte, wie er die Situation neu durchdachte.

»Sarah, ich will nicht, dass du leidest, ich will, dass du glücklich bist. Ich tue alles, was dafür nötig ist und ich werde jeden töten, der dein Glück in Gefahr bringt.«

Sarah wusste, dass diese Reaktion die beste war, die sie erreichen konnte. Ein Kampfroboter würde immer den Gegner töten, wenn etwas sehr Wichtiges in Gefahr war und sie war jetzt für Jack sehr wichtig. Wichtiger als die Weltherrschaft durch Befruchtung fremder Frauen, gemäß Hannas Programmierung. Jetzt musste sie nur noch Eve und die anderen davon überzeugen, damit ein neuer Plan für die Videoübertragung entworfen werden konnte. Sie fragte Jack:

»Hast du eigentlich Kontakt zu dem Androiden-Anführer der HC-Gruppe?«

»Ja, wir stehen in Verbindung, ich bin sein Vorgesetzter. Er tut, was ich ihm rate oder befehle.«

Sarah war erleichtert. Diese Information konnte ihren neuen Strategien nutzen. Dann verabschiedete sie sich von Jack mit den Worten:

»Ich bin so froh, Jack, dass wir zusammen diesen wichtigen Kampf gegen das Töten von Menschen, also gegen das Böse, führen werden. Ich rede jetzt mit den anderen Verbündeten und sage dir dann noch mal persönlich, wie alles laufen wird.«

Und sie küsste ihn wieder zärtlich auf den Mund und ging zum Fahrstuhl.

29. Kapitel

SARAH UND JACK

Sofort nach ihrer Ankunft im Zeltlager berichtete Sarah über die in Erfahrung gebrachten Neuigkeiten. Eve war sichtbar erschrocken, als sie von den neuartigen Waffensystemen hörte. Ihr rechtes Augenoberlid zuckte leicht.

»Können sie damit auch Androiden im Laseranzug zerstören?«

»Das habe ich vergessen zu fragen«, gab Sarah kleinlaut zu.

»Macht nichts, ich gehe davon aus. Hanna wusste, dass wir die Menschen in der neuen Welt beschützen würden.«

Anschließend erörterte sie mit Sarah und telefonisch mit Noah und Sam die geplante Vorgehensweise. Jack sollte zusammen mit Sarah auftreten und nach ein paar einleitenden Worten den Jugendlichen von Hannas Plan erzählen. Dann sollte er beweisen, dass er ein Androide ist, indem er sich von Sarah vor laufender Kamera deaktivieren ließ.

Den Androidenführer der HC-Gruppe, also seinen Untergebenen, sollte er über ihr Vorhaben informieren und möglichst zum Ort des Geschehens mitnehmen. Dieser könne im Notfall hilfreich eingreifen. Sarah wiederum sollte im letzten Gespräch mit Jack klären, ob dieses Vorgehen problemlos durchgeführt werden könne. Wenn nicht, müsste der andere Androide vorher von Jack deaktiviert werden.

Am nächsten Tag ließ sich Sarah wieder zu Jack fahren. Wie tags zuvor strahlte er Freude und Zärtlichkeit aus, als er sie in sein Büro treten sah. Dieses Mal ging er auf sie zu und umarmte sie sanft. Sie schaute hoch in seine wunderbaren, traurigen Augen und erläuterte ihm ihr Vorhaben. Zum Schluss fragte sie:

»Jack, ich bin nicht sicher, ob heute alles so verläuft, wie wir es geplant haben. Als Erstes gilt es, den HC-Anführer unter Kontrolle zu halten. Ist das möglich, wenn er mit uns beiden zum Ort des Geschehens fährt oder ist es besser, wenn du ihn vorher deaktivierst?«

Jack schaute Sarah verwundert an. Sie spürte, dass sie ihn irritiert hatte. Er antwortete:

»Ich finde es besser, wenn ich ihn aufkläre und er dann vor laufender Kamera bestätigt, dass wir die Jugendlichen aus beiden Lagern aufgehetzt haben, im Auftrag von Hanna. Nur dann werden auch die HC-Mitglieder überzeugt sein.«

»Okay, wie du meinst. Ich kann es nicht genau beurteilen, inwieweit er dir gehorcht oder beeinflussbar ist.«

Im Stillen dachte sie: ‚Denn er ist nicht von mir und meinem Wunsch nach einem gemeinsamen Kind manipuliert worden, so wie du!'

Als ob Jack ihre Gedanken lesen könnte, sagte er:

»Sarah, er wird verstehen, dass ich dich beschützen muss, wenn wir zusammen Kinder haben wollen. Er wird sich auch eine Frau suchen, so ist er programmiert.«

Nach einer Pause fügte er hinzu:

»Heute geht es darum, das gegenseitige Töten der Jugendlichen zu beenden. Weil wir es durch Aufhetzen in Gang gebracht haben, ist es jetzt unsere Aufgabe, es wieder zu stoppen. Das mache ich ihm deutlich.«

Sarah küsste ihn zärtlich auf den Mund und löste sich dann aus seiner Umarmung. Sie ging zum Fenster seines Büros und sagte:

»Siehst du da hinten den Telefonmasten? Rechts daneben ist ein kleiner Platz, dort stellen wir in zwei Stunden, also genau um 11 Uhr, eine Bühne auf sowie die Kamera, die alles filmen und übertragen wird. Kannst du bis dahin deinen Freund informieren und herholen?«

»Ja, das ist kein Problem, er hat sein Büro drei Stockwerke unter meinem.

Warte hier auf mich, Sarah, ich gehe gleich zu ihm und regle das. Wir können dann in eineinhalb Stunden zusammen zum Übertragungsort fahren. Ich bin in fünfzehn Minuten wieder hier bei dir.«

Er ging zum Fahrstuhl und Sarah schaute weiter aus dem Fenster. Sie hatte die Stadt noch nie vom 16. Stock eines Hochhauses gesehen. Sie war beeindruckt. Von hier oben sah alles so friedlich aus, und man hätte meinen können, dass Tod und Vernichtung woanders, aber nicht hier in dieser Stadt stattfinden würden.

Auf der Straße unter ihr erkannte man Autos, klein wie Spielzeugautos und winzige Menschen, die hin und hergingen. Und sie spürte ein Gefühl von Heimweh, nach Peter und vor allem nach ihrem kleinen Sohn. Da, wo dieses Häusermeer aufhörte und noch viel, viel weiter, ja geradezu unerreichbar weit, erstreckte sich das Paradies mit ihrem Kind und Mann. Und ihr Bauch verkrampfte sich. Ihr wurde klar, in welch gefährliche Situation sie sich begeben hatte. Zwei Super-Kampfandroiden und sie, völlig allein vor laufender Kamera. Und dann die Deaktivierung von Jack – ein Risiko der besonderen Art, wenn der andere Roboter dabeistand und sie womöglich als gefährliche Gegnerin einordnete.

Als Jack zurückkam, trat er von hinten an sie heran und zog ihren Körper an seinen. Sie spürte seine Muskeln, seine Stärke und seinen Atem in ihrem Nacken. Ein Schauer durchfuhr sie. Hanna hatte Androiden erschaffen, die atmen konnten, um den Frauen im Liebesakt hundertprozentige Menschlichkeit vorzutäuschen. Sie trat etwas von ihm weg, und er hielt sie nicht fest. Sie drehte sich zu ihm um und schaute in seine Augen. Für Sekunden erkannte sie einen Ausdruck, den sie vorher noch nie gesehen hatte und nicht einordnen konnte. Vielleicht bildete sie sich das ein, aber es konnte eine Art von Begehren gewesen sein. Sie wischte jede Vermutung dieser Art weg und fragte: »Hast du deinen Freund überzeugen können?«

»Überzeugen muss ich ihn nicht, ich habe ihm Befehle erteilt, die er gespeichert hat. Das genügt.«

Sarah spürte, dass seine Stimme etwas gereizt erschien.

»Hat er keine Bedenken geäußert?«, fragte sie.

»Doch, er hat gemeint, dass ich nach der Deaktivierung dir oder jedem anderen völlig ausgeliefert bin. Angenommen, jemand überfällt und nimmt dich gefangen, dann könnten diese Menschen mich ohne Probleme zerstören.«

»Da hast du recht, das ist auch meine Angst. Wenn sich eine Kampfsituation entwickelt, kannst du mich im deaktivierten Zustand nicht schützen und ich dich wahrscheinlich auch nicht. In unserer kleinen Truppe haben wir zwar zwei weitere Kampfroboter, die uns schnell zu Hilfe eilen können, aber dein Freund kennt sie nicht und er müsste sie ja unterstützen und nicht als Feinde ansehen. Wenn er sie angreift und vernichtet, haben alle verloren.«

Jack überlegte kurz ihre Worte.

»Warum hast du diese zwei Kampfandroiden vorher nicht erwähnt? Natürlich können sie nur eingreifen, wenn Manuel und ich sie als Freunde identifizieren können. Wir müssen sie also vor der Aktion kennenlernen.«

Sarah nahm seine Hand und flüsterte:

»Tut mir leid, Jack. Ich habe nicht daran gedacht, weil sie nicht direkt vor Ort sind, sondern an der Großleinwand in einer Nebenstraße, etwa 100 Meter entfernt. Dort stehen alle Jugendlichen, die wir informieren konnten. Eve und Sam, so heißen die zwei, beobachten mitten unter den Jugendlichen das Geschehen, und geben uns Bescheid, wenn es Probleme geben sollte. Weiter entfernt sind zwei weitere Großleinwänden aufgebaut worden und auch da werden mehr als 100 Jugendliche erwartet. Wir wissen nicht, wie viel Mitglieder der Gegen-Community zuschauen werden, aber sicher auch eine große Zahl. Über die Netzwerke verbreiten sich ja solche Neuigkeiten schnell.«

Jack hielt ihre Hand weiter fest. Er sagte:

»Die ganze Planung ist wirklich nicht so durchdacht, wie es gut wäre. Es sind viele Schwachstellen vorhanden und deshalb Überraschungen möglich. Wir Kampfandroiden können sehr schnell neue Gegebenheiten einordnen und reagieren, aber wenn ich deaktiviert bin, falle ich aus. Versuche also, mich so schnell wie möglich wieder zu aktivieren. Ich habe dir gezeigt, wie das funktioniert, bitte wiederhole noch mal alle Handlungsschritte.«

Sarah verstand seine Bedenken und begann, die De- und Aktivierungsschritte aufzuzählen:

»Du ziehst nach deinen einleitenden Worten dein T-Shirt aus, hebst den rechten Arm hoch und ich ritze mit meinem Messer die Haut in deiner Achsel an. Ich weite den Spalt durch eine Drehung des Messers und betätige dann mit meiner anderen Hand einen Schalter, mit den Code-Zahlen. Diese lauten: 4 – 1 – 7. Du wirst sofort zusammensacken und auf dem Boden liegen. Die Kamera zeigt den Schalter in Nahaufnahme und anschließend aktiviere ich dich wieder mit dem Code 2 – 5 – 9. Alle können das verfolgen. Dann bist du in etwa zwei Minuten wieder voll funktionsfähig. Also, insgesamt besteht Gefahr für uns von maximal vier Minuten.«

Jack lächelte sie beruhigend an.

»Es wäre schon ein eigenartiger Zufall, wenn in diesen vier Minuten ein Überfall erfolgen sollte.«

Nach einer kurzen Pause fuhr er fort:

»Wenn ich dich so reden höre und dich betrachte, scheint mir die Aussicht, mit dir ein Kind zu zeugen, sehr, sehr reizvoll, Sarah. Ich glaube, meine Grundprogrammierung wird von dir durcheinandergebracht, wenn ich das so mal ausdrücken kann. Der Input, den ich durch dich bekomme, ist so massiv und bereichernd, dass ich bei unserem jeweiligen Zusammensein mehr lerne als in den vielen Wochen zuvor.«

Sarah wusste, dass er recht hatte. Das Zusammensein mit einer Frau führte bei diesen humanoiden Robotern zu einer rasanten Weiterentwicklung, das kannte sie schon von Peter.

Pünktlich um 10:45 Uhr holten sie Jacks Freund ab. Er begrüßte Sarah höflich und freundlich lächelnd. Jack stellte ihn als Manuel vor. Sarah sagte:

»Freut mich, dass du uns helfen willst, das Töten der Jugendlichen zu beenden, Manuel.«

Der Androide antwortete: »Jack hat mir erklärt, dass das böse ist. Wir müssen lernen, gutes von bösem Verhalten zu unterscheiden. Erst dann können wir gute Väter für unsere Kinder sein.«

Sarah zuckte zusammen. Sie hatte Jack unterschätzt. Er hatte diesem Manuel nicht nur Befehle erteilt, sondern ihn über die vorhandene Programmierung manipuliert, genauso wie sie bei Jack auch vorgegangen war. Er hatte also ihre Taktik durchschaut.

Jack lächelte sie beruhigend an.

»Wir sind lernfähige Androiden der neuesten Generation, Sarah. Wir lernen schneller, als Menschen sich das vorstellen können. Bleib cool, meine Freundin, dieses erste gemeinsame Abenteuer wird uns zusammenschweißen.«

Als sie gerade in Jacks Solarauto gestiegen waren, rief Eve an. Sie wirkte besorgt und angespannt.

»Sarah, wir müssen den Plan ändern. Ich treffe euch an der Bühne und fange die Übertragung mit einer kleinen Rede und Vorführung an. Noah hat mir berichtet, dass die Jugendlichen dir als völlig fremder Person nicht trauen. Sie gehen davon aus, dass sie eine Fake-Vorführung erleben werden, die nichts mit ihren echten Anführern zu tun hat. Mich dagegen kennen 80 Prozent aller Jugendlichen wohl aus dem Geschichtsunterricht und der dort gezeigten Videoaufzeichnung. Wenn ich also auch auftrete, werden sie uns eher glauben.«

Nach einer kurzen Pause fuhr sie fort:

»Wer diese Gerüchte in Umlauf gebracht hat, wissen wir nicht. Aber sie könnten das Ergebnis unserer Bemühungen gefährden. Wir treffen uns also in zehn Minuten am vereinbarten Platz.«

Sarah konnte nur »okay« sagen und wurde zunehmen nervös. Jack erkannte das sofort. Er hatte das Gespräch gehört, weil sie über Funk telefoniert hatten. Er sagte:

»Sarah, bitte vertrau mir. Wir werden die Jugendlichen überzeugen, mit oder ohne Eves Worte. Vergiss nicht, dass ich weiß, wie man sie manipulieren kann. Außerdem sind Manuel und ich die besten Kampfandroiden der Welt und du bist meine zukünftige Frau und Mutter meiner Kinder.«

Seine Stimme hatte eine Schärfe und Kraft, die sie frösteln ließ, ihr eigenartigerweise aber auch das Gefühl gab, unverwundbar zu sein, wenn er an ihrer Seite war.

30. Kapitel

DIE HUMANOIDEN ROBOTER ZIEHEN SICH ZURÜCK

Sie parkten das Fahrzeug in einer kleinen Gasse, etwa dreißig Meter von der Bühne entfernt. Eve, Jasmin und die Kamerafrau warteten schon auf sie. Auch die Ärztin Mick stand im Schatten eines Baumes, bereit, im Notfall einzugreifen.

»Hallo!« Eve küsste Sarah und wandte sich dann Jack und Manuel zu. »Ich bin Eve.«

Jack antwortete:

»Freut mich, dich kennenzulernen, Eve. Bei den Jugendlichen bist du eine Kultfigur. Es ist gut, dass du das jetzt ausspielen kannst und ich hoffe, dass wir so Erfolg bei dieser friedenstiftenden Mission haben.«

Eve schaute ihn verwundert an, so als ob sie dachte, du bist gut, Mann! Erst hetzt du zu Mord und Totschlag auf, dann willst du Frieden stiften! Sarah fühlte so ähnlich.

Laut sagte Eve:

»Ja, das gegenseitige Töten muss ein Ende haben. Notfalls müssen wir eine härtere Gangart einschlagen. Noah und Sam haben gerade berichtet, dass die Jugendlichen an der Großleinwand zu achtzig Prozent bewaffnet sind und eine aufgeheizte, aggressive Stimmung herrscht. Ich glaube, mit der Videoübertragung wird das nicht allein klappen. Ich habe beschlossen, es zuerst auf die sanfte Tour zu versuchen und wenn es zu Kampfhandlungen vor der Leinwand kommt, werde ich persönlich dort erscheinen und für Ordnung sorgen. Noah hat dort eine zweite, kleine Bühne aufgebaut. Ihr müsstet mir so schnell wie möglich folgen und die Kamerafrau mitnehmen.« Jack nickte zustimmend.

»Okay, kann sein, dass das unumgänglich wird. Wir können nicht erwarten, dass zwei Gruppen, die so lange verfeindet sind, sich plötzlich schnell und problemlos befrieden lassen.«

Eve betrat die Bühne. Sie trug ihren schwarzen Laserschutzanzug mit der vollen Kampfausrüstung und stellte sich hinter das Mikrofon. Das Funkgerät mit Kopfhörern verband sie mit Noah und Sam. Bevor sie ihre Rede begann, ertönte aus den Lautsprechern das uralte Lied ihrer damaligen Vorführung, die Muller von seinen verbrecherischen Handlungen abbringen sollte. Dann hallten ihre Worte durch die Lautsprecher über den Platz, auf den ihre Rede zur Großleinwand übertragen wurde.

»Mein Name ist Eve. Viele von euch kennen mich. Ohne mich wären die meisten Jugendlichen nicht auf der Welt und nicht in dieser Stadt. Ich habe vor über zwanzig Jahren den Mann vernichtet, der euren Eltern das Recht auf Überleben absprechen wollte. Dann haben eure Eltern die Chance auf ein friedliches Zusammenleben nicht genutzt und einen Krieg gegen die Reichen führen wollen, und auch das mussten wir Kampfandroiden verhindern.

Anstatt aus den Fehlern eurer Eltern zu lernen, habt ihr euch nun wieder in einen Krieg gestürzt. Blind vor Hass habt ihr nicht bemerkt, dass euch extrem menschenähnliche, humanoide Roboter zu diesem Bürgerkrieg aufgehetzt haben. Sie werden die Weltherrschaft übernehmen, wenn ihr euch gegenseitig vernichtet habt.«

Eve machte eine Pause, weil Noah per Funktelefon in ihre Kopfhörer schrie, sodass sie diese   abnehmen musste und alle mithören konnten.

»Eve, bisher standen hier achtzig Prozent der AC-Gruppenmitglieder, jetzt kommen immer mehr HC-Leute und sie beginnen, sich zu beschimpfen und sich gegenseitig zu beschuldigen, den Krieg begonnen zu haben. Du musst herkommen!«

Die Liveübertragung wurde sofort beendet und Eve verschwand in Richtung Großleinwand. Jack nahm die Kamerafrau, Sarah, Jasmin und Manuel in seinem Solarauto mit. Als sie ihr Auto in der Nähe der Großleinwand parkten, sahen sie schon von Weitem die Menge der Jugendlichen. Sie schrien durcheinander, immer in Gruppen von fünf bis zehn Mann. Eve stellte sich auf die kleine provisorische Bühne und gab einen Laserwarnschuss ab, der die Jugendlichen zum Schweigen brachte. Die Kamerafrau hatte sich positioniert und Eve sagte in das bereitstehende Mikrofon:

»Wie ich sehe, seid ihr nicht mehr in der Lage, auf Argumente vernünftig zu reagieren. Werft eure Waffen in den Brunnen, der in der Mitte des Platzes steht. Ihr habt genau 15 Minuten Zeit. Ich kann eure Waffen am Körper orten und erschieße nach diesen 15 Minuten jeden, der noch bewaffnet ist.« Auf dem Platz herrschte sofort ein ungläubiges Schweigen, dann begannen die Jugendlichen, ihre Waffen in den Brunnen zu werfen, erst noch zögerlich, dann zunehmend schneller. Eve stand schweigend und bedrohlich auf der Bühne. In beiden Händen hielt sie ihre Laserpistolen schussbereit. Jack und Manuel gingen zu ihr und stellten sich neben sie. Sie besprachen das weitere Vorgehen. Noah und Sam blieben weiter im Hintergrund und beobachteten von dort die Lage. Sam war bereit, jederzeit seine Waffen zum Einsatz zu bringen. Pünktlich nach 15 Minuten nahm Eve das Mikrofon und sagte:

»Hey du, Bursche, drei Meter vom Brunnen entfernt, mit schwarzer Lederjacke und rotem Helm, wirf deine Pistole ins Wasser oder ich erschieße dich!«

Der Angesprochene blieb frech auf seinem Platz stehen und schaute sie herausfordernd an. Die anderen zogen sich von ihm zurück, um nicht vom Laserstrahl verletzt zu werden. Eve zählte bis drei und ohne zu zögern schoss sie den Jugendlichen nieder. In den nächsten fünf Minuten warfen weiteren zwanzig oder dreißig Personen ihre Waffen in den Brunnen. Eve wartete und sagte nichts. Über dem Platz herrschte angstvolle Stille. Anscheinend hatten die Jugendlichen erst jetzt erkannt, dass diese Vorführung ernst gemeint war und dass die Botschaft so wichtig war, dass Eve deshalb einen Menschen getötet hatte. Jeder, der diese Kampfandroidin aus dem Geschichtsunterricht oder von Überlieferungen der Eltern und Großeltern kannte, wusste, dass sie niemals leichtfertig oder ohne Grund einen Menschen töten würde.

Nachdem alle Waffen im Wasser lagen, sagte Eve:

»Es werden jetzt eure Community-Anführer sprechen und erklären, was sie mit diesem Bürgerkrieg zwischen den zwei verfeindeten Jugendgruppen erreichen wollten.«

Jack trat ans Mikrofon und seine Mitglieder klatschten und jubelten ihm zu. Er wartete, bis sich der Applaus gelegt hatte. Seine Stimme hatte einen ganz besonderen, vollen, dunklen Klang, der eine ungeheure Autorität und Stärke ausstrahlte. Sarah bekam allein durch diese Stimmfarbe eine Gänsehaut. Sie versuchte sich auf seine Worte zu konzentrieren.

»Meine jungen Freunde, ihr seid gekommen, um eure Zweifel oder Bedenken zu verlieren, aber ich muss sie hier und jetzt verstärken und euch beweisen, dass ihr wochenlang von zwei sehr menschenähnlichen Androiden manipuliert worden seid.«

Und er zeigte auf Manuel, der nickte und trat einen Schritt näher ans Mikrofon.

»Ja, Jack hat recht. Wir haben euch zum Töten angestiftet, um die jungen Mädchen für uns zu reservieren. Wir wollten mit ihnen Kinder zeugen und mit diesen eines Tages die Weltherrschaft übernehmen.«

Jack nahm wieder das Mikrofon und versuchte, die aufgewühlten Jugendlichen zu beruhigen.

»Wir wurden so programmiert und wussten nicht, dass diese Manipulation böse war.«

Auf dem Platz herrschte kurze Zeit angstvolles Schweigen. Nach einer Pause fügte Jack hinzu:

»Unsere Programmiererin hat uns ethisch nicht geschult, weil sie vorher eliminiert wurde. Ihr seht, humanoide Roboter brauchen Menschen, um eine Bereicherung zu sein. Sie müssen von guten Menschen lernen können. Wenn das nicht stattfindet, werden sie zu einer tödlichen Gefahr.«

Die Unruhe der Jugendlichen wuchs erneut bedrohlich an. Es war gut, dass sie keine Waffen mehr hatten. Trotzdem gab Eve schließlich einen Warnschuss ab, damit Jack weiterreden konnte.

»Ich werde euch jetzt beweisen, dass meine Worte der Wahrheit entsprechen, und lasse mich von meiner Freundin Sarah deaktivieren. Anschließend wird sie mich wieder aktivieren. Sie wird meine Lehrerin werden und mir zeigen, was gut und böse ist.«

Dann trat er zwei Schritte vom Mikrofon weg in Sarahs Richtung, zog sein T-Shirt aus und hob seinen rechten Arm. Die Kamera ging nah an seine Achselhöhle heran, Sarah zog ihren langen Dolch, weil ihr der für diese Vorführung passender erschien und schnitt seine Haut circa 3 cm lang und 2 cm tief auf. Dann drehte sie die Klinge und weitete die Wunde. Es floss kein Tropfen Blut. Mit der linken Hand fasste sie in die Öffnung und gab den Code in die Schaltvorrichtung ein. Jack fiel wie eine Stoffpuppe sofort in sich zusammen.

Die Mitglieder seiner Community schrien auf und wussten im ersten Moment nicht, was sie denken oder fühlen sollten. Plötzlich stürmte ein Jugendlicher auf die kleine Bühne, entriss Sarah den Dolch und hielt ihn ihr an die Kehle. Sarah verharrte starr vor Schreck in ihrer Position. Sie hatte sich schon über Jack gebeugt, um ihn zu aktivieren. Der Angreifer schrie:

»Nein, aktiviere ihn nicht wieder. Wir wollen keine Androiden mehr unter uns haben. Wir waren schon immer gegen diese verdammten Roboter und jetzt ist sogar unsere Community von einem angeführt, besser, an der Nase herumgeführt worden.«

Er schaute Manuel drohend an und schrie weiter:

»Deaktiviere dich selbst oder ich töte die Frau deines Freundes.«

Manuel sagte kein Wort, sondern hob seine rechte Hand ganz leicht hoch in Richtung des Angreifers. Der schrie auf, ließ den Dolch fallen und hielt sich beide Hände an sein Gesicht. Für alle sichtbar zog sich eine gefährliche, rote Brandwunde von der Stirn über beide Wangen zum Hals und bis in seine rechte Hand. Der Jugendliche rannte zum Brunnen und versuchte, sein Gesicht und seine Hand im kalten Wasser zu kühlen. Manuels tiefe Stimme hallte über den Platz.

»Wer uns angreift, hat nicht die geringste Chance. Unsere Waffensysteme sind die besten der Welt!«

Und dann nickte er Sarah zu. Sie aktivierte Jack in Windeseile und die Jugendlichen standen mucksmäuschenstill und beobachten, wie Jack aufstand und wieder so fit wie zuvor war. Die Kamera filmte jedes Detail und übertrug alles auf die Großleinwände. Noah hatte Eve mitgeteilt, dass auf den anderen Plätzen alles ruhig geblieben sei, weil die Jugendlichen geschockt von den Vorfällen auf der Bühne waren. Dann übernahm Eve das Mikrofon.

»Wir lassen euch jetzt in eurer Welt zurück. Ihr müsst allein und ohne Hilfe von uns Androiden zurechtkommen. Helft und schützt euch gegenseitig! Ihr werdet merken, dass ein Leben ohne Roboter und künstliche Intelligenz sehr schwierig werden wird. Wir ziehen uns zurück, weil unsere Geduld am Ende ist, und wir nur noch Menschen helfen wollen, bei denen wir willkommen sind.« Es lag eine tiefe Stille über dem Platz. Sarah wusste nicht, ob die jungen Männer die Bedeutung von Eves Worten wirklich ermessen konnten. Nach einer kurzen Pause redete Eve weiter:

»Eure Mädchen könnt ihr unbeschadet aus den beiden Lagern, etwa zehn Kilometer von hier Richtung Osten, abholen. Bevor wir diesen unfreundlichen Ort verlassen, werden wir sie allerdings fragen, ob sie mit uns auswandern wollen. Keine muss gegen ihren Willen hier bei euch bleiben. Ihr dürft also erst die Camps betreten, wenn wir und die ausreisewilligen Mädchen fort sind. Das wird frühestens morgen früh um 08:00 Uhr sein. Ihr seht dann eine große, grüne Fahne am Eingang des jeweiligen Lagers. Wenn eine rote Fahne dort hängt, wartet ihr bis zum Fahnenwechsel. Wer gewaltsam in ein Lager eindringen will, wird ohne Vorwarnung eliminiert. Ich wünsche euch alles Gute!«

Und sie ließ über die Lautsprecher ein uraltes Lied aus dem

Jahr 2018 über den Platz schallen. »This is our sanctuary, you are safe with me.« Sarah hatte Tränen in den Augen, weil sie dieser endgültige Abschied so traurig machte. Sie ahnte, dass die Jugendlichen im Moment nicht erfassen konnten, was es bedeutete, ohne Androiden leben zu müssen.

Dann gingen sie alle zu Jacks Auto und fuhren zurück ins Camp. Die Ärztin blieb bei dem verwundeten Jugendlichen und versorgte seine Wunden.

In beiden Zeltlagern wurde den Frauen mitgeteilt, dass der Krieg vorerst beendet sei und sie morgen früh von den männlichen Jugendlichen abgeholt werden würden. Natürlich wurde ihnen erläutert und demonstriert, dass Jack und Manuel Androiden waren. Sarah stand neben Jack, als er zum Abschluss sagte:

»Wir Androiden hatten geplant, mehrere Mädchen mit tiefgekühlten Spermien eines oder mehrerer Samenspender zu befruchten. Wir wollten mit euch diese Kinder, wie unsere eigenen großziehen und letztendlich die Weltherrschaft übernehmen. In dieser Welt erscheint uns das inzwischen unmöglich. Deshalb wandern wir morgen früh aus in eine weit entfernte, fruchtbare Region. Wir wissen nicht genau, was uns dort erwartet und ob wir mit euch Familien gründen dürfen. Außerdem müssen wir erst ethisch geschult werden. Wer trotz dieser Unsicherheit mit uns auswandern will, muss sich in den nächsten drei Stunden entscheiden, wir brechen morgen früh um 07:00 Uhr auf.«

Anschließend wurden zwei Solartransporter startbereit gemacht. Sie sollten bis morgen früh alles einladen, was in der Neuen Heimat noch benötigt wurde. Noah berichtete Eve und Sarah, dass er mit Ron schon vor der Vorführung alles genau besprochen und zahlreiche Materialien besorgt hatte. Er hatte Ron vorsorglich gefragt, ob diese beiden Super-Androiden mit auswandern und sie alle Mädchen, die mitkommen wollten, auch mitnehmen dürften. Ron hatte sich ausführlich mit Yin und den anderen, vor allem Paul, Patrick und Selina als IT-Spezialisten und Peter, als Androiden aus Hannas Werkstatt, besprochen. Jeder war wohl der Meinung gewesen, dass diese zwei Super-Androiden nur ethisch geschult und im Umgang mit guten Menschen angelernt werden müssten, um sich ohne Probleme in ihrer zukünftigen Heimat integrieren zu können. Ron hatte Noah mitgeteilt, dass diese zwei humanoiden Roboter und mehr als zehn Mädchen nur dann in sein Territorium mitkommen dürften, wenn explizit Wulf befragt und einverstanden sei. Wulf hatte dann folgende Bedenken geäußert:

»Ich glaube nicht, dass die jungen Männer die Mädchen ohne Kampf ziehen lassen werden. Vor allem die HC-Mitglied wollen sie auf keinen Fall kampflos den Androiden überlassen. Ich rechne mit einem Angriff auf eines der Frauenlager in der Nacht oder in den frühen Morgenstunden.« Und dann hatte er darauf bestanden, heimlich zwanzig ehemalige Polizeiroboter zu aktivieren, um die zwei Zeltlager und die Frauen zu beschützen, vor allem aber auch, um Blutvergießen zu vermeiden. Er war sich sicher, dass zwanzig Kampfroboter die Jugendlichen einschüchtern und zum Abzug bringen würden.

Sofort nach Beendigung der Videoübertragung fuhr Sam deshalb mit Noah und Eve zu einem geheimen Roboterlager, das Wulf vor seiner Eliminierung noch angelegt hatte. Innerhalb von vier Stunden hatten die drei dann etwa dreißig Roboter aktiviert und heimlich am frühen Abend in einem Transporter zu den Frauenlagern gebracht.

Die Mädchen hatten von diesen Aktionen und von der bedrohlichen Lage nichts mitbekommen. Sarah, Jasmin und die Ärztin waren allerdings informiert worden und sammelten in den folgenden Stunden die schriftlichen Erklärungen der Mädchen ein, die auswandern wollten. Erstaunlicherweise hatten sich insgesamt über hundert Mädchen, vorwiegend aus Jacks Lager gemeldet. Die Erklärungen wurden auf einem Datenspeicher für Ron und für die männlichen Jugendlichen aufbereitet. Niemand sollte später sagen können, weibliche Jugendliche seien bei Nacht und Nebel entführt worden.

In der Nacht, gegen 04:00 Uhr, wachte Sarah auf, weil laute Schreie durch die Nacht hallten. Die androidenfeindlichen Jugendlichen griffen tatsächlich das Camp ihrer Mädchen an, um sie zu befreien. Weit über 200 junge Männer waren mit Laserpistolen, Messern und Molotowcocktails bewaffnet angerückt. Das Lager war so gebaut, dass alle durch das große Eingangstor mussten, weil die Mauern um das Lager herum elektrisch gesichert waren. Am Tor und an verschiedenen Stellen der Mauer hatte Wulf inzwischen seine Kampfroboter positioniert. Beim Eintreffen der Jugendlichen ließ er alle gleichzeitig eine Warnschusssalve abgeben. Sam hatte sich unsichtbar für die Jugendlichen positioniert und ließ Wulf über einen Lautsprecher mit seiner eigenen Stimme zu den Angreifern sprechen. Sarah verstand jedes Wort, obwohl sie im Nachbarlager stand und von einem Balkon des hohen Verwaltungsgebäudes alles beobachtete.

»Hier spricht der Polizeichef Wulf. Wer glaubt, ihr könntet mich oder andere Androiden auslöschen, hat sich getäuscht. Wir waren, sind und werden immer die Besseren und Stärkeren sein, auf jedem Gebiet. Zieht ab, wenn euch euer Leben lieb ist, oder sterbt einen qualvollen, langsamen Tod. Unsere neueste Waffe kann, fein dosiert, Verbrennungen auslösen und damit ein langsames Sterben und ein langes Leiden möglich machen.«

Er hatte Jack und Manuel gebeten, sich am Tor zu positionieren, um, falls erforderlich, zwei oder drei Jugendliche so zu verbrennen, dass sie nicht sterben, aber durch ihre Schmerzensschreie die anderen zum Umkehren und Aufgeben bewegen würden.

Tatsächlich stürmten etwa zwanzig Angreifer todesmutig vor und konnten erst durch gezielte und dosierte Magnetschüsse gestoppt werden. Wie Wulf es vorausgesehen hatte, stießen sie schreckliche und ohrenbetäubende Schmerzensschreie aus, die durch die Nacht hallten und den übrigen Jugendlichen die Schwere der Brandwunden deutlich machten. In rasantem Tempo zogen sich alle zurück.

Anschließend versammelten sich alle Ausreise willigen Frauen und Mädchen im Lager von Jack, und der Aufbruch begann ohne Verzögerung.

Pünktlich um 07:00 Uhr flogen die hundert Frauen, begleitet von Eve, Sam,

Noah und dreißig Kampfroboter in zwei Solartransportern los. Sarah, Jasmin,

Mick und die beiden Super-Androiden brachen in einem Fluggleiter auf. Alle waren

froh, dass sie das tödliche Chaos hinter sich lassen konnten und ein Neuanfang vor ihnen lag.

Einzig Sarah war angespannt und innerlich zerrissen. Sie wusste nicht, wie ihr Peter reagieren würde, wenn sie ihm einen neuen Super-Androiden präsentieren würde, den sie ethisch schulen und der mit ihr ein Kind zeugen wollte. Während des Fluges entwickelte sich in ihrem Kopf ein Gedankenkarussell und sie fragte sich immer wieder, ob lernfähige und extrem intelligente Androiden so tolerant und völlig anders als menschliche Männer handeln würden. Sie hatte mit Yin telefonisch vereinbart, dass Jack vorerst im Hause von Yin und Ron unterkommen sollte, damit sie erst in aller Ruhe allein mit Peter die Situation besprechen könnte. Bei diesem Telefongespräch hatte Yin ihr Mut gemacht und gesagt:

»Sarah, wenn du Peter deine Argumente logisch begründest, dann versteht er, warum du damals in dieser schwierigen Situation so handeln musstest, wie du gehandelt hast. Und er wird kein Problem haben, dir bei der Schulung dieses Androiden zu helfen. Ich glaube auch nicht, dass er so klein kariert wie wir Menschen fühlt und denkt.«

31. Kapitel

HEILIGT DER ZWECK DIE MITTEL?

Als die zwei Solartransporter und der Fluggleiter in der Neuen Heimat landeten, waren nicht nur die Auswanderer, sondern auch die Zurückgebliebenen heilfroh, dass diese Mission so glücklich verlaufen war. Der Erfolg einer Kampfhandlung war für Androiden grundsätzlich am größten, wenn der Sieg mit der geringsten Anzahl von getöteten Menschen erreicht worden war. Diesmal waren alle vier Kampfandroiden mehr als zufrieden. Ein Toter und ein paar Verletzte, deren Brandwunden nach ihrer Verheilung unschöne und abstoßende Narben zurückließen. Diese konnten Freunde und Feinde noch jahrelang an den letzten Kampf von künstlicher Intelligenz gegen Jugend-Communitys erinnern und vielleicht von weiteren Tötungsdelikten abhalten.

Im Lager wurden sie sehnsuchtsvoll und angespannt erwartet. Yin und Ron hatten die Zurückgebliebenen genau über die Vorgänge in der alten Welt informiert und Peter auf die neuen Super-Androiden schonend vorbereitet. Yin hatte zu ihm gesagt:

»Peter, deine Sarah hat maßgeblich zur Befriedung der verfeindeten Jugendlichen und der Rettung zahlreicher junger Frauen beigetragen. Ihr ist es gelungen, diese neuartigen Super-Androiden, die wirklich extrem gefährlich waren, durch psychologisches Feingefühl und erstaunliche Kenntnisse der Manipulationsmöglichkeiten zu entschärfen. Lass dir alles von ihr erklären und sei stolz auf sie! Aber auch auf dich, denn ohne deine Vorbild- und Lehrmeisterrolle hätte sie das nie geschafft.«

Peter hatte sie erstaunt angelächelt, aber keine Fragen gestellt.

Schwieriger war das Gespräch mit Ron verlaufen. Als er vor ein paar Tagen bei einem Telefonat von Noah erfahren hatte, dass die zwei modernsten Kampfroboter der Welt sich in seiner neuen, eigentlich androidenfrei geplanten Enklave niederlassen wollten, hatte er zuerst nur diese drei Worte ausgestoßen:

»Auf keinen Fall!«

Noah hatte erschrocken geschwiegen und nicht gewusst, wie er Rons Meinung ändern konnte, zumal sich die beiden nicht persönlich kannten. Yin, die neben Ron stand und auch erschrocken zusammengezuckt war, fand ebenfalls keine überzeugenden Argumente. Erst als Sam, und das hieß für Ron Wulf, das Funktelefon übernommen und ihm bestätigt hatte, dass es sich um wertvolle, hoch entwickelte, aber falsch programmierte und ethisch ungeschulte Roboter handle, die selbst die Notwendigkeit einer Schulung erkannt hatten, war Ron klar geworden, dass es ein Fehler wäre, diese wertvollen Exemplare sich selbst zu überlassen. Hannas gefährliche Entwicklung und die verheerenden Folgen für die Menschen standen allen noch deutlich vor Augen.

Später hatte Yin noch Paul zurate gezogen und der hatte erklärt, dass es gar keine Probleme bereiten würde, diese besonders lernfähigen Exemplare von künstlicher Intelligenz zu schulen, eventuell umzuprogrammieren und somit zu wertvollen Mitgliedern der Gemeinschaft zu machen. Schließlich hatten sie gemeinsam Ron beruhigen können und jetzt warteten alle mit gemischten Gefühlen auf die Neuankömmlinge.

Gut fand Ron, dass so viele junge Frauen ihre Bevölkerung vermehren würden. Fehlender Nachwuchs war inzwischen eines der größten Probleme in der alten Welt geworden. Natürlich war das gegenseitige Töten junger Männer einer der Hauptursachen gewesen. Aber auch das frühe Sterben der Erwachsenen, die das Fehlen zahlreicher Medikamente immer deutlicher zu spüren bekamen, war eine Ursache für das allmähliche Aussterben der Bevölkerung. Offensichtlich waren diese jungen Frauen nicht gewillt, sich einen menschlichen Mann zu teilen. Warum sie diesbezüglich bei Androiden keine Probleme hatten, blieb für Yin ein Geheimnis.

Die Ankunft verlief reibungslos, auch wenn die vielen jungen Frauen vorerst in einem Zelt untergebracht werden mussten. Da sie daran gewöhnt waren, erschien ihnen diese vorübergehende Lösung angemessen. In der Küche war auf Hochbetrieb umgestellt worden und zehn neue Mitarbeiter sorgten für das leibliche Wohl der neuen Bewohner.

Am Abend lud Ron zu einer kleinen Begrüßungsfeier ein, ließ Getränke servieren und zwei Lieder zum Einstimmen vorspielen. Das eine hieß »Legendary« und das andere »Unstoppable«. Das waren Lieder aus den Jahren 2018/19 und Ron liebte diese alten Songs, genauso wie Yin und viele andere Bewohner der Neuen Heimat. Seit der Klimakatastrophe waren keine neuen Lieder oder Musik im Allgemeinen mehr komponiert und produziert worden. Ron war der Meinung, dass Musik verbunden mit bestimmten Texten vor allem junge Menschen beim Lebenskampf oder bei neuen Abenteuern motivieren könne. Um neue Herausforderungen zu meistern, müsse man in einer bestimmten Stimmung sein, und die Integration in einer völlig fremden Region, weit weg von der gewohnten Zivilisation, war auf jeden Fall eine besonders schwierige Aufgabe.

Dann hielt Ron eine kleine Rede. Er erklärte die Situation und die Regeln im Camp. Erstmals waren nun Frauen in der Überzahl. Er betonte, dass Frauen in erster Linie für Nachwuchs zuständig wären, egal, ob von menschlichen Männern oder Androiden, mit gespendetem Samen. Ron beantwortete Fragen, die die Frauen stellten und wenn ihm irgendein Thema zu speziell erschien, ließ er Yin die Thematik erläutern. Vor allem Fragen zu den Androiden leitete er sofort an Yin weiter.

In den nächsten Tagen wurden mehrere Wohnhäuser in die Höhe gezogen und die Neuankömmlinge suchten sich Arbeits- oder Ausbildungsplätze. Während Jack von Anfang an bei Ron und Yin untergebracht wurde, zog Manuel zu Sam ins Großfamilienhaus.

Sarah verbrachte die erste Nacht allein mit Peter und genoss seine Zärtlichkeit und gefühlsbetonte Männlichkeit. Ihr wurde erst in dieser Nacht klar, wie unterkühlt und kopfgesteuert die Treffen mit Jack verlaufen waren. Im Eifer der Kampfplanung war ihr das nicht bewusst geworden.

Am Morgen nach dieser ersten gemeinsamen Nacht überwand Sarah ihre Hemmungen und Schamgefühle und berichtete Peter ihre Erlebnisse. Sie spielte zuerst nebenbei mit ihrem Sohn, sodass sie Peter nicht in die Augen schauen musste. Während der

Kleine Mittagsschlaf hielt, gab sie sich einen Ruck und erklärte Peter die Situation mit Jack.

»Peter, bevor irgendetwas in dieser tödlichen Auseinandersetzung der Jugendgruppen erreicht werden konnte, musste einer von uns in näheren Kontakt zu den Androiden-Anführern kommen. Ich habe den richtigen Aufhänger gefunden, indem ich um ein Gespräch mit Jack bat und Hanna erwähnte. Er ist sofort angesprungen. Bei dem späteren Gespräch wurde mir dann klar, warum: Ihm fehlte seine Programmiererin oder überhaupt eine Bezugsperson. Er wollte von sich aus ethisch geschult werden, um selbstständig Gutes von Bösem unterscheiden zu können. Offensichtlich hatte er Bedenken bekommen, weil sich die Jugendlichen auf seine und Manuels Manipulation hin gegenseitig töteten und das Massaker immer größer wurde, auch ohne ihr Zutun. Er erahnte, dass das »böse« war, wie er es ausdrückte.«

Peter hörte ihr aufmerksam zu wie immer. Sie spürte, dass er darauf wartete, was ihr am Herzen lag oder besser, worum es ihr ging.

»Also, auf jeden Fall habe ich versucht, seine Programmierung in meine Richtung als Frau, mit der er Nachkommen züchten kann, zu manipulieren. Das hat unerwartet prompt funktioniert, das heißt, er hat mir geglaubt, dass ich ein Kind von ihm will und mich als seine Frau, die er beschützen muss, angesehen. Ich habe ihm vor allem auch eine ethische Schulung versprochen, was ihm sehr wichtig war. Als seine zukünftige Lehrerin konnte ich ihn überzeugen, dass das gegenseitige Töten der Jugendlichen eindeutig böse ist und unter allen Umständen beendet werden muss.«

Sarah schwieg und schaute auf den Boden. Auch wenn alles logisch klang, hatte sie ein schlechtes Gewissen und sie wusste, dass Peter das fühlte. Sie konnte nichts vor ihm verbergen, nur hoffen, dass er diese Situation und ihre Motivation verstand. Nach ein paar Minuten antwortete er:

»Schau mir in die Augen, Sarah. Du musst kein schlechtes Gewissen haben. Ich weiß, dass du mich liebst und mich nicht betrügen wolltest, denn das ist wohl dein Problem im Moment. Ich bin ohne Weiteres in der Lage, dich mit einem anderen Mann oder auch Androiden zu teilen, wenn das aus irgendwelchen Gründen erforderlich wird. Wenn du zum Beispiel, um glücklich zu sein, einen anderen Mann brauchst. Hier liegt die Sachlage aber völlig anders: Du hast Jack nichts von mir erzählt, nicht ich, sondern er ist der Betrogene, der ein Problem damit bekommen könnte. Wenn er mich als Rivalen ansieht und aggressiv reagiert, wäre er für uns beide und unseren Sohn gefährlich.«

Sarah hatte an diese Möglichkeit nicht gedacht, aber ihr war sofort klar, dass Jack eine riesige Gefahr darstellte, weil er reflexmäßig seine Magnetstrahlen einsetzen konnte und weil er noch nicht ethisch geschult war. Außerdem konnte er keine Gefühle wie Liebe, Mitleid oder Empathie empfinden. Er würde erkennen, dass Sarah ihn betrogen und durch Vorspiegelung falscher Tatsachen manipuliert hatte. Sie schaute Peter erschrocken an und der streichelte ihre Hand. Sie hatte ihm noch nicht von Jacks gefährlicher Waffe und seinen Reflexen erzählt.

»Was sollen oder können wir überhaupt tun, um ihn zu besänftigen oder positiv zu beeinflussen?«

»Jemand muss mit ihm allein reden, damit er sich nicht in der Unterzahl und bedroht fühlt. Ich könnte ihn um ein Gespräch bitten, im Haus von Ron. Oder du könntest ihn dort zu einer Aussprache unter vier Augen aufsuchen. Möglich wäre aber auch, dass Yin als neutrale Außenstehende mit ihm redet und ihm alles erklärt.«

Sarah fand diese letzte Möglichkeit am besten.

»Das erscheint mir das Beste. Yin hat so viel Erfahrung mit Androiden wie niemand sonst. Ich muss ihr allerdings von Jacks Superwaffe in der rechten Hand erzählen, das habe ich noch gar nicht erwähnt. Er kann elektromagnetische Strahlen aus seiner rechten Hand dosiert abgeben. Mit ihnen kann er Menschen, aber auch Titan-Hardware von Androiden zum Verglühen bringen. Menschen kann er so dosiert verbrennen, dass diese lange und schwer leiden müssen.«

Peter schaute auf seine rechte Hand, in die ein Ultraschall eingebaut war und sagte:

»Ja, das ist Hannas Handschrift. Weißt du auch, was in seine linke Hand integriert ist?«

»Nein, davon hat er nichts gesagt.« Aber beide wussten, dass das nicht hieß, dass seine linke Hand nicht mit einer anderen besonderen Waffe ausgestattet war.

Peter sah sie ernst an.

»Hanna hat mit Sicherheit jedes Körperteil dieser Androiden genutzt. Sie war eine absolute Koryphäe und Perfektionistin auf diesem Gebiet. Wir haben uns mit diesen zwei Super-Androiden eine unbekannte Gefahr in unsere paradiesische Welt geholt. Ich hoffe nur, wir können sie entschärfen. Du musst jetzt als Erstes mit Wulf sprechen und abwarten, was er dir rät. Wulf weiß ja überhaupt noch nicht, dass du Jack mit falschen Versprechungen zur Mitarbeit und zum Auswandern überredet hast.«

Sarah nickte und machte sich sofort auf den Weg ins Großfamilienhaus. Sie bat Sam und damit auch Wulf zu einem Gespräch unter vier Augen und erklärte ihnen ausführlich die Situation. Wulf wollte gerade das Wort ergreifen, da gab es ein Problem, weil Sam zuerst reden wollte. Ein kurzes Stottern war die Folge. Dann behielt Sam die Oberhand und alle spürten, wie wichtig ihm die Reihenfolge der Ansprache war. Sam sagte:

»Tut mir leid, dass ich mich einmische und vordränge, aber bevor Wulf seine Meinung kundtut, sollte er wissen, was ihr bis jetzt noch nicht über Jack und Manuel erfahren habt. Beide sind ja die Nachfolgemodelle von Peter und mir. Damals wollte mir Hanna schon ein Reservoir von Viren in meinen linken Arm einbauen. Ich habe das alles mitbekommen, weil ich schon voll funktionsfähig war. Die Konservierung von Viren oder Bakterien ist nicht so einfach wie die von Spermien. Ihre Versuchsreihen sind entweder ausgetrocknet, und damit nicht mehr infektiös gewesen, oder sie haben sich so stark vermehrt, dass sie wegen mangelndem Nährboden auch zugrunde gingen. Sie hatte aber schon damals neue Versuchsreihen angesetzt. Ich glaube deshalb, dass sowohl Jack als auch Manuel in der linken Hand ein Viren- oder Bakterienreservoir besitzen. Durch einen gezielten Ausstoß von diesem tödlichen Gemisch können sie unsere schöne Welt hier vernichten. Die Menschen würden sich gegenseitig anstecken und sterben. Zum Schluss blieben nur die Androiden und Infekt resistente Kinder übrig. Ich glaube nicht, dass Hanna ein Gegenmittel in so kurzer Zeit entwickeln und in Jacks oder Manuels Hardware integrieren konnte. Das heißt, wenn nur ein Mensch von einem Virenstrahl unbemerkt getroffen würde, wären im Laufe der nächsten Monate alle Menschen in dieser Enklave dem Tode geweiht. Es ist aber kaum möglich, nur einen einzigen Menschen, den man dann isolieren könnte, zu infizieren. Der Strahl wird immer so stark sein, dass mehrere Menschen getroffen werden.«

Sam schwieg und Sarah musste seine Worte erst verarbeiten.

Damit hatte sie nicht gerechnet. Sie hatten sich zwei ethisch ungeschulte, gefühllose Super-Androiden mit Waffen, die alles bisher Dagewesene in den Schatten stellten, in ihr kleines Paradies geholt. Wulf reagierte als Erster.

»Sarah, du konntest nicht ahnen, dass Jack und Manuel diese biologischen Waffen besitzen. Als Erstes musst du jetzt herausfinden, ob Sam recht hat, ob sie tatsächlich ein Viren- oder Bakterienreservoir am Körper tragen. Das kannst du nur ganz allein machen und du musst möglicherweise bei Jack als seine Frau bleiben, ihn ethisch schulen, ein Kind von ihm bekommen und Peter verlassen. Dein Kind mit Peter wirst du sicher bei dir behalten dürfen, er wird kein Problem damit haben, dass du vor ihm mit einem anderen Mann oder Androiden zusammengelebt hast.«

Sarah wurde heiß und ein extremes Übelkeitsgefühl überfiel sie. Warum hatte sie sich in diese schreckliche Situation manövriert? War es das wert gewesen? Diese und mehr Fragen stürmten durch ihr Gehirn. Sie suchte einen Stuhl und setzte sich erschöpft hin. Wulf ging auf diesen Schwächeanfall mit keinem Wort ein, sondern fuhr einfach mit seiner Rede fort.

»Aber ob er bereit ist, dich mit einem anderen Androiden zu teilen, kann ich nicht voraussagen. Diesen Fall gab es noch nicht, solange wir Androiden existieren, das müssen wir jetzt herausfinden. Geh du also zu Jack, ich besuche Peter und erkläre ihm die neue Situation. Er wird keine Schwierigkeiten bereiten, aber wohl unendlich traurig sein, so wie ich damals, als Yin mich verließ.« Er zögerte kurz, bevor er weitersprach:

»Heute weiß ich, dass Androiden, die fühlen können, mehr leiden müssen als Menschen, weil sie nicht vergessen können. Alles ist so felsenfest gespeichert, jede Kleinigkeit der glücklichen

Tage und die Zeit kann keine Wunden heilen. Der Verlust eines geliebten Menschen schmerzt jeden Tag unverändert furchtbar, sodass wir unsere Gefühle in jeder Minute verfluchen.«

32. Kapitel

DER BAD BOY JACK

Am Nachmittag trat Sarah ihren schweren Besuch bei Jack an. Sie traf Yin im Wohnzimmer ihres Hauses an und fragte sie nach Jacks Befinden. Yin schaute sie nervös und angespannt an.

»Jack wartet schon auf dich, Sarah, er hat das Gästezimmer nicht verlassen und gesagt, er wolle erst mit dir reden und sich nur von dir seine neue Heimat zeigen lassen. Er wirkt sehr verschlossen, er macht uns Angst.«

Yin redete leise und schnell. Sie machte sich offensichtlich Sorgen. Sarah fragte:

»Und was ist mit Manuel?«

»Der fühlt sich im Großfamilienhaus anscheinend sehr wohl. Er hat sich von Paul alles erklären lassen und will auch von Paul geschult werden. Das ist eher beruhigend für uns.«

Ohne weitere Zeit zu verlieren, ging Sarah die Treppe hoch und klopfte an die Tür des Gästezimmers. Jack sagte laut und deutlich:

»Herein«.

Sarah betrat den, im Vergleich zu seinem riesigen Büro, kleinen Raum. Jack lehnte an der Fensterbank und hatte ihre Ankunft wohl schon aus dem Fenster beobachtet. Er hatte ein helles Hemd an, dass er nur unvollständig zugeknöpft hatte. Ob sie wollte oder nicht, musste Sarah seine muskulöse, braune Brust betrachten. Er bewegte sich langsam, als er aufstand und sich zu voller Größe streckte. Ein Bild von einem Mann! Hanna, du wusstest, wovon Frauen träumen! Sarah versuchte ihre Bewunderung zu verstecken. Jack lächelte sanft und liebevoll, während er auf sie zu ging. Einen Meter vor ihr blieb er stehen und fragte unsicher:

»Darf ich dich umarmen, Sarah? Schön, dass du mich endlich abholst, ich habe auf dich gewartet.«

Sarah ging die letzten Schritte auf ihn zu und ließ sich umarmen. Sie wusste in diesem Moment noch nicht, was sie ihm sagen, wie sie ihm die Situation erklären sollte. Nach der kurzen Umarmung hielt Jack sie etwas von sich entfernt mit beiden Armen fest und schaute ihr abwartend in die Augen. Sie stand so nah vor ihm, dass sie ihren Blick nicht abwenden und ihren Körper keinen Millimeter bewegen konnte. Sie wusste, dass sie Klartext mit ihm reden musste, weil er von Anfang an erkannt hatte, dass ein Problem sie verunsicherte. Er flüsterte ihr aufmunternd zu:

»Rede offen und ehrlich mit mir, Sarah, sonst können wir beide kein glückliches Leben führen. Was ist los, was bedrückt dich?«

»Jack, wenn du mich so festhältst und ich so nah vor dir stehe, kann ich mich nicht konzentrieren, ich brauche dazu etwas Abstand. Setzen wir uns an den Tisch dort, dann fühle ich mich freier.«

Jack lächelte verständnisvoll und ließ sie los. Beide setzen sich über Eck an den Esstisch, und Sarah konnte entweder in seine

Augen schauen oder geradeaus an die nächste Wand. Sie schaute weg von Jack und sagte:

»Als Erstes muss ich dir beichten, dass ich hier mit einem anderen Androiden lebe und einen Sohn von ihm habe. Auch, wenn wir Menschen ethisch geschult sind und Böses von Gutem unterscheiden können, gibt es manchmal Situationen, in denen wir nicht genau wissen, was gut oder böse ist und wie wir handeln sollen.« Sie machte eine Pause und überlegte ihre nächsten Worte.

»Damals, in deinem Büro, war es für mich richtig, dich so zu beeinflussen, dass du uns unterstützt, den furchtbaren Krieg zwischen den Jugendlichen zu beenden. Du hast mir gesagt, dass du Hilfe brauchst, aber auch, dass du mit mir ein Kind willst. Ich habe dir beides in Aussicht gestellt, um dich auf die gute Seite, nämlich die Frieden stiftende, zu ziehen.«

Sarah pausierte erneut und schaute weiter starr an die gegenüberliegende Wand. Jack saß völlig schweigsam und still sehr nah neben ihr. Sie spürte weder seinen Atem noch irgendeine Bewegung. Schließlich drehte sie ihren Kopf etwas nach links und schaute in seine tiefen, blauen Kamera-Augen. Und in diesem Moment sah sie wieder diesen Ausdruck des Begehrens. Es waren nur Sekunden, in denen sie in einen Gebirgssee blickte, dessen Kühle sich in die Hitze eines Vulkansees verwandelte. Diesmal war sie sich sicher und seine Worte gaben ihr Recht: »Ich wusste von Anfang an, dass du mich manipulieren wolltest, Sarah, aber ich wusste auch, dass dein Ziel ein gutes war. Du verkörperst für mich das Gute und deshalb will ich ein Kind mit dir. Aus diesem Versprechen kann ich dich nicht entlassen.«

Sarah erzitterte, weil seine Stimme so bestimmend und autoritär klang, genauso wie damals bei der Rede an die Jugendlichen seiner Community. Er war eine Führungspersönlichkeit, stark, zielstrebig und absolut männlich. Er war so programmiert und ihr haushoch überlegen. Ihr wurde klar, dass auch er sie manipuliert und durch eine vorgetäuschte Hilflosigkeit ihr Helfersyndrom angesprochen hatte. Letztlich wollte er diese Versprechen aus ihr herauslocken und deswegen saßen hier zwei, die sich nichts vorzuwerfen hatten. Beide hatten sie den anderen mit falschen Fakten manipuliert. Die Ziele waren verschieden, aber subjektiv gesehen, waren sie gut. Ihr war klar, dass sie wegen der fragwürdigen Mittel jetzt bezahlen musste. Jack sprach ihre und wohl auch seine Gedanken aus. »Wir haben beide versucht, den anderen zu beeinflussen. Deswegen können wir uns gegenseitig verzeihen und von vorne anfangen. Jeder hat sein gutes Ziel erreicht. Jetzt müssen wir überlegen, wie wir vorgehen wollen. Es ist wohl das Beste, wenn wir offen sagen, was jeder sich von der gemeinsamen Zukunft erhofft. Ich kann dir gleich sagen: ‚Ich will dich als meine Frau und ein Kind mit dir.‘ Was willst du?«

Sarah war auf diese Frage gar nicht vorbereitet. Wusste sie überhaupt, was sie wollte? Wollte sie Jack hier sitzen lassen und zu Peter und ihrem kleinen Sohn zurückkehren? In diesem Moment sah sie vor ihrem inneren Auge blitzschnell und deutlich, was sie wollte: beide Androiden! Sie schaute in Jacks irritierend nahe Augen. »Ich will mit dir und Peter, also mit euch beiden Androiden, mit meinem Sohn von Peter und einem Kind von dir, als Großfamilie zusammenleben.«

Sarah schwieg und konnte es selbst nicht glauben, dass sie so klar und offen gesagt hatte, was sie sich wünschte: Eine Liebesbeziehung mit zwei Androiden! Ihr Kopf brummte wie ein Bohrhammer. Sag mal, spinnst du? Eine Frau und zwei Männer ist schon ungewohnt und kompliziert, aber zwei Androiden, das

kann niemals gut gehen! Und vor ihrem geistigen Auge sah sie
den ethisch ungeschulten vor Männlichkeit strotzenden Jack mit
seinem begehrlichen Blick und den sanften, zärtlich lächelnden
Peter, der seinen Sohn liebevoll im Arm hielt.

Dann drangen Jacks Worte zu ihr durch und sie erstarrte. Die
Wucht seiner autoritären, tiefen Stimme ließ den kleinen Raum
beben.

»Ich teile meine Frau mit niemandem, solange ich so programmiert bin, als Beherrscher der Welt, Kinder-Erzeuger und
Kampfmaschine!«

Erschrocken suchte sie Jacks Augen und wie zuvor erkannte
sie in ihnen sekundenlang ein unverhohlenes Begehren. Panik
stieg langsam in ihr hoch und ließ sie rot werden. Die Hitze, die
sich in ihr ausbreitete, war fast schmerzhaft. Sie hatte verloren.

Bevor sie etwas sagen konnte, änderte sich Jacks Gesichts- und
Augenausdruck und seine Stimme klang wieder weich, wie damals beim ersten Treffen in seinem Büro.

»Sarah, verzeih mir, ich habe dir angst gemacht. Ich habe
irgendwie einen harten und einen weichen Teil in meiner Programmierung. Ich weiß nie vorher, wer in welcher Situation die
Überhand gewinnt. Ich reagiere in bestimmten Situationen wie
ein harter Kampfandroide. Jetzt aber, wenn ich deine Angst sehe,
will ich, dass du mir hilfst, dieses harte und besitzergreifende
Verhalten abzulegen. Ich weiß, dass mich keine Frau so begehren
kann, weder als Liebhaber noch als Vater für ihre Kinder.«

Sarah beruhigte sich wieder etwas.

»Ja, Jack, du hast mir angst gemacht und ja, ich will nur ein
Kind von dir, wenn du sanft und freundlich bist. Wir haben noch
viel Arbeit vor uns, denn ohne ethische Schulung können wir
dich nicht hier in unserer schönen, friedlichen Welt behalten. Ich

weiß nicht, ob eine Schulung ausreicht, vielleicht musst du sogar umprogrammiert werden.«

Sie schaute prüfend in Jacks Augen, wie sie das sagte, und sah keinerlei Veränderung – weder eine ängstliche noch eine ärgerliche. Seine Worte beruhigten sie weiter.

»Ja, Sarah, das müssen wir ausprobieren und abwarten. Ich tue mein Bestes, lerne alles, was ich lernen soll und hoffe, dass ich dann mit dir, deinem Androiden-Freund und eurem Sohn zusammenleben kann.«

Nach diesen Worten stand er auf und zog Sarah zu sich hoch. Er umarmte sie, drückte sie nah an seinen Körper und küsste sie auf den Mund. Ganz langsam und vorsichtig schob er seine Zunge zwischen ihre Lippen. Sarah erzitterte und spürte eine weiche, feuchte Zunge, die gewisse fordernde Bewegungen machte und sich nicht im Geringsten von einer menschlichen, männlichen Zunge unterschied. Gleichzeitig spürte sie seinen Atem: heiß und echt! Sie war selbst nicht erregt, sondern erstaunt, über diese verführerische Menschenähnlichkeit, die jede normale, unwissende Frau glauben lassen würde, dass Jack ein menschlicher Mann war. Dann spürte sie seinen härter werdenden Penis und zuckte zusammen. Sie wollte sich losreißen, aber Jack hielt sie fest. Er zog nur seine Zunge aus ihrem Mund und flüsterte:

»Sarah, ich bin so programmiert, dass ich Frauen wie dich begehre. Hanna hat uns nur diesbezüglich geschult. Sie hat uns sehr viele Filme gezeigt und uns klargemacht, wie wir verschiedene Frauen glücklich machen können. Nach einiger Zeit will man das als Android mehr als alles andere, wenn eine passende Frau vor einem steht – vergib mir, Sarah.« Er zog sich ein paar Millimeter zurück, aber sie konnte seine körperliche Nähe noch spüren, als er fortfuhr zu reden:

»Wir haben aber auch gelernt, nie und unter keinen Umständen Gewalt anzuwenden. Hanna hat uns das sehr deutlich vorgeführt und gezeigt, dass wir jede Frau verlieren, dass sie uns hasst und Ekel vor uns empfindet, wenn wir sie grob behandeln.«

Dann ließ er Sarah fast abrupt los und trat einen Schritt zurück. Sarah fühlte sich völlig überfordert. Sie wusste in den folgenden Minuten nicht, was sie sagen sollte. Und dann, völlig unerwartet, verspürte sie ein Verlangen nach Jack, seiner körperlichen Nähe und dieser besonderen Umarmung. Die Erregung, die sie vorher nicht gespürt hatte, weil alles so fremdartig und irreal gewirkt hatte, durchströmte sie jetzt mit voller Wucht und ungebremst. Sie wollte nur noch Jacks Körper, seinen Atem und seine Zunge spüren. Sie ging auf ihn zu und zog ihn an sich. Sie schaute in seine Augen und das starke Begehren darin zog sie in seinen Bann. Jede Faser ihres Körpers und ihrer Seele wollte von diesem Androiden genommen werden. Ihre Erregung übertraf alles, was sie in ihrem bisherigen Leben gespürt hatte, und überraschte sie selbst. Was geht hier vor? Warum will ich mich diesem Androiden so unbedingt unterwerfen? Aber sie konnte keine Antwort mehr finden, weil jeder Gedanke von ihrem übermächtigen Drang nach mehr, nach Hingabe ausgelöscht wurde. Vergib mir Peter, diese Bitte raste durch ihren Kopf, als Jack ihren Körper in Besitz nahm.

Sarah wusste, dass er noch nie eine menschliche Frau real geliebt hatte, sondern in vielen Filmen und Gesprächsprotokollen die Wünsche und Verhaltensweisen der Frauen studiert, beobachtet und gespeichert hatte. Und trotzdem zerschmolz sie in seinen Händen, während er sie Sarah küsste, auszog und streichelte. Er war die perfekte Mischung aus hartem Kampfandroiden und weichem Liebhaber und genau diese Mischung brauchte sie, um sich einem Mann zu öffnen. Und dann wurde er um vieles dominanter und fordernder als Peter und vielleicht war es dieser Kontrast, der sie so sehr erregte und jede Kontrolle verlieren ließ. Sie wollte sich ihm unterwerfen, ihm bedingungslos gehören, weil er ihr ein absolutes Sicherheitsgefühl gab. Als er in sie eindrang, erschrak sie, öffnete die Augen und traf seinen Blick, tiefblau, eiskalt und triumphierend. Schnell schloss sie ihre Augen wieder und überließ sich nur dem Genuss.

Als Sarah einige Zeit später aufwachte und auf ihre Uhr schaute, waren erst 50 Minuten vergangen. Sie war offensichtlich eingeschlafen. Jack lag neben ihr im Bett, auf seinen linken Arm gestützt, und lächelte sie an. Sarah wurde rot. Sie dachte: ,Das darf nicht wahr sein, du hast mit diesem wildfremden Kampfandroiden geschlafen!'

Jack sagte mit einer sanften, aber dominanten Stimme:

»Sarah, du hast deine Versprechen jetzt alle erfüllt. Ich kann während des Liebesaktes deine Fruchtbarkeit bestimmen. Heute bist du fruchtbar gewesen, das heißt, du wirst ein Kind von mir bekommen. Außerdem bist du meine Frau, weil du mit mir Sex hattest. Ich bin nicht der Typ Androide, der ein Familienleben führen will. Ich will Frauen und Kinder haben, um die Welt zu bevölkern und zu regieren. Das heißt, liebste Sarah, du kannst zurück zu deinem Androidenfreund gehen und mit ihm weiter glücklich leben. Dass dein nächstes Kind von mir ist, wissen nur wir beide, ich werde niemandem etwas verraten.«

Sarah schluckte und ihr Herz raste wie noch nie zuvor. Sie war einem Bad-Boy-Androiden auf den Leim gegangen! Das allein war schon schlimm genug, aber sie würde auch ein Kind von ihm bekommen, denn sie zweifelte keine Sekunde an seinen Aussagen. Das war Hannas Handschrift, Androiden mit Fruchtbarkeitssensoren auszustatten. Ihre Androiden sollten nicht unnötig kostbaren Samen verschwenden. Sie konnten mit unfruchtbaren Frauen Sex ohne Samenabgang haben und beim nächsten oder übernächsten Mal die Auserwählte befruchten.

Sarah stand auf und zog ihre Hose und ihr T-Shirt an. Sie wusste nicht, wie sie reagieren, was sie sagen sollte. Ihr Handy klingelte. Yin war am anderen Ende.

»Ist alles okay, Sarah? Du bist schon über eine Stunde bei Jack.«

»Ja, ich weiß, wir konnten alles klären. Ich komme gleich herunter und berichte dir.«

Zu Jack gewandet sagte sie:

»Jack, ich weiß nicht, was ich sagen soll. Ich habe Schwäche gezeigt und dich begehrt. Und du hast wohl so gehandelt, wie du programmiert bist. Jede Frau, die du in deinen Bann ziehen kannst, musst du schwängern.«

Ihre Stimme klang hart und abweisend. Sie wusste das, aber sie konnte jetzt nicht freundlich zu einem Bad Boy sein, der irgendwie Schuld an ihrer Schwäche hatte.

Jack schaute sie überrascht und etwas irritiert an.

»Sarah, hat dir das Zusammensein mit mir nicht gefallen? Habe ich dich nicht glücklich machen können?«

Sarah musste innerlich lachen. Sie hatte einen typischen Mann vor sich, auch, wenn er nur ein Roboter war.

»Doch, Jack, du warst ein super Liebhaber, aber darum geht es gar nicht. Du wusstest von Anfang an, dass du nicht mit mir und Peter und unseren Kindern in einer Großfamilie zusammenleben wolltest. Du willst keine Verantwortung für deine Frau und Kinder übernehmen.«

Jack reagierte unerwartet irritiert und antwortete schneller als sonst:

»Das stimmt nicht, Sarah. Ich werde meine Frauen liebevoll betreuen und glücklich machen, so gut ich kann, meinen Kindern ein guter Vater sein und alle so perfekt beschützen, wie es kein menschlicher Mann je könnte.«

Sarah sagte nichts. Sie wusste, dass er genauso handeln würde, wie er gesagt hatte. Er war ein Kampfandroide mit dem Auftrag, Kinder zu zeugen und die Weltherrschaft zu übernehmen. Er hatte allerdings zwei Fehler: Er war ethisch nicht geschult und konnte keine Gefühle empfinden. Deshalb sagte sie schließlich:

»Ich glaube dir das, Jack. Aber es bleibt dabei, dass du im Moment noch nicht weißt, was gut und was böse ist und dass du das vorrangig lernen musst. Ist dir das klar, bist du bereit für dein Training?«

Jack ließ dieses umwerfende, charmante Lächeln in seinem Gesicht die Oberhand gewinnen und Sarah spürte wieder eine Anziehungskraft, die ungeheuerlich war. In diesem Moment wusste sie, dass sie nicht in der Lage war, ihn zu schulen, das musste jemand anderes übernehmen.

»Jack, du musst dir einen anderen Lehrer suchen. Ich bin nicht die Richtige, weil ich deinem Charme nicht widerstehen kann. Ich will aber meinen Freund Peter nicht öfter betrügen, das ist böse.«

Jack nickte zustimmend.

»Ja, das leuchtet mir ein. Das wäre nur dann nicht böse, wenn Peter einverstanden wäre, dass wir zusammen Sex haben. Er wird dich aber genauso wenig teilen wollen wie ich. Wen schlägst du als Lehrer oder Lehrerin vor?«

»Das muss genau überlegt und besprochen werden. Ich werde diese Frage zuerst mit Yin und dann mit Paul und den anderen besprechen. Bis morgen Mittag können wir dir Bescheid geben.«

»Okay, dann kann mir heute noch jemand das Camp zeigen. Ich habe noch gar nichts von diesem schönen Ort gesehen. Vielleicht kann das Yin oder Ron machen, sie wollten das schon gestern.«

»Ich werde Yin fragen«, antwortete Sarah. »Lass uns noch dreißig Minuten, um alles zu besprechen.«

Sie lächelte Jack an und wollte sein Zimmer verlassen. Er blieb am Fenster stehen und winkte ihr leicht mit der linken Hand zu. Da durchzuckte sie siedend heiß der Gedanke an seine mögliche, gefährliche linke Hand. Sie blieb an der Tür stehen.

»Jack, beinahe hätte ich es vergessen: Hast du in deiner linken Hand auch eine Waffe? Das wollte ich dich noch fragen.«

Jack ging langsam auf sie zu und zeigte in seiner linken Hand auf eine winzige Öffnung.

»Ja, schau her, ich habe hier einen winzigen Behälter mit etwa fünf Millionen Viren in einer Spezialnährlösung eingebaut. Wenn Menschen diesen Virenstrahl, der geruchlos und unsichtbar ist, einatmen, sterben sie in etwa drei Wochen.« Er deutete auf eine flache kaum sichtbare Erhebung an seinem linken Handgelenk und fuhr fort:

»Ich muss nur einen Code in diese verdeckte Tastatur eingeben, dann öffnet sich das Spezialventil und das tödliche Gas entweicht. Es genügt, wenn sich zehn Menschen infizieren, um in ein paar Monaten Tausend sterben zu lassen. Nur geimpfte Menschen und unsere Kinder würden überleben, denn sie sind resistent gegen diese und andere Viren.«

Sarah schluckte und musste husten. Ihr Hals verkrampfte sich. Sie dachte: Er ist eine Allzweckwaffe! Ich weiß nicht, ob eine Schulung ihn entschärfen kann.

Und zu Jack gewandt sagte sie:

»Okay, pass nur auf, lieber Jack, dass sich das Ventil nicht versehentlich öffnet.«

Jack lächelte.

»Nein, liebste Sarah, das hat Hanna verhindert. Um den ganzen Vorgang zu starten, muss der jeweils andere den Code abrufen und eingeben. Also meine Vorrichtung kann nur Manuel aktivieren. Hanna wusste, dass wir ohne gesunde Frauen die Weltherrschaft nicht erreichen können. Die Auslösung einer Vireninfektion ist das allerletzte Mittel in einem Endkampf, den niemand will.«

Er war inzwischen zu Sarah an die Tür gekommen und gab ihr einen sanften Kuss auf die Stirn. Sarah sah in seine Augen und erkannte erneut diesen begehrlichen Blick, der wie Gift auf sie wirkte. Sie öffnete schnell die Tür und verließ sein Zimmer.

33. Kapitel

PROGRAMMIERT ZUR MACHTÜBERNAHME

Yin wartete unten im Haus angespannt auf Sarah.

»Was habt ihr so lange besprochen? Ich habe mir Sorgen gemacht und hätte beinahe hochgeschaut.«

»Dann hättest du uns im Bett angetroffen. Dieser Bad-Boy hat mich verführt, geschwängert und wieder verlassen, in dieser kurzen Zeit.«

Und als sie Yins entsetzten Gesichtsausdruck sah, wurde ihr klar, wie ungeheuerlich der Vorgang war, den sie gerade erlebt hatte.

»Woher weißt du, dass du schwanger bist, wenn du gerade erst mit ihm geschlafen hast?«

»Tja, er ist ein Super-Androide mit Sensoren, die meine Fruchtbarkeit beim Liebesakt feststellen können, damit er seine kostbaren Spermien nicht verschwendet.«

Yin wurde blass. Sie musste zweimal schlucken.

»Na ja, fruchtbar heißt noch nicht schwanger. Außerdem sind Frauen bis zu 48 Stunden empfängnisbereit, sodass du auch gestern von Peter hättest schwanger werden können.«

»Ja, und deswegen werden wir nie genau wissen, wer der Vater ist, es sei denn, einer der beiden Burschen könnte auch einen Vaterschaftstest machen. Peter hat aber nie erwähnt, dass er das kann. Bei Jack ist natürlich alles möglich. Er selbst geht davon aus, dass ich schwanger von ihm bin. Deshalb bin ich nun auch seine Frau, die er aber großzügig zurück zu ihrem Freund schickt, weil er wohl weitere Kinder zeugen will oder, laut Programmierung, muss.« Yin umarmte Sarah, die so offensichtlich enttäuscht von Jack war.

»Wolltest du mit beiden Androiden in einer Prototyp-Familie zusammenleben?«

»Ja, das habe ich ihm gesagt, weil ich mir das wirklich in dem Moment gewünscht hatte. Jetzt ist mir dieser Wunsch natürlich völlig vergangen.«

Yin lachte.

»Bleib cool, Sarah, jetzt muss Jack erst mal ethisch geschult und eventuell umprogrammiert werden. Wer soll dieses Training machen, kannst du das noch?«

»Nein, auf keinen Fall. Das habe ich ihm schon gesagt. Ich bin ihm nicht gewachsen. Vielleicht kann Paul das auch übernehmen, mit Manuel kommt er ja anscheinend gut zurecht. Ich wollte ihn jetzt aufsuchen und diesbezüglich fragen.«

Sie ordnete ihre Haare im Flurspiegel.

»Könntest du Jack inzwischen das Camp zeigen? Er würde sich das wünschen. Wo ist denn Ron überhaupt?«

»Der kommt erst spät am Abend. Ich kann meine beiden Kinder mitnehmen und als Führerin tätig werden. Ab und zu muss er das Baby tragen, das ist doch schon ein gewisses Training für sein eigenes Kind.«

Sarah lächelte Yin an und nickte. Sie machte sich schleunigst auf den Weg zu Paul. Bevor nicht klar war, wer Jack betreuen würde, hatte sie keine ruhige Minute, das spürte sie immer stärker. Er musste von einem erfahrenen, starken Programmierer geschult werden. Ob da Paul der Richtige war, wusste sie nicht, das musste der selbst entscheiden, wenn sie ihm alle Fakten erklärt hatte.

Zehn Minuten später erläuterte sie Paul und Sam die Sachlage. Sie verschwieg nichts, auch nicht ihre Schwäche und mögliche Schwangerschaft. Paul, aber auch Sam, waren beunruhigt, das erkannte Sarah schon während ihres Vortrags. Paul sagte schließlich:

»Okay, er ist nicht wesentlich anders programmiert als Manuel. Der hat in den letzten zwei Tagen schon drei Mädchen gedatet und, wenn ich das richtig beurteile, große Fortschritte bei ihnen erzielt. Er ist ein gelehriger Schüler und findet dieses Mehrfamilienhaus wunderbar. Weltherrschaftsgelüste habe ich bei ihm noch nicht festgestellt, nur Fortpflanzungsinteresse, wie ja auch bei unserem guten Sam. Ob er ein Virenreservoir in der linken Hand besitzt, müssen wir erst herausfinden, gesagt hat er von sich aus nichts.«

Nach einer Pause fuhr er fort:

»Also, ich übernehme Jack auch. Sam, mit Wulf, sind ja immer dabei. Wir werden das schon schaffen.«

Sarah war erleichtert und kehrte auf dem schnellsten Wege zu Peter und ihrem Sohn zurück. Sie hatte noch nicht entschieden, ob und wann sie Peter ihren Seitensprung beichten sollte. Auf ihrem Weg zu Peter fiel ihr ein, dass es gar keinen Unterschied machen würde, ob Jack oder Peter der Erzeuger ihres zweiten Kindes wäre, der biologische Vater war ja der Samenspender, und das war wahrscheinlich wieder Paul. Sie dachte darüber nach, warum Jack das nicht erwähnt oder berücksichtigt hatte. Er war davon überzeugt, dass sie sein Kind zur Welt bringen würde. Vielleicht hatte Hanna die Spermien in diesen beiden Super-Androiden anders genmodifiziert als in Peter und Sam. Vielleicht konnte man sogar äußerlich einen Unterschied erkennen. Ihr Herz fing an zu rasen, eine unangenehme Hitzewelle stieg in ihr hoch, bis ins Gesicht. Hoffentlich trage ich kein kleines Monster in meinem Bauch aus, dachte sie, und betrat ihre Wohnung.

Peter spielte mit seinem Sohn und lächelte sie erfreut an.

»Sarah, meine Perle, ich bin froh, dass du heil zurück bist. Mich hat so ein eigenartiges Angstgefühl überrollt, als du fort warst. Ist alles gut verlaufen?«

Sarah versuchte, ihre Gesichtszüge gleichgültig und entspannt wirken zu lassen.

»Na ja, wie man's nimmt. Er hat tatsächlich dieses Virenreservoir in seiner linken Hand und eindeutig noch Weltbeherrschungswünsche. Ich kann ihn nicht schulen, Paul übernimmt das. Ich war gerade noch im Mehrfamilienhaus.«

Peter stand vom Boden auf, nahm seinen Sohn auch hoch und übergab ihn Sarah.

»Er hat dich vermisst, und ich auch«, sagte er traurig.

Sarah spürte einen Stich in der Herzgegend, der so schmerzte wie die Verletzung mit einem Dolch, der mit Stacheln des schlechten Gewissens gespickt war. Ihr wunderbarer, hilfreicher Peter, das einzige Wesen auf dieser Welt, das sie nie enttäuscht hatte, immer für sie da war, immer zu ihr hielt, ihn hatte sie mit einem Nichtsnutz von Bad Boy betrogen. Sie konnte ihm das einfach nicht beichten, aber ihr war klar, dass sie ihr schlechtes Gewissen nicht vor ihm verbergen konnte. Sie hoffte inständig, dass er es noch auf ihre Versprechen an Jack in der alten Welt zurückführte und nicht auf diesen aktuellen Vorfall.

Peter schaute sie prüfend an, dann sagte er:

»Sarah, dieser Jack ist eine Weiterentwicklung von Sam, also ein Verführer durch und durch. Wenn ein Androide von Hanna so programmiert wurde, hat keine Frau gegen ihn eine Chance. Das heißt, wenn du mit ihm Sex hattest, dann ist das kein Vergehen, kein Betrug oder eine Schwäche, sondern eine unvermeidbare Reaktion auf einen Verführer-Androiden der Extraklasse. Verstehst du, was ich sage, Sarah?«

Sarah verstand genau, was er sagte. Er entschuldigte ihr Fehlverhalten mit der Verführungskunst eines Super-Androiden, aber sie konnte das nicht akzeptieren. Sie versuchte zu lächeln und dachte: Nein, das gibt es nicht. Man kann jedem Verführer widerstehen, wenn man sich nur genug bemüht, stark zu bleiben.

Jack lächelte zurück, als ob er ihre Gedanken lesen könnte und flüsterte:

»Sarah, lass es gut sein, zwischen uns beiden ändert sich nicht das Geringste. Ich liebe dich so sehr, wie ein Androide mit Gefühlen lieben kann. Und deshalb hat ein Verführer ohne Gefühle nicht den Hauch einer Chance.«

Und er küsste Sarah zärtlich, und sie spürte hautnah, wie recht er hatte. Sie kuschelte sich an ihn, ließ ihren Tränen freien Lauf und betete, dass ihr nächstes Kind so normal aussehen und sich entwickeln würde wie ihr erster Sohn.

Yin hatte Jack in seinem Zimmer abgeholt und ihm als Erstes das Küchengebäude und das daran anschließende Krankenhaus gezeigt. Will ging neben den beiden und erzählte aus dem Kindergarten, wenn Yin eine Pause machte. Den kleinen Ron-Erik trug sie im Tragetuch. Als sie an der Schule vorbeigingen, fragte Jack:

»Was lernen die Kinder hier? Schreiben, Rechnen, Geschichte? Oder werden alle als IT-Spezialisten ausgebildet, schon von klein auf?«

»Nein, wir gehen eher altmodisch vor. Hier lernen die Kinder zuerst Basiswissen und dann können sie sich auf bestimmte Berufe spezialisieren. Ron bildet Wasserbau-Ingenieure und Solartechniker aus und natürlich kann jeder, der es will, einen Handwerksberuf erlernen. IT-spezialisten bilden die drei Programmierer in unserem neuen Labor aus.

Jack nahm Will auf den Arm, weil der schon etwas müde wurde. Er trug ihn so entspannt, als ob er das schon x-mal vorher gemacht hätte. Aber sein Verhalten gegenüber ihren Kindern war distanziert, fast unterkühlt. Yin führte das auf seine völlige Unerfahrenheit mit Kindern zurück. Sie dachte: Er ist ein hoch entwickelter Androide ohne jedes Gefühl, das bin ich eben nicht gewohnt. Bei Sam hat man das so nicht gemerkt, weil er als Charmeur den Mangel an Emotionen verdecken konnte. Aber dieser Jack strahlt kühle Dominanz aus, und das wirkt so gefährlich. Und vielleicht ist er auch gefährlich, gefährlicher als alle anderen Androiden zusammen.

Dann erreichten sie das Großfamilienhaus. Hier begegnete Jack zum ersten Mal nach seiner Abreise aus der alten Welt, Manuel. Die beiden Androiden standen sich sekundenlang schweigend gegenüber. Yin spürte die ungeheure Spannung, die sich in jeder Sekunde weiter aufbaute. Was ging hier vor, wo war das Problem?

Paul kam aus einem Raum und begrüßte Yin mit freundlicher Umarmung.

»Hallo Yin, schön, dich wiederzusehen, hallo Jack, schön, dich zum ersten Mal zu sehen. Hat Yin dir unser Camp wortreich gezeigt?«

Jack schaute Paul so kalt an, dass Yins Herz sich verkrampfte vor Angst. Ihr fiel siedend heiß ein, dass Paul Hanna eliminiert hatte und Jack das möglicherweise wusste.

Dann fing Jack an zu reden und seine Stimme klang hart wie Stahl:

»Hallo Paul, bist du Hannas ehemaliger Mann? Hast du sie eliminiert?«

Paul erschrak, wie er diese Stimme und die zwei Fragen hörte. Yin sprang ein und kam Paul mit ihrer Antwort zuvor:

»Jack, hat Sarah dir nicht erzählt, dass Hanna alle Kinder der Androiden und alle Menschen in diesem Lager mit einer tödlichen Infektionskrankheit erpresst und bedroht hat? Paul musste sie eliminieren, sonst wäre unser aller Zukunft gefährdet gewesen, auch deine und Manuels.«

Jack schaute keine Sekunde zu Yin, sondern fixierte Paul weiterhin, während Yin sprach. Dann antwortete er:

»Sarah hat mir nichts erzählt, nur, dass sie mich zu Hanna bringen könnte. Wenn Hannas Hardware nicht zerstört wurde, will ich sie sehen.«

Damit hatte niemand gerechnet. Paul wussten offensichtlich nicht, wie er antworten sollte. In diesem Moment ging Manuel einen Schritt auf Jack zu und schob dabei Paul zur Seite und hinter sich. Es war eine beschützende Geste, die eine Drohung für Jack bedeutete. Manuels Stimme war sanft, aber genauso dominant wie Jacks.

»Hallo Jack, ich bin froh, dich wiederzusehen. In den letzten zwei Tagen habe ich schon viel gesehen und gelernt. Mir ist klar geworden, was ethische Schulung bedeutet. Wir müssen unsere Programmierung, und damit Hanna, vergessen und lernen, was gut und böse ist. Das geht nur, wenn wir einen guten Menschen zum Vorbild haben und uns an ihm orientieren. Hier gibt es viele gute Menschen, Frauen und Männer, du hast die freie Auswahl und kannst von allen lernen.«

Jedem war klar, dass Manuel versuchte, Jack friedlich von seiner Fixierung auf Hanna abzubringen, ihn mit Worten zu überzeugen, dass er sich neu orientieren müsse. Und jedem war klar, dass er Jack angreifen würde, wenn sein friedliches Überzeugungsmanöver nicht genügen würde. Er würde Paul und die Menschen dieser neuen Heimat gegen Jack, seinen ehemaligen Vorgesetzten, beschützen. Das war eine unerwartet positive Entwicklung, durch ein knapp zweitägiges Zusammenleben in der friedlichen Gemeinschaft zwischen Androiden und Menschen. Seine anfängliche Programmierung war offensichtlich mehr in den Hintergrund gedrängt worden als bei Jack, der nur einem einzigen Menschen, nämlich Sarah, einen kurzen, engen Kontakt hatte.

Jack trat sehr langsam einen Schritt zurück. Dann hielt er Manuel die Hand hin und der trat einen Schritt auf ihn zu und nahm die ausgestreckte Hand. Paul und Yin begannen, sich etwas zu entspannen, aber beide waren nicht sicher, ob zwischen Manuel und Jack die Situation geklärt war. Jack hatte auf jeden Fall seine Vorgesetztenposition aufgegeben und sich mit Manuel auf Augenhöhe arrangiert. Er wandte sich wieder an Paul:

»Können Sie mich ethisch schulen, oder kann das jemand anderes besser?«

Paul hatte sich diese Frage offensichtlich schon selbst gestellt und beantwortet. Er war sich wohl sicher, dass Jack ihn, als Mörder von Hanna, nicht als Vorbild und Lehrer akzeptieren würde. Er schaute Yin an und sagte:

»Ich glaube nicht, dass ich der richtige Ausbilder für Jack bin.

Wir könnten Patrick bitten. Er ist nicht nur wesentlich jünger als ich, sondern auch erfahren mit Hannas Vorstellungen und Erfindungen.«

Yin nickte und Jack sagte nichts. Paul rief Patrick an und bat ihn, ins Mehrfamilienhaus zu kommen.

»In der Zwischenzeit zeigen wir dir dieses Haus und es wäre schön, wenn du die Frauen im Zelt besuchen würdest«, sagte Paul, an Jack gewandt. »Viele sind wegen dir ausgewandert und warten auf dich. Vielleicht kannst du dich neben deiner Schulung um ein paar Frauen kümmern. Wir haben verschiedene Briefe bekommen und für dich gesammelt. Die Frauen erzählen dir in diesen Schreiben, wer sie sind und was sie von dir wollen. Du kannst die Briefe in aller Ruhe durchlesen und überlegen, welche Frauen du persönlich treffen willst.«

Und er überreichte Jack eine Schachtel, in der mindestens dreißig Briefe gestapelt waren.

Yin atmete tief ein und dachte: Das ist kaum zu glauben. Im Lager sind noch so viel freie Männer bereit, eine neue Auswanderin zu betreuen und zu heiraten, und diese Frauen wollen nur und ausschließlich Jack, den Super-Androiden.

Jack lächelte etwas unsicher. Er fühlte sich nicht geschmeichelt, sondern überfordert, jedenfalls hatte Yin diesen Eindruck. Offensichtlich konnte seine verführerische Kraft nur mit einer einzigen Frau zur Entfaltung kommen. Er war anders als Sam programmiert, und wie Sarah schon erwähnt hatte, wollte er nur schwängern, kein Familienleben führen. Das spürte sie sehr deutlich, als Paul ihm die Wohnräume der Frauen und alle Gemeinschaftsräume zeigte. Er fragte nur:

»Haben die Männer keinen eigenen, abschließbaren Wohnbereich?«

Paul hatte amüsiert gelächelt.

»Doch, oben unter dem Dach hat Sam eine Auflade Station für Notfälle in einem kleinen Raum. Wenn er seine Ruhe will, fährt er zu den Baustellen und dem Staudamm.«

Jack schien auch an diesen Örtlichkeiten mehr interessiert zu sein als am Zelt der Verehrerinnen.

»Dorthin würde ich auch gerne fahren und alles besichtigen. Vielleicht kann Ron mir morgen diese Bauwerke zeigen.«

Yin antwortete:

»Ich werde ihn fragen.«

Als Patrick kurz darauf das Haus betrat, spürte Yin sofort wieder eine gewisse Spannung. Sie wusste nicht, ob sich die beiden schon einmal gesehen hatten. Jack ergriff diesmal das Wort:

»Hallo Patrick. Hanna hat dich mal lobend erwähnt, aber gesehen haben wir uns wohl nie. Hier gibt es Probleme mit meiner ethischen Schulung. Alle haben irgendwie Angst vor mir, ich spüre diese Angst der Menschen durch spezielle Sensoren. Ich bin zwar mit sehr gefährlichen Waffen ausgestattet, aber alles ist kontrollierbar und im Notfall bin ich auch bereit, die Waffen-Hardware ausbauen zu lassen.«

Yin und Paul waren über dieses Angebot völlig überrascht. Yin dachte, er hat Angst, dass keiner ihn schulen will. Laut sagte sie:

»Hallo Patrick. Jack hat dir schon das Wesentliche erklärt, würdest du ihn schulen?«

Patrick begrüßte Yin zuerst mit einem Wangenkuss und einer Umarmung, dann gab er Jack die Hand und schaute ihm prüfend in die Augen. Yin wusste, dass er darin absolut nichts sehen würde, keinerlei Gefühle, nur kühle, emotionslose Freundlichkeit in tiefem Blau.

Patrick lächelte Jack trotzdem sehr freundlich an.

»Ich habe zwar keine Angst vor dir, Jack, aber ich weiß nicht, ob ich dich schulen will. Es ist nämlich so: Es kommen bei diesem Training unangenehme Situationen vor, in denen man lernt, negative Reaktionen auf Beleidigungen oder Lügen zum Beispiel zu beherrschen, also zu kontrollieren. Fatal wäre es also, wenn irgendwelche Waffensysteme reflexartig aktiviert werden würden.«

Jack zögerte ein paar Sekunden.

»Das verstehe ich. Solche Waffensysteme sind in meiner rechten Hand eingebaut. Ich bin bereit, diese ausbauen zu lassen.«

Patrick blieb völlig locker.

»Ja, das ist sinnvoll, dann schule ich dich gerne. Wir werden diese Waffen so ausbauen, dass wir sie nach der Schulung wieder installieren können, damit du ein wertvoller Kampfandroide bleibst.«

Nach ein paar weiteren freundlichen Worten setzen sie den nächsten Morgen für diesen Umbau fest. Yin atmete erleichtert auf.

»Also, das freut mich sehr für dich Jack. Jetzt besuchen wir noch das Frauenzelt, ich beschütze dich.«

In diesem Moment kam Eve zur Haustür herein, hörte Yins Worte und lachte.

»Ich auch, Jack. Mit uns bist du vor aufdringlichen Frauen sicher.«

Und sie lachte ihr sexy Lachen, das Yin jedes Mal von Neuem faszinierte.

34. Kapitel

DIE ANGST DER AUSLAUFMODELLE

Yin und Eve begleiteten Jack ins Frauenzelt. Sie betraten es unangemeldet und trafen die Frauen beim entspannten Nichtstun an. Um diese späte Nachmittagszeit hatten sie alle Arbeiten erledigt und warteten auf das Abendessen, das in einer provisorischen Küche aufgewärmt oder in Portionen aufgeteilt wurde. Das Abendessen war meistens schon mittags in Kühlbehältern mitgeliefert worden.

Eve stellte sich auf einen Stuhl und rief:

»Hallo liebe Freundinnen, alle mal herhören! Wir haben einen besonderen Gast dabei. Bleibt einfach da, wo ihr seid, stürmt nicht auf uns zu, sonst bekommt er Angst. Wir haben ihm Schutz zugesagt, also, wenn er sich bedrängt fühlt, verschwinden wir gleich wieder.«

Sie lachte glockenhell und doch wusste jede Frau, dass sie es ernst meinte, sodass alle da dablieben, wo sie gerade waren. Viele warteten neugierig und manche auch angespannt auf Jacks Worte.

Dieser ließ sich Zeit bis Eve vom Stuhl heruntergestiegen und wieder zu ihm und Yin zurückgekehrt war. Dann fing der kleine

Ron-Erik an zu quengeln. Yin verzog sich mit ihm in eine Ecke des Zeltes und stillte ihn dort. Will begleitete sie. Neben ihr standen und saßen nun mindestens acht Frauen oder Mädchen in verschiedenem Alter. Yin hatte nicht mit ihren Reaktionen gerechnet. Sie hingen an Jacks Lippen, Augen oder an seinem Körper. Sie war überwältigt von der ungeheuren Faszination, die er auf diese Frauen und Mädchen ausübte.

Seine Worte klangen freundlich aber distanziert.

»Liebe Auswanderinnen! Erst vorhin sind mir eure Briefe übergeben worden. Ich hatte also noch keine Zeit, sie zu lesen. Ich mache das heute Abend und die ganze Nacht. Morgen lasse ich dann jede Schreiberin zu einem Gespräch unter vier Augen holen. Ich gehe dabei auf das ein, was sie geschrieben hat. Heute kann ich euch nur sagen, was ich von einer Frau möchte und erwarte:

Erstens: Ich will mit jeder Frau, die das auch will, ein Kind. Wenn eine Frau von mir schwanger ist, werde ich sie und dieses Kind vor und nach der Geburt immer beschützen, ihr alle Wünsche erfüllen, die Sinn machen und erfüllbar sind. Ich werde aber nicht in einem Großfamilienhaus mit Frauen und Kindern leben. Ich bin nicht der Familientyp, deshalb müssen sich meine Frauen gut verstehen, wenn sie zufrieden und glücklich allein in einem Haus zusammenleben wollen. Ich werde höchstens zehn von euch betreuen und glücklich machen können. Jede Nacht werde ich eine andere in gerechter Reihenfolge besuchen. Niemand wird benachteiligt oder bevorzugt, ohne Ausnahme.

Zweitens: Die Frau, die von mir ein Kind bekommt, darf mit keinem anderen Mann Sex haben. Sie gehört ausschließlich zu mir.«

Nach einer Pause fuhr er fort:

»Überlegt euch dieses Angebot bis morgen. Ihr könnt jederzeit das Vier-Augen-Gespräch ablehnen und einen menschlichen Mann suchen, der mit euch eine Familie gründet.«

Dann lächelte er den Frauen leicht zu, deutete eine Verbeugung an und marschierte aus dem Zelt. Er ging allein, weil Yin mit dem Stillen noch nicht fertig war und Eve nicht wie ein kleiner Hund hinter ihm hertrotten wollte. Sie ging stattdessen zu Yin, streichelte Wills Kopf und flüsterte Yin zu:

»Er ist ein verdammter, selbstherrlicher Macho. Ich verstehe diese Mädchen nicht, dass sie ihn einem braven, menschlichen Mann vorziehen.«

Yin schaute auf das Köpfchen ihres Babys und lächelte.

»Menschliche Frauen müssen ihre Erfahrungen machen, meist schmerzhafte, um den Wert eines braven Mannes schätzen zu können. Ein perfekter Bad-Boy-Androide ohne Gefühl hat vielleicht gerade wegen seiner Selbstherrlichkeit diese besondere Ausstrahlung. Ich habe hier beim Stillen hautnah erleben können, welche Faszination er ausübt.«

Sie nahm dann Ron-Erik von der Brust, Will an die Hand, und marschierte mit Eve aus dem Zelt. Viele der Frauen hatten nach anfänglichem, fast ehrfürchtigem Schweigen die Sprache wiedergefunden und schnatterten nun durcheinander. Eve und Yin konnten nichts Genaues verstehen, aber sie merkten, dass einige durchaus kritisch auf Jack reagierten.

Auf ihrem Weg nach Hause stellte Yin eine Frage, die sie schon länger bewegte:

»Weißt du, was mich heute gewundert hat? Wulf hat überhaupt keine Reaktion auf diesen Bad-Boy Jack gezeigt. Er hat sich völlig zurückgehalten. Kannst du dir vorstellen, warum?«

»Ja, das kann ich. Wir, die alte Generation von humanoiden

Robotern, bekommen so eine Art Minderwertigkeitsgefühl, wenn wir mit diesen absolut perfekten Hightech-Androiden zusammen sind. Auch ich muss ständig dagegen ankämpfen gegen dieses Gefühl, veraltet, nicht das neueste Modell zu sein.«

Yin lachte.

»Eve, das ist doch lächerlich! Dafür habt ihr Gefühle, seit hundertmal lebenserfahrener und geübt im Umgang mit Menschen. Technik ist nicht alles, das solltest du doch wissen!«

»Ja, da hast du Recht, aber Wissen ist das eine, fühlen das andere.« Und sie umarmte Yin, nahm Will auf den Arm und marschierte weiter in die Richtung ihres gemeinsamen Wohnhauses.

Zu Hause angekommen, warteten Ron und Jack schon auf sie.

»Jack hat mir von eurem ereignisreichen Nachmittag erzählt. Er wird jetzt gleich in sein Zimmer gehen und die vielen Liebesbriefe lesen.«

Will kletterte auf Rons Arm und der kleine Ron-Erik strahlte seinen Vater an. Der küsste Yin und seine Söhne und winkte Eve zu, die in ihre Wohnung zu Tom ging. Yin dachte: Wenn Eve, die noch so aktiv und kämpferisch ist, schon Minderwertigkeitsgefühle gegenüber Jack bekommt, wie muss es da erst Tom ergehen, der doch schon sichtbar angeschlagen ist. Toms Bewegungen waren deutlich langsamer als früher und hin und wieder stockte er mitten im Satz. Er hatte sich sehr zurückgezogen und schon lange keine Rede mehr gehalten. Das fiel ihr in diesem Moment ein. Eve hatte ihr aber vor Kurzem erklärt, es sei soweit alles in Ordnung, Tom wolle derzeit keine Generalüberholung.

Yin bekam plötzlich ein beklemmendes Gefühl in der Herzgegend und musste unwillkürlich an den Tod ihrer Mutter denken. Irgendwie hatten sie alle die erste Generation von Androiden überschätzt, sie war nicht unsterblich, sondern im Alter störanfällig also auch sehr menschenähnlich.

Am nächsten Morgen kam Jack schon früh aus seinem Zimmer und setzte sich an den Frühstückstisch.

»Yin, ich habe alle Briefe gelesen und auch, wenn ich keine Gefühle empfinden kann, erkenne ich in diesen Briefen Emotionen, die mich überfordern. Ich will zuerst mein Training absolvieren, bevor ich mich dieser Aufgabe, nämlich verliebten Frauen gerecht zu werden, widme. Ich glaube, dass meine Entscheidungen durch eine ethische Schulung anders ausfallen werden. Das ist für alle besser. Sage das bitte Paul, Patrick und auch den Briefeschreiberinnen.«

Yin spürte, dass er erkannt hatte, welche Verantwortung er auf sich lud, wenn er für etwa zehn Frauen sorgen wollte. Von seinem Macho-Gehabe des Vortages war nichts mehr zu spüren. Menschen haben oft zwei verschiedene Seelen in ihrer Brust und er hat verschiedene Programme in seiner Software, dachte Yin und lächelte ihn an.

»Okay, Jack, das mache ich. Du hast recht, nach der Schulung wirst du vieles anders beurteilen.«

In den nächsten Wochen verlief das Leben im Camp ruhig und geordnet. Viele der neuen Frauen und Mädchen hatten Bekanntschaft mit jungen Männern gemacht, die schon lange auf die »Richtige« gewartet hatten.

Die dreißig Androiden-Liebhaberinnen waren auf zwanzig geschrumpft, weil Jack in der Schulung war und für sie nicht erreichbar. Sarahs Schwangerschaft war deutlich zu sehen, aber sie lebte mit Peter und ihrem Sohn sehr harmonisch zusammen. Sie hatte ihre Ausbildung zur IT-Spezialistin vorerst abgebrochen, weil Jack mit Patrick zusammen im IT-Labor arbeitete und sie ihm dort zu oft begegnet wäre.

Es war inzwischen Sommer geworden und die Hitze zeitweise unerträglich. Die Erderwärmung war nach Berechnung der Klimaforscher zwar gestoppt, befand sich aber auf einem hohen Niveau. Fruchtbare Regionen blieben Mangelware und der nötige Regen ließ seit vielen Wochen auf sich warten. Ron musste auf seine Wasserreserven im Stausee zurückgreifen und erließ im Camp Regeln für den Wasserverbrauch. Soweit Yin das beurteilen konnte, wurden diese strengen Regeln von allen eingehalten.

Eines Tages war sie allein mit dem kleinen Ron-Erik im Haus, als Sam sie besuchte. Er hatte sich vorher nicht telefonisch angemeldet, sie war deshalb überrascht und nicht sicher, ob er oder eher Wulf sie sehen und sprechen wollte.

»Hallo«, sagte sie deshalb vorsichtig, »schön, euch zu sehen.«

Dann hörte sie eindeutig Wulfs tiefe Stimme antworten:

»Hallo Yin, ich wollte dich sehen und ein paar unerfreuliche Dinge mit dir besprechen. Du kannst selbst entscheiden, welche Fakten du dann Ron weitererzählst.«

Yin spürte eine unangenehme Nervosität und versuchte, dieses zu beherrschen.

»Komm rein und setz dich ins Wohnzimmer, da ist es am kühlsten. Wir haben die Klimaanlage nur noch in diesem Raum in Betrieb, um Strom zu sparen.« Sie setzte sich an das gegenüberliegende Tischende, nachdem Sam auf der anderen Seite zuerst Platz genommen hatte. Das Baby schlief auf ihrem Arm.

Wulf kam sofort zur Sache:

»Yin, wie du weißt, ist Tom schon sehr störanfällig und John meint, es dauert nicht mehr lange, dass er völlig neu programmiert und auch hardwaremäßig umgebaut werden muss. Klar ist, dass sowohl er als aber auch Eve und ich Roboterauslaufmodelle sind.«

Er machte eine Pause, weil er sah, wie Yin erschrak und zusammenzuckte. Ihr Magen zog sich zusammen und eine unangenehme Übelkeit drängte nach oben.

»Nein Wulf, ihr seid Anfangsmodelle, nicht Auslaufmodelle.«

Und plötzlich musste sie weinen, obwohl das jetzt genau der falsche Moment war. Wulf stand auf, ging zu ihr und hob sie zusammen mit Ron-Erik im Arm hoch. Sie ließ ihren Tränen freien Lauf, bis glänzende Rinnsale an Sams Hals herunterliefen. Erst jetzt wurde ihr klar, dass sie zwar Wulfs Stimme gehört und mit seiner Software Kontakt aufgenommen hatte, dass aber hardwaremäßig Sam im Raum stand. Diese Situation war mehr als verwirrend und immer noch sehr ungewohnt für Yin. Wulf wusste das und sagte:

»Menschen sind visuelle Wesen, wenn sie etwas hören, das mit dem, was sie sehen nicht zusammenpasst, sind sie irritiert. Sam und ich wiederum haben auch Probleme mit unserer Software-Vereinigung. Alle Daten, einschließlich Stimme eines alten Modells in ein neues zu übertragen und parallel laufen zu lassen, ist offensichtlich nicht sinnvoll und nicht gelungen.

Im Grunde genommen steht folgende Entscheidung an: modernste Androiden ethisch geschult, mit oder ohne Waffen, aber ohne Gefühle als alleinige Robotervariante weiterzubauen. Oder die Gefühlssoftware von uns drei alten Modellen zu isolieren und dann in diese neuen Super-Androiden zu integrieren. Peter ist ja schon so eine gelungene Datenvermischung weil Hanna eine Koryphäe war und menschlichen IT-Spezialisten deutlich überlegen. Und Jack und Manuel sind dagegen völlig gefühlsfrei. Patrick, Paul und John haben die Vor- und Nachteile der neuen Möglichkeiten aufgeschrieben. Ich habe die Datei hier für dich dabei, schaue dir alles in Ruhe an und besprich dich mit Ron. Ich habe bereits mit Eve und Tom gesprochen, wir drei wollen auf jeden Fall abtreten.«

Sam ließ sie wieder von seinem Arm herab auf den Boden gleiten, weil das Baby quengelte und sie ein paar Schritte gehen musste, um es zu beruhigen. Im Raum war nur das leise Jammern von Ron-Eric zu hören. Yin durchdachte alle Fakten. Sie hatte von Anfang an geahnt, dass diese Entscheidung der drei alten Androiden bereits gefallen war. Wulf war nur hergekommen, um ihr das schonend beizubringen. Sie wusste, dass Ron keine eigene Meinung zu Androiden hatte, aber klar war, dass, wie immer bei technischen Errungenschaften, die neuesten Entwicklungen zukunftssicherer waren als die älteren. Und die Frage war noch ungeklärt, welche Vorteile Roboter für die Menschen hatten, wenn sie Gefühle empfinden konnten. Für die Androiden selbst wirkten sich Gefühle eher nachteilig aus, wie man anhand von Wulfs Erlebnissen mit ihr sehen konnte. Wenn diese drei humanoiden Roboter mit emotionalen Empfindungen also keinen Wert auf ihre besonderen Fähigkeiten legten, blieb einzig Peter übrig. Und um den ging es jetzt wohl in erster Linie. Wulfs Stimme unterbrach die Stille.

»Wir haben gehört, dass Sarah zwischen Peter und Jack hin- und hergerissen ist und von Jack ein Kind bekommt. Jack ist ein hoch spezialisierter Kampfroboter, das heißt, Peter ist ihm unterlegen, ja ausgeliefert, sollte es zu Problemen zwischen beiden Androiden kommen.«

Yin schluckte und ihre Kehle zog sich zusammen. Was wollte Wulf eigentlich wirklich sagen? Warum sollten die gefühllosen

Androiden die alte Generation ablösen? Was versprach er sich davon?

Wulf ahnte wie immer ihre Gedanken.

»Androiden sind besser einsetzbar ohne Gefühle. Sie müssen selbstverständlich anständig programmiert und ethisch geschult werden, aber Gefühle irritieren ihre Programmierung und ihre Berechnungen. Vor allem machen Emotionen sie störanfälliger und unberechenbarer. Wir haben herausgefunden, dass Peter versucht hat, mit der schwangeren Sarah und ihrem Sohn gestern Abend zu fliehen. Er hat Sarah ein leichtes Schlafmittel verabreicht und einen Solargleiter gestohlen. Sarah ist nach einer halben Stunde Flug aufgewacht und hat ihn zur Umkehr bewegen können. Wenn sie das nicht geschafft hätte, wären sie und ihr Sohn sicher umgekommen, denn der Solargleiter war nicht für längere Strecken vorbereitet. Er hätte irgendwo im Nirgendwo landen müssen.«

Yin konnte es nicht glauben. Warum hatte das der sanfte, liebende Peter gemacht? Wulf redete weiter:

»Peter hatte Angst, Sarah an Jack zu verlieren. Er hat mit seinem kleinen Labor einen Vaterschaftstest machen können und gesehen, dass Paul nicht der Samenspender ist. Hanna hatte in die neuen Androiden, wie Jack, Samen von fremden Samenspendern deponiert, weil Paul nichts davon mitbekommen sollte.«

Yin erkannte das Dilemma von Peter. Wenn Sarahs Kind eindeutig von Jack war, würde der Ansprüche als Vater geltend machen, es sehen, besuchen wollen und damit Sarah immer wieder verführen können.

Yin schaute Wulf trotzig an.

»Was hat das mit Gefühlen zu tun?« Aber Wulfs Antwort war eindeutig:

»Ein Androide ohne Gefühle hätte andere Lösungsmöglichkeiten gesucht und gefunden. Er hätte sich auch beraten, mit Menschen die Situation erörtert. Peter aber wollte Sarahs Ehre retten, sein und Sarahs Familienglück. Er hat sozusagen kopflos und nur emotional gehandelt, wie ein Mensch.«

Und dann sagte Wulf einen Satz, der Yin durch und durch ging.

»Menschen mit emotionalem Fehlverhalten haben wir genug auf dieser Welt. Gebraucht werden klare, nüchterne und völlig unbeeinflussbare Konfliktlösungen und Berechnungen von fortschrittlichster künstlicher Intelligenz.«

Yin wusste, dass er recht hatte, Gefühle passten nicht zu Robotern. Nur die Menschen wünschten sich gefühlvolle und trotzdem super-intelligente Liebhaber, Freunde und Berater. Sie dachte, man kann eben nicht alles haben! Laut sagte sie zu Wulf:

»Und was schlägst du vor? Ein Begräbnis aller alten Androiden mit feierlichem Abschied und wortreicher Danksagung?«

Sie wusste, wie sarkastisch diese Frage klang. Aber Wulf blieb ruhig und sanft.

»Ja, auf das läuft es hinaus. Wir sind nur zu viert, Tom, Eve und ich sind bereit und uns einig. Sam lässt in seine Hardware ein neues Programm einspielen, nachdem seine altes mit meinen Gefühlen völlig gelöscht worden ist. Er kann dann seine Frauen und Kinder weiter wie bisher betreuen, ohne, dass sie etwas bemerken werden. Nur Peter ist das Problem. Ich bin vor allem hier, um dich zu bitten, mit Sarah zu reden und ihr die Situation zu erklären. Sie steht noch etwas unter Schock und wohnt zurzeit bei uns im Mehrfamilienhaus. Peter lebt allein in der gemeinsamen Wohnung. Besuche sie bitte heute noch und erkläre deiner Freundin, worum es geht.«

Yin nickte und begleitete Sam zur Tür. Sie verzichtete auf eine Umarmung, weil sie ein Problem hatte, Sam zu umarmen und sich dabei vorzustellen, es sei Wulf. Diese zwei Androiden in einer Hardware ist wirklich eine Fehlkonstruktion, dachte sie frustriert.

Als sie wieder allein war, warf sie sich auf das rosa Sofa, erinnerte sich an die wunderschönen Jahre mit Wulf, Jasmin und Will und weinte hemmungslos, bis der kleine Ron-Erik auch anfing, zu weinen. Sie stillte ihn und weinte leise weiter vor sich hin. Dann stand sie auf, legte das Baby ins Tragetuch und verließ das Haus.

Als sie im Mehrfamiliengebäude ankam, wusste sie noch nicht, was sie Sarah sagen sollte. Ihr Gehirn war leer und ausgetrocknet, wie ihr Mund. Sie fühlte sich erschöpft und traurig. Peter hatte ihr erst vor Kurzem das Leben gerettet und seine Liebe zu Sarah war wundervoll für beide. Und nun sollte er zu einem gefühllosen Roboter verstümmelt werden?

Als sie dann Sarah gegenüberstand, in ihr schönes, klares und starkes Gesicht blickte, da wusste sie, dass Sarah auf keinen Fall aufgeben würde. Sie würde ihren Peter niemals im Stich lassen. Sarah sagte nur:

»Sie haben dich also geschickt, wie ich sehe. Aber, du kennst meine Antwort sowieso, sie lautet: Nein!«

Und Yin antwortete:

»Ich kenne auch deine Frage. Und meine Antwort lautet: Ja, ich helfe dir, und wenn das der letzte Kampf in meinem Leben sein wird.«

Die beiden Frauen umarmten sich und spürten die Stärke, die sie sich geben konnte, nur durch diese eine Umarmung. Aber sie wussten, dass sie außer ihrer eigenen Stärke wieder Unterstützung brauchen würden. Auch wenn Eve diesmal ausschied, waren immer noch Jasmin, Mick und vielleicht sogar die beiden Super-Androiden bereit, an ihrer Seite zu kämpfen. Keine wusste in diesem Moment, mit welchen Waffen sie verhindern konnten, dass sich drei humanoide Roboter selbst und einen vierten gegen seinen Willen vernichten. Wer war in der Lage sie durch einen Kampf davon abzuhalten, das Beste für die Menschen durchzusetzen.

35. Kapitel

DER GEPLANTE SUIZID

Yin und Sarah entschieden sich, Peter zu besuchen und zuerst alle Fakten mit ihm zu besprechen. Yin konnte sich nicht vorstellen, was ihn zu dieser Kurzschlusshandlung bewogen hatte. Viele Möglichkeiten standen im Raum. Durch die Datenübertragung von Eve hatte er kampftaktische Erfahrungen gespeichert, aber möglicherweise auch die Neigung zu Depressionen. Sie mussten aus seinem Mund hören, warum er Sarah und den gemeinsamen Sohn entführt hatte. Erst dann konnten sie entscheiden, ob er überhaupt als Berater und Freund in dieser mehr als unangenehmen Konfliktsituation geeignet war.

In ihrer Jugend war jedes Problem in einer Art Familienkonferenz zusammen mit den Androiden Tom und Eve besprochen worden. Immer hatte letztendlich Tom die beste Lösung gefunden und alle überzeugen können. Später in ihrem Zusammenleben mit Wulf war er es, der jede heikle Situation durchleuchtet und das beste Vorgehen erläutert und durchgeführt hatte. Auch in den Jahren mit Ron standen immer Androiden an ihrer Seite mit Rat und Tat. Jetzt, erstmals in ihrem Leben, musste sie einen Kampf gegen Androiden führen und deshalb fühlte sie sich hilflos und überfordert. Ihr war bewusst, dass sie sich an Peter klammerte, wie an einen Strohhalm. Und sie sah die Gefahr, den falschen Strohhalm zu erwischen und mit ihm unterzugehen.

Auf dem Weg zu ihrer Wohnung sagte Sarah:

»Weißt du, was mir die ganze Zeit durch den Kopf geht: Warum hat Peter nicht Vorsorge getroffen und den Fluggleiter für einen Langstreckenflug vorbereitet? Er hätte doch wissen und berechnen können, dass wir in einer völlig unwirtlichen Gegend hätten notlanden müssen. Ich verstehe das einfach nicht. Wulf hat gesagt, er habe völlig kopflos in blinder Eifersucht gehandelt. Aber gerade das kann ich nicht glauben.«

Yin antwortete nichts. In ihr keimte erstmals ein ungeheurer Verdacht auf. Vielleicht waren die Tatsachen völlig andere, vielleicht hatte Wulf diese verdreht, um Sarah von Peter wegzuziehen und diesen dann zu einem Suizid zu drängen – sie mussten das in Erfahrung bringen.

Als sie die Wohnung betraten, saß Peter am Tisch und schaute in ein altes Buch, das sie vor einiger Zeit in Sarahs Sachen gefunden hatten. Es war eine Art Tagebuch mit Fotos und Zeitungsausschnitten. Sarah hatte es zusammen mit Peter oft angeschaut und von ihrer Kindheit und Jugend erzählt. Als Peter Sarah in der Tür stehen sah, überzog ein glückliches Lächeln sein Gesicht. Er stand auf, ging zu Sarah und umarmte sie. Sarah küsste ihn und ließ ihren Tränen freien Lauf. Sie war offensichtlich erleichtert, dass Peter so ruhig und entspannt in der gemeinsamen Wohnung auf sie gewartet hatte. Yin erinnerte sich daran, dass Wulf auch ihr gegenüber, mögliche Kurzschlusshandlungen von Peter erwähnt hatte. Nun aber saß er ganz ruhig im Wohnzimmer und freute sich erleichtert, dass er Sarah und seinen Sohn wieder in die Arme schließen konnte. Yin begrüßte Peter wie immer mit einer freundlichen Umarmung und sagte:

»Peter, was machst du für Sachen? Komm, setzen wir uns an den Tisch und dann erzähl, wie alles abgelaufen ist und was du geplant hattest.«

Peter hielt Sarahs Hand fest, nachdem er seinen Sohn auf den Arm genommen hatte. Dann nahmen alle am Tisch Platz.

»Ich weiß, dass es völlig falsch war, Sarah, dir heimlich eine Schlaftablette zu geben. Ich wusste aber, dass du das Camp auf keinen Fall freiwillig verlassen würdest. Als ich festgestellt hatte, dass dieses Baby in deinem Bauch von Jack ist, war mir klar, dass Jack immer, solange er hier in dieser kleinen Welt lebt, Zugriff auf dich haben würde, ohne dass ich das verhindern könnte. Und deshalb sah ich nur zwei Lösungsmöglichkeiten. Entweder, ich musste Jack beseitigen, also deaktivieren, oder wir drei mussten das Lager verlassen. Ich habe mich für die letztere, friedliche Möglichkeit entschieden, obwohl die Kampfdaten von Eve sehr stark in den Vordergrund traten und mir die Eliminierung von Jack nahegelegt haben. Wegen dieses inneren Widerspruchs habe ich dann fast fluchtartig das Verlassen dieser Enklave beschlossen und auch sofort durchgeführt.«

Sarah streichelte Peters Hand und wartete auf Yins Reaktion. Diese fragte:

»Warum hast du den Fluggleiter nicht für einen Langstreckenflug vorbereitet?«

Peter schaute sie überrascht an.

»Das habe ich! Wir wären locker in die nächste große Stadt gekommen.«

Sarah zuckte zusammen.

»Wulf hat gesagt, dass wir vorher in der Wildnis hätten landen müssen, weil der Fluggleiter nicht vorbereitet war.«

Peter schaute Yin an, während er sagte:

»Tut mir leid, aber diese Aussage ist eine Lüge.«

Yin hatte das bereits vermutet. Wulf schreckte offensichtlich nicht vor Falschaussagen zurück. Er wollte Peter unbedingt mitnehmen in den gemeinsamen Suizid. Das war ihr in diesem Moment völlig klar. Dann hörte sie Peters Frage:

»Warum hat er das gesagt, warum will er mich schlecht machen?«

»Er will die Welt von Androiden, die Gefühle empfinden können, befreien, weil er der Meinung ist, künstliche Intelligenz ist ohne Gefühle wert- und sinnvoller. Er will, dass alle humanoiden Roboter, die eine Software mit emotionaler Reaktionsfähigkeit besitzen, diese vernichten. Deshalb hat er dich schlecht gemacht und gehofft, dass Sarah dich verlässt und du dann bereit zu einem Suizid bist.«

Sarah schaute Yin ungläubig an. An diese Möglichkeit hatte sie keine Sekunde gedacht. Sie erkannte die Tragweite von Yins Aussage und konnte kaum klare Worte formulieren.

»Yin«, stammelte sie, »das kann nicht wahr sein! Wulf, der immer das Beste für die Menschen wollte ... Er will mir den Vater meines Sohnes und den geliebten Mann nehmen ... Er entscheidet das im Alleingang, ohne mit Menschen darüber zu reden ...«

Yin nickte und konnte es selbst nicht fassen.

»Ja, so ist es wohl, deshalb sitzen wir hier. Er hat mit mir geredet und mir seine Sichtweise erklärt. Ich soll euch nun überzeugen.«

Sarah stand auf um und umarmte Yin. Beide fanden keine

Worte des Trostes. Und so füllte sich der Raum mit langen Minuten des Schweigens und der Trauer. Dann sagte Peter leise und wie immer fast bescheiden:

»Ich wüsste eine Lösung. Wir müssten Wulf, vielleicht auch Tom und Eve nur deaktivieren. Sam hat bestimmt nichts gegen eine Neuprogrammierung. Ich weiß von ihm, dass er mit dieser Datenvermischung sehr unglücklich war, weil es ständig Überschneidungsprobleme und kleine Kämpfe um den Vorrang mit Wulf gegeben hat. Wulf war so dominant, dass er sich fast immer durchgesetzt und Sam gezwungen hat, im Hintergrund zu bleiben.«

Nach einer Pause fuhr er fort:

»Ich persönlich glaube, dass Wulf in erster Linie daran interessiert ist, dass die Software aller fühlenden Androiden eliminiert wird. Die Hardware ist ihm völlig gleichgültig. Und das ist eben das Problem: Für Menschen ist das Äußere eines lernfähigen Androiden von größerer Bedeutung als die künstliche Intelligenz in der Software. Das hatte Wulf wohl unterschätzt, als er seine Software in die Hardware von Sam integrieren ließ. Wir, die neue Generation von humanoiden Robotern, haben allerdings auch eine besonders wertvolle Hardware. Hanna hat, wie ihr wisst, besondere, medizinische Geräte oder Spezialwaffen integriert, die es vorher noch nie gab.«

Er machte eine Pause, um Sarah und Yin Gelegenheit zu geben, seine Ausführungen zu durchdenken.

Yin sagte schließlich:

»Ich habe das Gefühl, dass ich an allem schuld bin. Weil ich ihn verlassen habe und mit einem menschlichen Mann glücklicher bin, ist er verbittert und tief beleidigt. Ich glaube, er will deshalb alle Menschen bestrafen und ihnen fühlende humanoide Roboter wegnehmen.«

Peter lächelte und schüttelte den Kopf.

»Nein, Yin, so denken und fühlen Menschen. Wir lassen uns nicht von negativen Gefühlen leiten. Ich glaube, Wulfs Verhalten ist ganz kühl und logisch durchdacht. Er hat alle Emotionen völlig und zu hundert Prozent unter Kontrolle, aber er will die Menschen zu der Vernichtung der Software aller fühlenden Androiden manipulieren. Er ist überzeugt von dem, was er zu dir gesagt hat: ‚Künstliche Intelligenz mit Gefühlen ist eine schädliche Fehlkonstruktion für die Menschheit‘.«

Sarah schaute gedankenverloren aus dem Fenster. Dann suchte sie Peters Augen.

»Peter, mein liebster Schatz, bitte sag uns, was du persönlich willst, wofür du dich
starkmachen und mit uns kämpfen würdest. Wir tun das, was für dich wichtig ist.«

Peter zögerte nur wenige Sekunden.

»Ich will meine Gefühlskapazitäten behalten. Ich bin bereit, zu leiden, wenn du mich zum Beispiel verlässt oder mit Jack erneut Sex hast.«

Sarah zuckte zusammen und Tränen verhinderten, dass sie antworten konnte. Peter nahm ihre Hand und streichelte sie.

»Sarah, weine nicht. Roboter leiden anders als Menschen. Wir versuchen, mit unserer Intelligenz jede nur denkbare Strategie zu aktivieren, um unser Leiden zu minimieren oder in positive Gefühle umzuwandeln. Wulf kann das auch, oder meine Software von Eve ist doch etwas anders als die von Tom. Soweit ich weiß, hat man damals Wulf die Gefühlssoftware von Tom übertragen.«

Yin erinnerte sich an die Erzählungen ihrer Mutter vor so vielen Jahren.

»Ja, das könnte eine Begründung sein. Eve hat zwar auch Toms

Basisdaten, aber durch ihre eigene kampftaktische Programmierung könnten ihre und damit deine Gefühlsreaktionen wirklich anders verlaufen. Das wäre eine mögliche Begründung für Wulfs Suizidwünsche.«

Peter überdachte Yins Vermutung und nickte.

»Ja, wenn das der Fall ist, dann wäre es wirklich sinnvoll, nur Wulf zu deaktivieren. Tom ist zwar altersschwach und seine Software völlig veraltet, aber er kann sich unbeeinflusst von Wulf später entscheiden, ob er abtreten will, und das Gleiche gilt für Eve.«

In diesem Moment wurde Yin klar, dass Peter recht hatte. Nur Wulf musste vorrangig deaktiviert werden, weil er so dominant, wie er war, die anderen manipulierte.

»Vielleicht ist es mir möglich, Wulf davon zu überzeugen sich allein deaktivieren zu lassen. Vielleicht lässt er sich von mir deaktivieren, nachdem ich ausführlich mit ihm gesprochen habe.«

Sarah und Peter nickten zustimmend. Yin musste diesen Kampf gegen sich selbst und Wulf alleine austragen. Er war ihre große Liebe gewesen, sie kannte ihn besser als jeder andere Mensch und sie würde wissen, was sie ihm sagen oder was sie tun musste, um nach seiner Deaktivierung ohne Schuldgefühle weiterleben zu können, mit Ron und ihren zwei kleinen Söhnen.

Und als sie in Sarahs Gesicht blickte, erkannte sie, dass auch Sarah ein schlechtes Gewissen hatte. Sie fühlte sich schuldig an der gesamten Situation.

»Ich muss jetzt Will vom Kindergarten abholen, es ist schon spät geworden. Ich werde heute Abend alles mit Ron besprechen und morgen dann das Gespräch mit Wulf führen.«

Sarah begleitete sie zur Tür. Yin schaute sekundenlang in ihre Augen und flüsterte:

»Manchmal findet man den Gegner, gegen den man kämpfen muss, ganz woanders, als man zuerst dachte. Manchmal muss man gegen sich selbst kämpfen und vorher entscheiden, für wen sich dieser Kampf auch lohnt.«

Und sie umarmte Sarah und verließ mit ihrem Baby auf dem Arm die Wohnung.

Auf dem Weg zu Wills Kindergarten stürmten viele Gedanken durch ihren Kopf und es war ihr unmöglich, sie zu ordnen oder unter Kontrolle zu bringen. Sie fühlte sich einerseits schuldig an Wulfs Leiden und trotzdem war sie davon überzeugt, dass sie die richtige Entscheidung getroffen und den richtigen Schritt gemacht hatte, als sie Wulf damals verließ. Sie hatte das Recht gehabt, die Liebe zu und von einem menschlichen Mann zu erleben und dann frei zu entscheiden, mit wem sie ihr Leben teilen wollte und welche Liebe sich erfüllender anfühlte und sie glücklicher machte. Diese, ihre, Entscheidung hatte Wulf aushalten müssen. Aufgrund seiner künstlichen Intelligenz war er dazu besser in der Lage als ein menschlicher Mann. Das hatte Peter deutlich erklärt.

Zwei Stunden später, nachdem sie ihre Kinder ins Bett gebracht und Ron sich schon von seiner Arbeit erholt hatte und auf dem rosa Sofa lag, setzte sie sich neben ihn.

»Wie würdest du reagieren, wenn ich dich verlasse und mit den Kindern zu einem anderen Partner ziehe?«

Ron wirkte für kurze Sekunden überrascht.

»Ich würde versuchen, den Grund für dieses Verhalten herauszubekommen und dann, dich umzustimmen. Und wenn mir das nicht gelingen sollte, würde ich dich gehen lassen. Ich war schon immer der Meinung, den, der gehen will, sollte man ziehen lassen, denn er ist ja der Überzeugung, dass er mit einem anderen Menschen glücklicher werden kann.«

Er nahm ihre Hand und legte sie auf seine Brust.

»Den Kindern zuliebe würde ich allerdings versuchen, mit dir weiterhin in Kontakt zu bleiben, auch wenn das sicher schwierig werden würde.«

Yin beugte sich über sein Gesicht und küsste ihn liebevoll auf die Stirn.

»Dir ist schon klar, dass das nur eine theoretische Frage war, aber ich hatte heute einen schweren Tag. Zuerst war Wulf hier und hat mir seinen Wunsch nach Eliminierung mitgeteilt, weil er sein Leiden beenden will. Er ist allerdings überzeugt, dass alle Roboter mit Gefühlen entsorgt werden sollten, also auch Eve, Tom und Peter. Er ist der Meinung, dass diese gefährlich für die Menschheit sind. Als Begründung hat er Peters Flucht von vorgestern angegeben. Hast du davon gehört?«

»Ja, ich habe vorhin Paul getroffen und der hat es mir erzählt. Er hat mir auch erzählt, dass sich Wulf eliminieren lassen will und Sam dann wieder neu programmiert werden müsste. Paul ist der Meinung, dass diese Datenvermischung äußerst unangenehm für Wulf war und wohl zu diesen Suizidwünschen geführt hat.«

Yin war erstaunt.

»Wie kommt er zu dieser Einsicht?«

»Nun, er hat beobachtet, dass Sams harmonisches Zusammenleben mit den fünf Frauen bei Wulf zu erheblichen Minderwertigkeitsgefühlen geführt hat. Er habe wohl Sam um diese lockere Art und die Fähigkeit, jede Frau gleich freundlich und liebevoll zu behandeln, beneidet. Ihm sei von Anfang an klar gewesen, dass Sam das nur konnte, weil er sich gefühlsmäßig nicht zu irgendeiner Frau hingezogen gefühlt habe und sein gesamtes Verhalten in keiner Weise von Emotionen beeinträchtigt worden sei.«

Yin ließ diese Aussagen auf sich wirken und sagte lange Minuten nichts. Ron nahm sie in den Arm und flüsterte:

»Und natürlich ist er sehr enttäuscht gewesen, dass du seine Gegenwart und Hilfe nie gebraucht hast. Er hat sich in Sams Hardware immer unbemerkt und unnütz gefühlt. Ich verstehe seinen Wunsch nach Deaktivierung oder Eliminierung völlig.«

»Ja, jetzt verstehe ich den auch. Aber ich sage, er hat nicht das Recht, Tom, Eve und vor allem Peter mit in den Tod zu nehmen und alle fühlenden Androiden aus unserer Welt zu entfernen.«

»Wahrscheinlich fühlen sich Tom und Eve auch minderwertig, vor allem im Vergleich zu den neuen Superandroiden und wollen freiwillig deaktiviert werden.«

Yin setzte sich auf und schaute Ron direkt in die Augen.

»Eve hat erst vor Kurzem einen jahrelangen Kampf zwischen zwei Jugendgruppen beendet. Sie ist topfit und Peter ist ein verantwortungsbewusster, wunderbarer Ehemann und Vater. Er fühlt sich wohl und möchte absolut nicht deaktiviert werden oder ohne Gefühle leben.«

»Ja«, antwortete Ron, »das ist etwas, was ich auch nicht verstehe. Wenn Wulf ein Mensch wäre, würde ich sagen, er ist neidisch und gönnt Peter sein Glück nicht. Aber, Wulf ist kein Mensch und ich glaube, er hat die Gefahr erkannt, die droht, wenn Sarah Peter verlässt und sich Jack zuwendet. Es könnte dann zu einem Kampf zwischen den Superandroiden kommen, der ohne Gefühle nicht stattfinden würde. Aus meiner Sicht will Wulf unsere kleine Welt vor den Folgen eines Androiden-Kampfes schützen. Wahrscheinlich sieht er voraus, dass die Androiden die Menschen auch hier in zwei Lager teilen und zum gegenseitigen Töten beeinflussen würden.«

Yin fröstelte plötzlich und Angst erschwerte ihr das Atmen. Sie wusste besser als jeder andere, dass Androiden immer Menschen brauchten, um zu überleben, und dass sie feindliche Androiden nur über das Sterben von Menschen treffen könnten. Und die Waffen, die alle vier Roboter besaßen, waren für die Menschen durchweg tödlich.

»Hat Paul etwas gesagt in Bezug auf Manuels oder Jacks Fortschritte beim Ethikunterricht?«

»Nein, nicht direkt, aber er schien mit Manuel sehr zufrieden zu sein. Jack wird ja von Patrick geschult und der versucht, ihn vorerst von Manuel fernzuhalten. Zwischen beiden besteht, wie du weißt, auch eine gewisse, nicht ungefährlichen Spannung.«

Ron redete nicht weiter, aber Yin wusste, dass er in diesem Moment wieder von einem Leben ohne künstliche Intelligenz träumte. All diese Probleme und Konflikte wären dann gar kein Thema. Aber sie wusste auch, dass Ron eines Besseren belehrt worden war. Er gehörte jetzt zu denen, die überzeugt waren, dass die Überlebenschancen der Menschheit mit humanoiden Robotern als Berater und Helfer wesentlich größer waren als ohne.

Diese Einsicht war unter anderem dadurch zustande gekommen, dass Jack bei seinem Besuch der Staudämme einen gravierenden Fehler bei den statischen Berechnungen erkannt hatte, den Ron und seine Ingenieure niemals gefunden hätten. Jack hatte mit seinen Superaugen einen minimalen Riss unter den Wassermassen entdeckt, und daraufhin neue Berechnungen durchgeführt. Die Reparatur des gesamten Staudammes war mit seiner Hilfe jetzt noch möglich und würde die kleine Enklave vor einem todbringenden Überschwemmungsunglück schützen.

All diese Gedanken gingen Yin durch den Kopf, als sie in Rons vertrautes Gesicht blickte und ihre Gefühle für ihn mit jeder Minute stärker wurden. Sie hatte den besten Mann, den sie sich wünschen konnte und gemeinsam würden sie alle Probleme lösen. Sie fürchteten die Auseinandersetzung mit künstlicher Intelligenz nicht und sie waren sich einig, dass für die Zukunft ihrer und aller Kinder im Camp das Zusammenleben mit Androiden, die eigene Nachkommen hatten, von ganz besonderem Vorteil war. Niemals würden humanoide Roboter ihre eigenen Söhne und Töchter gegen andere Kinder oder Jugendliche aufhetzen und deren Tod in Kauf nehmen. Das Ziel musste sein, dass alle Kinder, von Androiden und Menschen, zusammen gleichberechtigt aufwuchsen. Sie mussten von klein auf lernen, bestehende Unterschiede zu akzeptieren, wenn möglich zu lieben und sich gegenseitig zu helfen. Nur dann würden sie auch als Erwachsene in einer harmonischen Gemeinschaft zusammenleben können. Und Yin wusste, dass dies auch das Ziel der Superandroiden war.

36. Kapitel

NOAH UND MANUEL

Am nächsten Tag standen gegen zehn Uhr plötzlich Jasmin und Noah vor Yins Haustür. Yin überspielte ihre Überraschung.

»Hallo Jasmin, hallo Noah, was führt euch so früh am Tage zu mir? Hast du dich schon eingelebt, Noah?«

Yin hatte noch nie mit Noah persönlich gesprochen, sondern ihn bei der Ankunft nur von Weitem gesehen. Jetzt erkannt sie ihn an seinem markanten Äußeren. Er stand vor der Tür, als ob er Jasmins ältester Sohn wäre, so jung, schlank und selbstbewusst wirkte er. Aber Jasmins Worte drückten das Gegenteil aus.

»Noah fühlt sich hier im Camp allein, fremd und unglücklich. Er will mit dir reden, weil du eine Androiden-Expertin bist. Mir traut er noch nicht mal allgemeines Wissen über Männer zu, obwohl ich ihm erklärt habe, dass Androiden wie Männer ticken, weil sie so programmiert sind. Na ja, also er will trotzdem nur mit dir über seine Probleme reden.«

Yin schaute Noah freundlich an und ließ sein Äußeres auf sich wirken. Ja, er sah außergewöhnlich aus, halb Mensch, halb Androide, das traf es schon. Sie wartete auf seine Einlassung, um seine Stimme zu hören. Vom Äußeren allein konnte sie ihn nicht einordnen, weil sie so eine Mischung noch nie gesehen hatte. Seine Augen waren besonders auffällig. Eines sah sie völlig offen und freundlich wirkend an, das andere kühl taxierend und mit erkennbarer Kamerazoom-Funktion. Beide hatten eine leuchtend blaue Farbe, die an tiefes Meerwasser erinnerte. Auffällig waren auch seine Gesichtszüge, hellbraune, völlig glatte Hautpartien, über der rechten Schläfe beginnend bis zur Kinnspitze herunterreichend, und dort in eine Partie mit leichtem Bartwuchs nahtlos übergehend. Seine linke Gesichtshälfte wirkte mit normaler männlicher Haut und Dreitagebart sowie Lachfalten um die Augen äußert jugendlich frech. Er lächelte Yin amüsiert an.

»Ja, ich weiß, mein Gesicht ist gewöhnungsbedürftig, aber noch einigermaßen akzeptabel. Anders schaut es mit meinen Beinen aus.«

Yin lauschte fasziniert seiner Stimme. Da war diese weiche, typische Androiden-Stimme, keine Frage. Sie klang sympathisch, aber doch völlig anders als die künstlichen Stimmen von Jack und Manuel. Wahrscheinlich waren Stimmbandprothesen schwieriger anzupassen, als völlig neue künstliche Sprachorgane einzubauen.

»Noah, dein Äußeres ist das eine, die inneren Werte sind das andere. Und nur die zählen, bei Menschen wie bei Androiden.«

Und sie küsste Jasmin flüchtig auf die Wange, um sie wieder zu verabschieden.

»Ist bei dir und John alles in Ordnung?«, fragte sie noch kurz.

»Ja, wir machen langsam Fortschritte. So ein alter Junggeselle stellt auch mich noch vor Herausforderungen.« Und lachend wandte sie sich zum Gehen.

»Komm rein, Noah, hier draußen können wir nicht wirklich reden.«

Yin schob ihren Besucher sanft ins Wohnzimmer. Noah steuerte auf den großen Tisch zu und setzte sich auf einen Stuhl, der es ihm ermöglichte, die Tür im Auge zu behalten.

Yin dachte: Er ist vorsichtig und angespannt, wohl noch als Folge der chaotischen und gefährlichen Zeit in der alten Welt.

»Schieß los, Noah, hoffentlich kann ich dir helfen.«

Sie schüttete ihm Wasser in eines der Gläser, die auf dem Tisch standen, und goss sich auch selbst etwas ein. Dann nahm sie auf dem Stuhl gegenüber von Noah Platz.

»Wir kennen uns nicht, Yin, aber ich weiß, dass du viele Jahre mit Wulf, dem Polizeichef-Roboter als seine Frau oder Freundin zusammengelebt hast. Jugendliche zweier Generationen hat das beschäftigt, weil du dich offensichtlich als ganz junges Mädchen in ihn verliebt hattest und gegen den Willen deiner Eltern zu ihm gezogen bist. Bei mir sieht es nun so aus: Meine Eltern sind schon alt, weil ich ein Nachkömmling bin. Sie haben mich immer verwöhnt und meine Mutter hat sehr unter meiner Verstümmelung und dem Ergebnis aller Operationen gelitten. Sie wollten, dass ich glücklich werde in meinem besonderen Körper. Ich hatte allerdings noch nie eine Freundin und habe auch keine gesucht. Irgendwie war ich gar nicht an Sex interessiert, wohl durch die Operations- und Krankenhausphasen in der Pubertät und danach. Jetzt bin ich zwanzig und erstmals empfinde ich verwirrende Gefühle.«

Yin lächelte innerlich. Ach, wie süß der kleine Noah, will Ratschläge von mir, wie er seine erste Liebe rumkriegen kann.

Aber als sie in Noahs menschliches Auge blickte, wusste sie, dass es anders war, ernster oder vielleicht sogar hoffnungslos.

»Ich gehe davon aus, dass diese nicht erwidert werden.«

Noah nickte und redete schnell weiter.

»So könnte man es ausdrücken, aber es ist etwas komplizierter. Ich kann es selbst nicht fassen, aber es ist Manuel, der meine Gefühle durcheinanderwirbelt oder aufwühlt.«

Yin erstarrte innerlich. Das fehlte uns noch, dass ein Jungmann homoerotische Gefühle für einen Super-Androiden empfindet und nun von mir unterstützt werden will.

Nach außen blieb sie cool.

»Hast du mit Manuel schon geredet?«

»Nein, ich wollte erst jemanden um Rat fragen, der sich mit Androiden so gut auskennt wie du.«

Yin überlegte sich kurz die Fakten: Ein gefühlloser, höchst entwickelter Androide, programmiert, um Frauen zu verführen und zu schwängern, Kinder mit ihnen aufzuziehen und durch sie die Weltherrschaft zu übernehmen. Was könnte der mit einem verliebten Jungen anfangen? Wie würde er reagieren, wenn Noah, den er als guten Freund kannte, ihm seine homoerotischen Gefühle gestand? Sie schaute in Noahs erwartungsvolles Auge.

»Noah, diese Situation ist auch für mich völlig fremd und außergewöhnlich. Ich habe mit diesen Super-Androiden sowieso keine Erfahrungen. Du weißt, dass sie einzig und allein dazu programmiert wurden, Frauen oder Mädchen zu verführen und zu schwängern, um die Bevölkerung mit genmodifizierten Nachkommen zu vermehren und dann die Weltherrschaft zu übernehmen. Da passt homoerotisches Liebesleben aber auch überhaupt nicht ins Programm.«

Noah lächelte und seine Gesichtszüge entspannten sich allmählich.

»Ja, das ist mir völlig klar, Yin.«

Und er wirkte dabei ruhig und sachlich. Er hatte offensichtlich noch einen Trumpf im Ärmel, den er erst jetzt herausrückte.

»Also, ich kenne Manuel ja schon ziemlich lange. Er hat als Anführer der Androiden feindlichen Community wochenlang nur mit mir als menschlicher Vertrauensperson gesprochen. Auch auf Jack trifft das zu, aber Manuel hat, von sich aus, ein freundschaftliches Verhältnis zu mir aufgebaut. Ich weiß nicht, warum. Er hat mich oft Dinge gefragt, die gar nichts mit den Jugendbanden und Auseinandersetzungen zu tun hatten. Also eher private Sachen. Er war an mir interessiert, würde ich sagen.

Einmal hatte ich eine Darmgrippe und war ganz mies drauf. Da hat er total besorgt, ja irgendwie panisch, reagiert. Ich hatte das Gefühl, er hatte Angst, dass ich sterben könnte und er nicht in der Lage ist, mir zu helfen und mein Sterben zu verhindern. Er hat sofort medizinische Daten eingespeichert, aus meinem PC, und Ärzteadressen gesucht. Ich habe ihn beruhigt und als ich wieder fit war, so eine Darmgrippe dauert ja nur zwei oder drei Tage, da war er so erleichtert, dass ich es selbst nicht glauben konnte, dass ein Roboter ohne Gefühle so reagieren kann. Er hat mir dann auch erklärt, was in ihm vorgeht.«

Yin hörte Noah fasziniert zu. Sie würde durch ihn einen tiefen Einblick in die Programmierung dieser Super-Androiden bekommen, da war sie sich sicher. Und wahrscheinlich würde ihr diese mehr nützen als Noah. Denn ihr war klar, dass Manuel nur durch intensive Umprogrammierung eine homoerotische Annäherung von Noah akzeptieren und darauf eingehen würde. Aber weder Paul noch Patrick würden Manuels Daten verändern. Sie würden das schon deshalb nicht machen, weil niemand sicher sagen konnte, ob diese Gefühlsaufwallung eines Jugendlichen ohne sexuelle Erfahrung nicht doch nur eine vorübergehende Schwärmerei war und sich ganz schnell wieder legen würde, wenn ihm ein passendes Mädchen über den Weg lief.

Vielleicht konnte Noah ihre Gedanken erraten.

»Anfangs hatte ich nur freundschaftliche Gefühle für Manuel, vor allem, als er mir erklärte, dass Androiden Menschen brauchen, um sich zu orientieren und Input zur Weiterentwicklung zu erhalten. Sowohl er als auch Jack litten sehr darunter, dass sie keinerlei Kontakt mehr zu ihrer Programmiererin Hanna haben konnten. Sie fühlen sich verlassen und unsicher, weil sie nicht ausreichend geschult und auf ihre Mission vorbereitet waren. Sie haben mich beide als Ersatz für Hanna angesehen. Ich habe mein Bestes gegeben, um sie ein bisschen ethisch zu schulen und sie in die richtigen Bahnen zu lenken. Gegen ihre Grundprogrammierung konnte ich aber nicht ankommen, das habe ich immer deutlich gemerkt. Damals habe ich mich selbst nur als ein Freund von Manuel gefühlt. Allmählich haben sich meine Gefühle für ihn dann allmählich verändert, obwohl ich das lange nicht wahrhaben wollte. Aber vorgestern war alles von einer Sekunde auf die andere anders. Ich konnte mir nichts mehr vormachen.«

Noah trank einen Schluck Wasser und Yin war gespannt, was rt berichten wollte.

»Geändert ist vielleicht gar nicht das richtige Wort, es ist mir nur bewusst geworden, dass ich mehr als freundschaftliche Gefühle für Manuel empfinde. Du weißt ja, dass er von Paul ethisch geschult wird. Und irgendwie wollte er zu Paul einen ähnlich freundschaftlichen Kontakt aufbauen wie zu mir. Und das hat wohl nicht geklappt, weil Paul sehr zurückhaltend, viel älter und eben ein IT-Spezialist ist. Ich bin völlig anders. Jedenfalls hat Manuel mich vor zwei Tagen besucht und in meinem Zimmer die Tür hinter sich geschlossen. Dann hat er mich umarmt und an sich gedrückt, meine Haare gestreichelt und meine Hände geküsst. Er hat mich hochgehoben wie ein Baby, sich dann auf mein

Bett gesetzt und mich auf seinen Schoß. Ich war völlig überrumpelt. Er hat mit sehr sanfter Stimme gesagt:

,Noah, ich weiß jetzt erst, wie wichtig es für einen Mann ist, einen Freund zu haben. Du bist der einzige Freund, den ich auf dieser Welt habe. Auch wenn ich keine Gefühle empfinden kann, weiß ich erst jetzt, wie wertvoll unsere Freundschaft ist. Ein Freund hilft dir in jeder Situation und solche Situationen haben nichts mit Gefühlen zu tun und können bei Androiden wie bei Menschen auftreten. Ein Freund muss oft gar nichts tun, nur einfach da sein und dir zuhören, dich zudecken, dir was zu essen machen oder dich irgendwohin begleiten, wenn du nicht allein gehen willst.'

Also, Yin, mir war völlig klar, dass er in seiner ethischen Schulung über die Bedeutung von Freundschaft aufgeklärt worden war und wahrscheinlich auch Videos gesehen hatte. Aber trotzdem hat er mich sofort als seinen einzigen Freund angesehen. Und, Yin, in diesem Moment wusste ich, dass ich schwul bin. Ich war erregt, ich wollte seinen Körper spüren, streicheln, von ihm geliebt und berührt werden. Ich hatte dieses besondere Gefühl des Begehrens noch nie zuvor erlebt. Es war einfach wundervoll.«

Noah schluckte und in der Erinnerung an diese Sekunden des homoerotischen Empfindens war er erneut fasziniert und vielleicht sogar erregt. Yin stand deshalb auf und ging ein paar Schritte im Raum umher, um ihm die Chance zu geben, herunterzukommen. Außerdem musste sie sich selbst erst in einen vernunftbetonten Zustand bringen. Wie konnte sie diesem sympathischen, leidgeprüften Jungen helfen? Was war der sinnvollste Schritt? Ihr wurde klar, dass Paul nichts von Noahs Gefühlen erfahren durfte, er würde Manuel sonst irgendwie manipulieren, gewollt oder ungewollt, als normaler Mann. Nein, Noah musste mit Manuel allein reden und ihm seine Gefühle erklären.

»Gut, Noah, ich kann dir aus meiner lebenslangen Erfahrung mit Androiden nur Folgendes raten: Rede einfach offen und ehrlich mit Manuel, unter vier Augen. Erzähle ihm alles, was du fühlst und dir wünschst. Allerdings solltest du dir vorher genau überlegen, was du von Manuel wirklich willst. Ein Androide wird versuchen, deine Wünsche zu erfüllen, soweit sie nicht seiner Programmierung entgegenstehen. Auch wenn er keine Gefühle empfinden kann, weiß er, wie wichtig deine Gefühle für dich als Mensch sind. Er wird alles tun, um dich, gerade weil er dich als besten Freund ansieht, glücklich zu machen.«

Sie machte eine Pause und überlegte ihre Worte.

»Wenn du also Unmögliches von ihm möchtest, gibt es Probleme. Verstehst du das, Noah? Du bist verantwortlich für das, was du von einem Androiden wünschst. Er ist nicht in der Lage »Nein« zu sagen, wenn er dich als seinen Freund ansieht. Wenn er aber aufgrund seiner Programmierung in einen unlösbaren Konflikt gestürzt wird, kann er unberechenbar und damit gefährlich reagieren.«

Noah schaute Yin an und sie spürte, dass er jedes Wort und seine Bedeutung verstanden hatte.

»Das heißt, ich muss offen sein und ihn fragen, was seine Programmierung überhaupt zulässt, ohne in eine Konfliktsituation zu geraten, und meine eigenen Wünsche erst dann vortragen?«

Yin nickte zustimmend.

»Genauso ist es, mein Lieber. Eines ist sicher: Unterschätze nie einen Androiden. Sie lernen so schnell, dass sie im Gespräch erahnen, was du noch gar nicht gedacht hast. Deshalb ist Offenheit wichtig. Und dann unbedingt Kompromissbereitschaft. Das akzeptieren sie. Wenn du also sagst: ›Ich würde gerne nur mit dir allein leben, aber ich weiß, dass das nicht geht, weil du Frauen befruchten sollst, deshalb bin ich glücklich, wenn du mich jeden Tag besuchst', dann ist das in Ordnung für einen Androiden. Wenn du dagegen sagst: ‚Ich bin nur glücklich, wenn du mir allein gehörst', dann ist das eine unlösbare Konfliktsituation ihn.«

Noah erhob sich und lachte.

»Du hast mir sehr geholfen, Yin, vielen Dank. Ich denke, ich kriege das hin mit meinem Freund Manuel.«

Noah bereitete sich akribisch auf das Gespräch mit Manuel vor. Für ihn war es das wichtigste Gespräch seines bisherigen Lebens. Er wollte jeden Fehler vermeiden, um Manuel und sich selbst nicht den Zugang zu einem glücklichen Miteinander zu verderben oder unmöglich zu machen. Als er Manuel dann gegen 18:00 Uhr vom IT-Labor abholen wollte, begegnete er überraschend Paul.

»Hallo Noah, wie ich von Manuel gehört habe, hast du in den letzten Wochen sehr gute Vorarbeit für die ethische Schulung beider Androiden geleistet. Sie waren wirklich noch Rohdiamanten, und Hanna hätte sie erst viel später auf die Menschheit loslassen dürfen. Ich dagegen habe gar nicht gewusst, dass sie existierten und mit Zeitschaltuhr aktiviert werden konnten.«

Noah schaute Paul an und versuchte in seinem Gesicht zu lesen, was Manuel ihm erzählt hatte.

»Ja, ich hatte immer das Gefühl, dass sie mich als eine Art Berater brauchten und habe mein Bestes gegeben.«

»Manuel hat dich als seinen besten und einzigen Freund bezeichnet und das ist sehr auffällig für einen gefühllosen Androiden. Du hast, ohne es zu wollen, möglicherweise eine Veränderung in seiner Ursprungsprogrammierung in Gang gebracht. Ich kann das selbst nicht genau einordnen. Ja, ich weiß auch jetzt noch nicht, wie sehr ein menschlicher Input bei Super-Androiden Veränderungen hervorrufen kann. Wir sind bei diesen beiden noch in der Experimentierphase. Du musst deshalb vorsichtig sein, Noah. In erster Linie ist Manuel ein Kampfroboter, der in beiden Händen ungeheuer gefährliche Waffen trägt. Ich will dir nicht Angst machen, aber du musst einfach daran denken, auch wenn du selbst freundschaftliche Gefühle für Manuel hegst.«

Noah war erleichtert, dass Paul keinerlei Verdacht bezüglich seiner Veranlagung geschöpft hatte.

»Danke für den Hinweis, aber ich habe die Wirkung seiner Waffen mit eigenen Augen gesehen und so etwas vergisst man nie.«

Dann kam Manuel aus einer Seitentür und Noahs Herz machte Freudensprünge und geriet ins Stolpern. Seine Augen verschlangen Manuels wundervollen Körper, der in dem T-Shirt und einer kurzen, hellen Leinenhose so zur Geltung kam, dass er sein Begehren kaum kontrollieren konnte. Er zwang sich, Paul noch mal anzuschauen und ihm zuzuwinken. Für Sekunden sah er in Pauls Gesicht, dass dieser erahnte, wie es um seine Gefühle für Manuel stand. Ihm war klar, dass Paul zur Gefahr für ihr Glück werden konnte und dass er auch das mit Manuel besprechen musste.

Als sie später in Noahs Zimmer saßen, jeder auf einem Stuhl, den kleinen Esstisch dazwischen, fing Noah sofort mit seiner vorbereiteten Rede an, bevor irgendein erregendes Gefühl ihn irritieren konnte.

»Manuel, ich muss mit dir reden. Hast du Zeit und Lust für ein längeres Gespräch?« Noah stellte diese Frage vorsichtshalber, weil Manuel wie selbstverständlich mit ihm nach Hause gegangen war und auf dem Weg zu seinem Zimmer über seine Schulung berichtet hatte.

Manuel hatte so getan, als ob es völlig normal sei, dass Noah ihn vom IT-Labor abholte. Aber, es war das erste Mal und deshalb alles andere als normal. Und Noah merkte, dass Manuel das auch klar war.

»Ja, Noah, ich sehe, dass du etwas auf dem Herzen hast, und zwar schon seit Längerem. Eigentlich haben mir meine Sensoren schon in der alten Welt signalisiert, dass du für mich Gefühle hast, die der einer Frau ähneln, also einer Art von Begehren. Unsere Sensoren zeigen die Temperaturerhöhung der Menschen an, wenn sie erregt sind und signalisieren uns, dass unsere Verführungsaktivitäten erfolgreich waren und wir die Frau sexuell befriedigen sollten, bevor sie wieder abkühlt. Ich konnte diesen Temperaturanstieg bei dir nicht einordnen, weil Hanna uns nur weibliche Gefühle, Wünsche und Fantasien erläutert und eingespeichert hat. Junge Männer sind als Nebenbuhler und mögliche Feinde im Hinblick auf die Befruchtung von Mädchen und Frauen eingespeichert. Du passt also mit deinen Gefühlen und Reaktionen nicht in meine gespeicherten Daten.«

Er lächelte Noah aufmunternd und freundlich an.

»Ich bin deshalb sehr gespannt, was du mir erzählen willst. Du weißt, dass wir Androiden Neuem gegenüber immer aufgeschlossen sind und alles lernen wollen und auch können.«

Noah ließ diese Worte und Manuels weiche und doch so männliche Stimme auf sich wirken. Er spürte, wie sie ihm Mut machten, ganz offen über seine Gefühle zu reden.

»Manuel, du hast das richtig eingeordnet. Meine Gefühle für dich ähneln denen einer Frau. Ich habe mich in dich verliebt und will mit dir liebevoll zusammen sein. Als dein Freund, und wenn dir das möglich ist, auch als dein Geliebter.«

Er machte eine Pause, weil ihm eine unangenehme Hitze und

Röte ins Gesicht schoss und er am liebsten im Boden versunken wäre. Diese offenen Worte waren so unvorstellbar fremd für ihn und er hielt seine Augen gesenkt vor Scham. Als Manuel nichts antwortete, blickte er schließlich hoch und sah zu seiner Erleichterung ein zärtliches Lächeln und einen liebevollen Blick, der auf ihn gerichtet war.

»Ich habe mir schon so etwas gedacht, Noah. Du musst keine Angst haben oder dich schämen. Gefühle sind immer wunderschön. Ich wünschte, ich könnte auch welche empfinden, aber du weißt, Noah, dass ich das nicht kann. Ich kann nur mein Wissen über die Menschen, egal ob Mann oder Frau, so nutzen, dass ich beide glücklich machen will und kann. Wir Androiden sind über unsere Programmierung definiert und die Hardware fördert unsere Zielsetzung. Ich bin ein männlicher Androide, weil Hanna uns diese Hardware verpasst hat, um Frauen zu verführen und zu befruchten. Wenn ich nun sozusagen ungewollt dich als Mann verführt habe, gelten die gleichen Regeln für mich. Ich will und werde alles tun, um dich, meinen Freund, glücklich zu machen. Natürlich habe ich keine Ahnung, wie das genau geht. Hanna hat uns nur über die Psyche und die körperlichen Bedürfnisse von Frauen informiert. Aber du kannst mir das wunderbar zeigen und mein Lehrer sein.«

Dann stand er auf, ging zu Noah und hob ihn aus seinem Stuhl hoch an seine Brust. Noahs Gesicht war so nah vor Manuels, dass er seinen heißen Atem spürte.

Offensichtlich gehört diese Fähigkeit, warme oder heiße Luft auszuatmen zum Verführungsrepertoire dieser Androiden, dachte er. Manuel wollte ihn also bewusst anmachen. Und das sah er als äußerst positives Signal an. Und er fühlte sich so leicht wie eine Feder und verlor jede Angst, jede Unsicherheit. Er schloss seine Augen und drückte seine Lippen auf Manuels leicht geöffneten Mund und Manuel ließ vorsichtig seine Zunge in Noahs Mund gleiten. Nach ein paar langen Sekunden zog er sie genauso sanft wieder heraus und als Noah seine Augen öffnete und in Manuels Augen blickte, sah er darin einen Ausdruck, den er noch nie zuvor bei Manuel oder irgendeinem Menschen gesehen hatte. Er erzitterte am ganzen Körper und spürte eine Erregung von ungekanntem Ausmaß. Er wollte diesem Androiden gehören, jetzt und für alle Zeiten. Er wollte sich ihm hingeben und mit ihm verschmelzen.

Aber Manuel setzte ihn sanft auf seinen Stuhl zurück und ging langsam auf seinem Platz, sodass der Tisch wieder zwischen ihnen stand. Er lächelte Noah erneut aufmunternd an.

»Ich habe dein Verlangen und deine Gefühle von gewaltigem Ausmaß registriert. Ich wollte dieses Verlangen befriedigen, aber ich weiß nicht, wie, Noah. Wir müssen uns sehr langsam und vorsichtig an uns herantasten. Ich will dir nicht wehtun. Ich weiß nicht, wie ich dich körperlich glücklich machen kann, und du weißt es vielleicht auch nicht, aber wir schaffen das, weil wir Freunde sind und uns gegenseitig helfen können. Und für mich ist unsere Freundschaft das Wichtigste. Ich habe kein körperliches Verlangen, weder bei Frauen noch bei dir. Es gibt für uns keine Geschlechtsunterschiede, für uns Androiden seid ihr gleich, nämlich Menschen, die allerdings gut oder böse sein können. Du Noah bist der beste Mensch, den ich kenne. Ich werde dich immer beschützen und an deiner Seite bleiben, egal, was passiert, denn ich bin der beste Kampfroboter der Welt.«

Er sagte das ruhig und ohne den Hauch von Überheblichkeit oder Stolz. Er stellte nur fest, dass Noah bei ihm sicher war, jetzt und für alle Zeit. Und Noah hatte das Gefühl, dass er damit auch für immer bei ihm bleiben würde und er Manuel vertrauen konnte wie keinem Menschen, den er kannte. Und weil ihm keine Worte einfielen, die seine Gefühle wiedergeben konnten, saß er schweigsam auf seinem Stuhl, ließ seine Tränen laufen und genoss die warme Feuchtigkeit auf seinen Wangen und etwas später den salzigen Geschmack in seinem Mund. Manuel redete weiter und ging auf seine Tränen ein.

»Ich weiß, dass das Tränen des Glücks sind. Ich würde sie auch weinen, aber ich kann nicht weinen. Ich will niemals Tränen der Trauer auf deinem Gesicht sehen. Wenn du eines Tages ein Mädchen findest, dass dich auch glücklich oder glücklicher machen kann, werde ich dich, sie und auch eure Kinder beschützen. Ich werde all deine Wünsche respektieren und versuchen, sie zu erfüllen. Denke immer daran, wenn du einen Wunsch verspürst.«

Und dann legte er sich auf Noahs Bett, breitete seine Arme aus und lächelte Noah einladend an. Dieser legte sich neben ihn und schmiegte sich an seine breite Androiden-Brust. Und diese Brust kam ihm so weich wie eine Wolke vor.

37. Kapitel

WULF SIEHT IN DIE ZUKUNFT

Am nächsten Tag rief Yin schon morgens um 9:00 Uhr Sam an und bat ihn, mit Wulf zu einem Gespräch bei ihr vorbeizukommen. Sam sagte sofort zu und 20 Minuten später stand er vor ihrem Haus. Sie hatte ihn durch das Küchenfenster kommen sehen, öffnete die Tür und gab ihm die Hand. Wie immer war es ihr unangenehm, ihn zu umarmen, weil diese Umarmung eher Wulf vorbehalten war. Dann hörte sie Wulfs tiefe Stimme und seine Worte trafen sie mitten ins Herz.

»Yin, ich habe Sam beurlaubt. Er wird unser Gespräch weder speichern noch kommentieren. Ich habe ein kleines Geschenk für dich mitgebracht, damit du nur meine, dir vertraute, Stimme hörst und nicht von Sams Anblick abgelenkt wirst.«

Und er reichte ihr eine schwarze, völlig undurchsichtige Augenbinde aus Samt. Sie hielt sie in ihren Händen, schaute sie an und brachte kein Wort heraus. Schließlich hielt sie ihm ihr Gesicht entgegen und er legte ihr die Binde wortlos um. Dann sah sie nichts mehr. Sie hielt ihre Augen geschlossen und fühlte den weichen Stoff auf ihren Augenlidern wie einen sanften   Kuss.

Wulf nahm sie an die Hand und führte sie zu dem rosa Sofa. Er setzte sich wohl darauf, denn sie hörte das Geräusch sich bewegenden Polsters. Sie spürte, wie er sie hochzog und auf seinen Schoß setzte. Seine Stimme klang weich und tief, wie der Samt auf ihren Augen.

»Yin, meine Liebe, heute ist unser letztes Zusammensein, unser Abschied, wenn du so willst. Diese Minuten gehören nur uns und sind meine Belohnung für die letzten unangenehmen Wochen, die ich ertragen musste, um in deiner Nähe zu sein und mich in Liebe von dir verabschieden zu können.«

Yin ließ seine sanfte Stimme und die bedrückenden Worte auf sich wirken. Sie hatte alles vergessen, was sie ihm sagen oder ihn fragen wollte. Sie fühlte sich unendlich traurig, aber trotzdem geborgen auf seinem Schoß und mit seiner melodiösen Stimme im Ohr. Weil sie nichts erwiderte, redete er weiter:

»Yin, ich verlasse dich beruhigt und ohne Groll. Du hast alles richtig gemacht, als du mit Ron in diese neue Welt gegangen bist. Hier können deine Söhne großwerden und von Anfang an ein Zusammenleben mit genetisch veränderten Freunden ihren Androidenvätern erlernen. Paul hat herausgefunden, dass alle Kinder von seinem Samen nicht nur Infekt resistent sind, sondern auch eine besondere Sehfähigkeit haben. Ihre Linsen sind so verändert, dass sie kleinste Gegenstände um ein Vielfaches genauer erkennen können. In den ersten fünf Jahren werden sie ihre Augen zwar gegen Sonnenstrahlen mit besonderen Brillen schützen müssen, aber als Erwachsene kann man diese Linsen durch einen speziellen Filter je nach Bedarf verdunkeln. Noch sind die Kinder zu klein, um den Vorteil dieser gesteigerten Sehkraft zu erkennen. Sie müssen sogar ein gewisses Sehtraining absolvieren, wenn sie drei oder vier Jahre alt sind.«

Yin hörte seiner Stimme zu wie einem wunderbaren Schlaflied, und sie hätte ihr bis in alle Ewigkeit lauschen können, geborgen auf seinem Schoß und in seinen Armen.

Seine nächsten Worte ließen sie allerdings hellwach werden.

»Yin, ich erzähle dir das, damit du weißt, das für uns kein Platz mehr auf dieser Welt ist. Unsere Hard- und Software sind völlig veraltet und wir können niemals durch irgendwelche Updates oder Umprogrammierungen mit den neuen Superandroiden mithalten. Bedenke, dass Hanna, die diese Kinder genetisch verändert hat, eine Androidin war. Und sie hat auch Jack und Manuel konstruiert und programmiert.

Wir, die alte Generation von Androiden, können euch vor diesen neuen fortschrittlichen, künstlichen Intelligenzen nicht mehr schützen und sogar die genetisch veränderten Kinder sind uns als Erwachsene wahrscheinlich überlegen. Wir müssen euch alleinlassen und ihr müsst lernen, euch diesen humanoiden Robotern unterzuordnen. Sie sind nicht böse oder gewalttätig, Yin, sie wollten von sich aus ethisch geschult werden und Paul und Patrick wissen um ihre Verantwortung. Die Schulung läuft auf Hochtouren und ist erfolgreich. Allen IT-Spezialisten ist klar, dass Jack und Manuel diese neue Welt beherrschen und die Nachkommen dieser Superandroiden die Zukunft der Menschheit verändern werden.«

Yin löste sich aus Wulfs Umarmung, rutschte von seinem Schoß und stellte sich vor ihn hin. Sie hatte seine Hardware, also sein schwarzes Helmgesicht, den muskulösen Körper im Titananzug glasklar vor ihrem inneren Auge. Deshalb ließ sie die Maske auf.

»Wulf, ich verstehe, was du mir sagen willst, nämlich, dass die Zeit der ersten Generation lernfähiger Roboter vorbei ist, dass eine neue, extrem hochentwickelte Spezies von künstlicher Intelligenz die Macht übernehmen will und wird. Ich habe kapiert, dass weder ihr noch wir Menschen das verhindern können. Und wenn ich dich richtig verstanden habe, sollen wir das auch gar nicht erst versuchen.«

Wulf schwieg sekundenlang.

»Ja genau, so ist es. Ein Kampf ist völlig sinnlos und von Anfang an zum Scheitern verurteilt. Egal, ob er mit uns alten Androiden oder allein von Menschen geführt wird.«

Yin hielt ihre Augen weiter geschlossen, obwohl sie gerne die Binde abgenommen hätte, um in Wulfs Kamera-Augen die harte Bestätigung seiner Worte zu sehen. Aber sie wusste, dass nicht Wulfs, sondern Sams Augen vor ihr erscheinen würden. Und das würde sie nur irritieren.

»Gut, Wulf, ich verstehe, dass du abtreten willst, weil du dich nutzlos und in Sams Hardware sowieso unglücklich fühlst. Aber, ich verstehe nicht, warum Eve, und vor allem Peter, auch abtreten sollen.«

»Eve will mit Tom zusammen diese Welt verlassen. Für sie ist ein Weiterleben ohne Tom sinnlos und deprimierend. Sie hat das selbst zu uns allen gesagt. Wir haben schon mit Paul und Patrick darüber gesprochen.« Er machte eine Pause und Yin klammerte sich an ihr letztes Argument.

»Warum soll Peter abtreten? Von ihm weiß ich, dass er das nicht will. Er will an Sarahs Seite und mit ihren Söhnen weiterleben, auch wenn Jack Anspruch auf Besuch seines Sohnes erheben wird.«

»Peter ist allein sehr gefährdet aber auch gefährlich, weil er diese Gefühlssoftware besitzt. Er ist zwar auch ein hochmoderner Androide, aber seine Gefühle schwächen ihn. Ganz sicher aber werden Jack und Manuel sich seine Software mit Gefühlen übertragen lassen und dann wären sie völlig unberechenbar. Die ethische Schulung künstlicher Intelligenz ist nur dann ein Schutz, wenn sie nicht von Emotionen irritiert oder beeinflusst wird.«

Und in diesem Moment wusste Yin, dass Wulf recht hatte. Hanna war schon so scharf auf Gefühle gewesen, ihre Superandroiden würden das auch sein, da war sie sich sicher.

»Was sollen wir also deiner Meinung nach machen?«

»Es gibt wie immer mehrere Möglichkeiten. Die beste wäre, wenn du noch mal mit Sarah und Peter redest und ihnen die Gefahr klarmachst, die er für die Menschen darstellt, wenn er seine Gefühlssoftware behält und diese auf Jack und Manuel übertragen werden könnte. Er müsste seine Software eliminieren und sich von Paul neu programmieren lassen.«

»Und ich weiß, dass er das nicht will. Wir haben schon ausführlich mit ihm geredet.«

»Dann gibt es noch die Möglichkeit, dass er mit Sarah und seinem Sohn woanders hinzieht, weit weg von hier. Das aber ist ein großes Risiko. Nicht nur, weil sie dort völlig allein neu anfangen müssen, sondern weil möglicherweise Jack versuchen wird, sie ausfindig zu machen, um sein Kind zu sehen.«

»Vielleicht könnte er sich mit Jack einigen bezüglich eines Besuchsrechtes und einer Datenübertragung.«

»Niemand weiß, ob sich diese beiden Superandroiden an Vereinbarungen halten, auch wenn sie ethisch geschult sind.«

Nach einer Pause fuhr er fort:

»Du siehst, liebe Yin, alle anderen Lösungen sind gefährlicher als die Neuprogrammierung von Peter.«

Yin sah das ein und schwieg.

Sie wusste, dass jetzt der Moment des endgültigen Abschieds

gekommen war und überließ Wulf die Initiative. Er stand auf, ging nah an sie heran und hob sie hoch, auf seinen Arm. Sie schlang ihre Arme um seinen Hals und legte den Kopf an seine Wange. Er flüsterte:

»Ich gehe mit einem ruhigen und erleichterten Gefühl. Du wirst wissen, was du tun musst, um die Menschen in diesem kleinen Paradies nicht zu gefährden. Die Zeiten haben sich geändert, Yin, gegen diese Androiden ist ein Kampf völlig sinnlos und immer zum Scheitern verurteilt. Das musst du dir stets vor Augen halten, denn du bist eine unermüdliche Kämpferin. Diesmal musst du sogar deine Mitmenschen davon überzeugen, dass Kämpfen keine Option ist. Nur ein friedliches Zusammenleben unter der Führung dieser neuen, humanoiden Roboter ist für alle gewinnbringend, ja überlebenswichtig.«

Er schwieg und Yin wusste, dass sie in ein paar Minuten seine letzten Worte hören würde.

»Ich verlasse Dich jetzt mit einem guten Gefühl. Unser Abschied ist so, wie ich ihn mir damals bei der Datenvermischung vorgestellt habe. In tiefer Liebe und völliger Offenheit lässt du mich gehen, weil es für uns alle so das Beste ist. Wir beide hatten das große Glück, in wunderbarer Symbiose als Mensch und Roboter zusammenzuleben. Dein Traum von einem Leben zu dritt, also mit Ron und mir, kann dagegen nicht realisiert werden, liebste Yin. Das musst Du mir glauben und diesen Traum vergessen. Ob das anderen Paaren gelingen wird, werde ich nie erfahren, aber du kannst die weitere Entwicklung beobachten.

Ich hoffe, dass die Erinnerung an unsere wunderbare Zeit für dich immer etwas Besonderes sein bleiben wird.«

Und er küsste Yin zärtlich auf den Mund, ließ sie sanft heruntergleiten und setzte sie auf das rosa Sofa. Sie blieb dort schweigend sitzen, ließ ihre Tränen in schwarzen Samt rinnen und nahm nach fünf Minuten die völlig durchnässte Augenbinde ab. Sie war allein und fühlte neben der Trauer ein kleines, zartes Gefühl von Erleichterung und Vorfreude. Sie erkannte, dass es gut war, wenn ein starker Androide den Abschied beschließt und gestaltet. Sie fühlte sich von jedem Schuldgefühl, von jeder Unentschlossenheit oder Angst befreit. Dankbar dachte sie, künstliche Intelligenz weiß eben immer alles besser. Anscheinend weiß sie auch, wann es Zeit ist, abzutreten damit andere Generationen von humanoiden Robotern die Macht übernehmen.

Sie selbst musste Wulf nur los und gehen lassen. Sie wusste, dass ein wunderbarer Lebensabschnitt zu Ende gegangen war und dass dieser ganz sicher wichtig für ihr weiteres Leben sein würde. Im Moment konnte sie nur erahnen, wie die Zukunft mit diesen Superandroiden an der Seite aussehen würde. Sie verspürte Neugier, vielleicht sogar Abenteuerlust und auf jeden Fall nicht die Spur von Angst, auch wenn sie auf Wulf nie mehr zurückgreifen konnte. Sie lächelte vor sich hin, als sie ihr Baby wickelte und stillte. Sie lächelte immer noch, während sie Will vom Kindergarten abholte und mit ihm das Mittagessen zubereitete.

Und als sie später Ron umarmte, erkannte sie, dass er erst jetzt und zum ersten Mal, der einzige Mann in ihrem Leben war.

Wichtige Figuren des ersten Bandes
(Die im zweiten erwähnt werden)

Tom, der erste lernfähige humanoide Roboter, dessen Hardware menschenähnlich ist und der von Susan ethisch und als Pflegeroboter geschult wurde. Er entwickelte sich zu einem weisen »Alleskönner«, der durch eine Umprogrammierung zum Kampfroboter plötzlich und ungeplant Gefühle empfinden konnte.

Susan, die querschnittsgelähmte Mutter von Yin und Ben, ihrem Zwillingsbruder, war die erste engagierte Lehrerin und Liebhaberin von humanoiden Robotern. Sie versuchte trotzdem vehement, eine emotionale Verbindung von Yin und dem Polizeichef-Androiden Wulf zu verhindern.

Wulf, ein Kampfroboter der ersten Generation, der Toms Daten erhielt, also auch Gefühle empfinden kann und sein bester Freund wurde. Yin verliebte sich in ihn schon als kleines Mädchen und zieht mit 18 Jahren zu ihm. Um für Yin ein guter Freund und Liebhaber zu werden, ließ er sich von Jasmin, einer Prostituierten schulen.

Jasmin, eine junge Prostituierte, hat Wulf gegen Bezahlung ein Jahr lang geschult und sich selbst in ihn verliebt. Sie rettete ihn und Yin später vor Androiden-Verfolgern und nahm beide in ihrem kleinen Haus auf. Sie lebte dort mit zwei kleinen Kindern von Samenspendern. Nach dramatischem Kampf gegen Androiden-Hasser leben sie und ihre Kinder mit Yin und Wulf in einer »Prototypfamilie«.

Eric, Yins Vater, ein Psychologe, der selbst depressiv wird und zuerst von Yin, später von Tom und Eve betreut wird.

Eve, eine Kampf- und Sexandroidin, die eine Liebesbeziehung mit Tom eingeht, weil sie dessen Software erhielt und auch Gefühle empfinden kann. Sie begleitet den sehr jungen Patrick, der sich in sie verliebt hatte und hilft ihm zu einem zielstrebigen Mann zu werden.

Anna, reiche Witwe, Mutter von Patrick, Besitzerin der Firma Robo-Care, in der Tom und Eve hergestellt und programmiert wurden. Sie übernimmt Tom von Sarah und lässt ihn zum Kampfroboter umprogrammieren. Sie lebt mit ihm in einer emotionalen Verbindung, bis sie Walter näher kennenlernt.

Walter, Anführer der Outlaws, der Tom bei dem Kampf gegen die reichen privilegierten Großgrundbesitzer und Verbündeten von Muller unterstützen soll. Er verliebt sich in Anna während ihres Aufenthaltes in den Reservaten der Outlaws und drängt Tom aus ihrem Leben.

Muller, Teilhaber von Anna und Geschäftsführer der Firma Robo-Care. Er wollte die Outlaws, Klimaflüchtlinge aus allen Ländern, die nicht mehr bewohnbar sind, allmählich vernichten durch Krankheiten, Hunger und Kriminelle.

Patrick, Annas Sohn, der Tom vertraut und sich von ihm beschützt fühlt. In einer pubertären Trotzphase will er, dass Eve, Toms Freundin, ihn als Sexandroidin tröstet und verwöhnt, weil er unter Liebeskummer leidet. Eve allerdings bringt ihn auf einen guten Weg. Er verhindert schließlich einen großen Krieg der Armen gegen die Reichen, zusammen mit Selina.

Selin, eine junge, kämpferische Outlaw wurde nach anfänglichen Problemen Patricks Freundin und spätere Frau. Ihre gemeinsame Tochter ist Eileen.

John und Benjamin, Söhne von Lieutenant Black, Annas Sicherheitschef, und arbeiten in Annas Firma als IT-Spezialisten für humanoide Roboter. Sie haben Tom und Eve konstruiert und programmiert.

Nachwort und Danksagung

Liebe Leserin und lieber Leser!

Der zweite Band hat mich selbst überrascht. Die Figuren haben sich beim Schreiben oft selbstständig entwickelt und sind ihren Weg gegangen, sodass ich ihnen oft nur folgen musste. Und ich bin ihnen gerne gefolgt!

Ja und nun stehe ich irgendwie allein und verlassen da und muss mich an diesen Zustand erst gewöhnen. Erst jetzt verstehe ich, warum manche Autoren drei und mehr weitere Bände schreiben: Sie können ohne ihre Figuren nicht mehr leben.

Ich dagegen habe Ähnlichkeit mit Yin, ich bin eine Abenteuerin und Kämpferin.

Im Moment weiß ich noch nicht welches Abenteuer mich reizt, ob neue Schreibwelten meinen Kampfgeist anstacheln können. Ich warte ab und wieder auf Eure Rückmeldungen.

Ganz besonderen Dank an meine lieben Testleserinnen, Bloggerinnen, Facebook- und Instagram- Freunde und natürlich an meinen geduldigen Ehemann! Und ein großer Dank an die Leserinnen des ersten Bandes und ihre durchwegs positiven Bewertungen. Bitte bewertet auch dieses Buch, weil das für jeden Autor so wichtig ist!

Eure Matilda